新 潮 文 庫

重 力 ピ エ ロ

伊坂幸太郎著

新 潮 社 版

7974

重力ピエロ　目次

重力ピエロ

ジョーダンバット

春が二階から落ちてきた。

私がそう言うと、聞いた相手は大抵、嫌な顔をする。気取った言い回しだと非難し、奇をてらった比喩《ひゆ》だと勘違いをする。そうでなければ、「四季は突然空から降ってくるものなんかじゃないよ」と哀れみの目で、教えてくれる。

春は、弟の名前だ。頭上から落ちてきたのは私の弟のことで、川面に桜の花弁が浮かぶあの季節のことではない。私の二年あとに生まれた。パブロ・ピカソが急性肺水《はいすい》腫《しゅ》で死んだのがまったく同じ日で、一九七三年四月八日だった。

弟が生まれた時、私ははしゃいでいた。覚えているわけがないが、そのはずだ。少なくとも、親の苦悩や、周囲の人間の冷ややかな目の理由に気づいてはいなかった。

その弟が二階から落ちてきたのは、それから十七年後、つまり、彼が高校生の時のことになる。

当時、大学生だった私は、家で寝転がっていて、その時に電話がかかってきた。夕方遅くの六時頃、だったと思う。

「兄貴、頼みがあるんだ」

弟から、「頼みがある」と言われたことなどなかった。

「持って来てほしいんだ」

「何を」

「ジョーダンバット」

そこで一瞬とまどい、訝《いぶか》り、じっくりと記憶を辿《たど》り、思い出す。「ああ、ジョーダンバットな」

マイケル・ジョーダンというアメリカのバスケットボール選手がいた。いや、今もいるかもしれない。

八〇年代後半から九〇年代前半にかけて、ジョーダンはそれこそ正真正銘、現役の神様だった。得点王、MVP、NBA制覇、やりたい放題、自由自在、コートの上で彼にできないことなんて何ひとつなさそうだった。

その神様がまだ新人の頃、父が職場の同僚たちとアメリカ旅行に行った。まだ、癌《がん》に身体《からだ》を侵攻される前の父だ。母もまだ生きていた。

帰国した父が土産として誇らしげに取り出したのが、その、マイケル・ジョーダンのサイン入り木製バットだった。ツートーンのカラーのものだ。私たち兄弟は特に野球好きでもなかったため、どうして土産が木製バットだったのか不明だった。なぜ、野球用バットにサインをもらってきたのか、なぜ、マイケル・ジョーダンだったのかは、ますます謎《なぞ》だった。理由などなかったに違いない。

もっと言えば、サインの真偽も定かではなかったのだけれど、私も春も喜んだ振りをするくらいの礼儀は持っていた。取り合いこそしなかったが、そのバットを持って外に出て、交互に素振りを楽しんでもみせた。腰を捻《ひね》りながら、腕を振り、自分のつかんだバットが宙に音を鳴らし、その音を何度も聞くうちに全身がくたびれてくる。実際、心地良い運動ではあって、飽きることもなかった。

それから数年後、マイケル・ジョーダンが引退し、野球をはじめるというニュースが報じられた時、私は少なからず驚いた。神様が異分野に挑戦し、練習に励む姿は想像しにくかったし、何よりも、父が持ち帰ってきたサイン入りバットは、それを先取りしていたようにしか思えなかったからだ。

「そうだよ、あのジョーダンバット」春は軽やかな口調だったが、声が引き締まっている。「兄貴、今すぐそれを持ってきてくれよ。車でさ。今、高校にいるんだ。校門裏のパン屋知ってるだろ。頼むよ。兄貴しかいないんだ」

「今行く」

裏庭の物置からジョーダンバットを引っ張り出すと、父の車に乗り、出発した。母には何か適当な言い訳をした。

路上駐車をして、バットを持っていくと、パン屋の前に立つ春は、「助かった」と微笑《ほほえ》んだ。「じゃあ、行こう」

「え」私は途方に暮れた声を出す。「どこに」

「やっつけに」

問い返す私を無視し、弟は歩いていく。慌《あわ》てて追った。春は前を向き、真《ま》っ直《す》ぐに進んでいく。自分の向かうべき目的地、なすべき使命を完全に把握している者の歩き方で、それこそ、「冬」が終わった後で自分の出番に向かう、季節としての、「春」のような勇ましさがあった。

高校の構内に入ったところで彼は、「体育倉庫に行くんだ」と短く言い、バットを握ったまま足を早め、それから簡単に、何が起きているのかを説明してきた。クラスの中に、ある女生徒がいる。親が県会議員ということだけで、同級生全員を見下し、そのくせ外見も悪くない。その子への憤《いきどお》りや苛立《いらだ》ち、不満を消化しきれない男子生徒が少なからずいて、彼らが集まり、企《たくら》んでいる。

「企むって、何を?」

「その子を襲うんだ」

「襲うって何だよ?」

「レイプするんだろ」

私ははっとしてから、すぐに直線的な怒りを覚えた。頭の血管に湯が流れ、小さく沸騰《ふっとう》する。そんな感覚だ。「本当なのか?」

「やっちゃうんだってさ」春は、やる、という抽象的な動詞を使用して、性的なことを取り繕うことを、嫌悪《けんお》していた。

「ジョーダンバットに関係があるのか」

「退治するんだ」

体育倉庫は、校舎の西側の陰にある、古い小屋だった。近づくに連れ、窓の木枠が腐り、壁のトタンも割れているのが分かる。心なしか、石灰の臭《にお》いが鼻を突き、建材と建材の隙間《すきま》から石灰粉が溢《あふ》れ、倉庫全体を曇らせているように見えた。外側に、階段があった。二階の扉へと伸びている。そこからも出入りができるらしい。二階には、壁沿いに、回廊と言うべきなのか、手すりのついた小さな通路が一周あるだけのようだ。

近寄ると、中からは女子生徒のくぐもった悲鳴と、数人の男子生徒の声が洩《も》れてきた。興奮で上擦った男たちの声は生々しく、反射的に胃に痛みを、頭には焼けるような熱を、感じた。

春が駆け出し、私ははっとする。獲物を狙《ねら》うネコ科の肉食獣ならば、もっと慎重だったろう。体育倉庫の脇《わき》についている階段を、一息に、二階まで駆け上がっていた。

そのまま階段をついていかなかったのは、追っても間に合わないと思ったからだ。いや、臆《おく》したのだ。私は窓ガラスに近寄り、倉庫の中を覗《のぞ》き込むのが精一杯だった。

春が二階から落ちてきた。

それが、見えた。私の弟は二階の扉から中に入ると、回廊の手すりを跨《また》いだ。ためらいも見せず、ジョーダンバットを両手で掲げると、そのまま飛んだ。膝《ひざ》を曲げ、着地する。高級な絨毯《じゅうたん》の上に降り立つような、柔らかな着地だった。

上半身を上げるやいなや、全身をバネのように動かし、バットを振りまわす。三人の男たちを順番に殴りつけた。男たちは順序良く、偶然ではあるのだろうが背の高い順に、その場に倒れた。埃《ほこり》なのか石灰なのか、煙がふわっと上がった。起き上がろうとした相手を、春はもう一度殴った。バットが男の後頭部に当たり、軽く音を出す。私は自分の鼓動が騒がしくなっていることと、鼻息が荒くなっていることに気づく。

一分もしないうちに、立っているのは春だけになった。恐怖と興奮が入り混じり、なかなか動くことのできなかった私は、ずいぶん時間が経《た》ってから、倉庫の中に足を踏み入れた。「すごいな」

三人の男たちがくねくねと身をよじり、のたうち回っていた。一人はだらしなく膝までズボンを下ろしている。

春は落ち着いていた。呼吸も荒らげずに、ジョーダンバットを右手に持ったまま、立っていた。

「春くん、ありがとう」横に倒れていた女子生徒が、春に寄ってきた。つい数分前まで男に襲われていたというのに、怯《おび》えや動揺は微塵《みじん》もなかった。まくれ上がったスカートを直すこともせず、妙な色気すら漂わせ、春の手を握った。「助かっちゃった」

春の動きは素早かった。ジョーダンバットをくるりと回し、グリップのところを彼女に向けると、槍《やり》を突き出すようにして、腹を遠慮もなく、力強く突いた。

彼女は鳩尾《みぞおち》を押さえて倒れた。息ができないのか、口を、「お」のままにして、悶《もだ》えていた。呼吸の自由が利《き》くようになってくると、罵《のの》りの言葉を吐き出す。

表情を変えない弟は、「別におまえを助けにきたんじゃないんだ」と言い放った。

二人で体育倉庫を出た後で、「おまえは酷《ひど》い」と私は、春に言った。

「あの女は腹立たしいんだ」

「分かる気がする」私は認めた。

「俺も、あいつらが、品のない手段を取るんじゃなかったら、止めなかったんだ」

「品があるってのはどういうやり方だよ」

「バットで殴りつけるだとか、そういうやり方が幾らでもあるじゃないか」

「それが上品なのか」必ずしも愉快な気分だけではなく、心配と同情を感じつつ、私は呆《あき》れた。

春にとって品があるかないかの区別は、性行為が関わっているかどうかで決定されるのだろう。

実はあの後、春が報復に遭うのではないかと、恐れていた。バットで殴られた男たちは入院するほどではなかったが、それでも病院に通うことにはなったし、受けた屈辱はそのままにしないのが、正しい不良少年のあり方にも思えた。

夜中に眠りに就いても、弟が呼び出され、リンチを受けているのではないかと心配になり、何度も目を覚まし、そのせいで、慢性の睡眠不足だった記憶がある。けれど、私の知っているかぎりでは、春が報復を受けることはなかった。理由ははっきりとしない。あの女子生徒についても、他の男たちと同じように、バットで殴ったのが良かったのかもしれない。人を公平に扱うものは大抵一目置かれる。

それにしても、あれから十年が経ったとは、どうも実感がない。

性的人間

春が、「性的なるもの」に、怨讐《おんしゆう》に近い嫌悪を抱いているのには理由がある。分かりやすい理由だ。

春と私とは、半分しか血が繋《つな》がっていない。母親は同じだが、父親が異なっている。

私が一歳の頃、夏の前だったと思う、母は、突然部屋に押し入ってきた男に襲われた。その時に妊娠したのが、春だ。私にはその時の記憶がない。あるのかもしれないが、思い出せない。どういうわけか、蟬《せみ》の、油を撒《ま》くような暑苦しい鳴き声ばかりが頭に残っているのだが、季節からすると蟬には早かったはずだから、やはり、記憶が歪《ゆが》んでいるのだろう。

事件から十日後、犯人は捕まった。常習犯で、未成年だった。年齢の割には、熟練した婦女暴行犯だった。子供を連れた若い母親が家のドアを開けたところを狙い、強引に押し入る。子供に危害を及ぼすぞと脅迫をし、女性に襲い掛かる。陳腐ではあるけれど効果的な、手口だ。場合によっては小学生をも標的にしたというから、強姦《ごうかん》魔に質や程度があるとしても、かなり悪質なほうだった。

その犯人には当然、罰が与えられた。少年院送致、だ。三十人以上の女性を襲い、十歳の女の子や四十歳近くの妊婦を無理やり性的におかしたその罪を、天秤《てんびん》の右側に載せ、左の受け皿に、少年院での数年間の生活を載せる。釣り合いが取れるとは思えないが、その左側にさらに、未成年、という重りを載せると見事に、天秤が平らになる。そういうことらしかった。

当時、少年犯罪者の情報は、被害者家族にはほとんど入ってこなかった。名前すら分からない仕組みだった。

二十歳になったばかりの頃、当時の新聞記事を閲覧したことがある。なぜ、あんなことをしたのだろう。なかには、事件の現場地図が掲載されているものがあり、愕然《がくぜん》とした。ゲームの達成状況を示すかのように、強姦現場に旗のマークが描かれていた。

三十箇所以上にも及ぶその犯行現場の印は、犯人の偉業を称《たた》えるようにも見えた。その無神経な記事を目《ま》の当たりにした私はふと、本当の敵は犯人以外にもいるのかもしれない、と疑った。

とにかく、「性的なるもの」が存在しなければ、春はこの世に生まれてこなかった。体育倉庫からバットを抱えて出てきた時の春は、清々《すがすが》しい顔はしていなかった。「兄貴がいなかったら困ったよ」と笑ってはみせたものの、遠くを眺め、自らの胃からこみ上げる吐き気を堪《こら》えているかのようだった。

春が敬愛するガンジーはこう言った。

「人間の情欲を根絶するには、食べ物の制限や断食が必要である」

あの時の春は、食べ物ではなく、バットでそれをやろうとした。世界中から、人間の悪という悪を、人間の性という性を退治するつもりで、ジョーダンバットを抱えて、跳んだのに違いない。

時折、夢を見た。ジョーダンバットを握ったまま春が時間を溯《さかのぼ》り、あの時のあのベッドで、母に覆《おお》いかぶさるあの男の後頭部を、思い切り殴りつけている夢だ。

夢の中で私が取る行動は、いつも同じだった。「ちょっと待てよ！」と声を上げ、バットを遮ろうとする。そんなことをすればおまえは生まれてこないんだぞ、と大声で叫ぶ。裏返った、恥ずかしい声だ。

後ろを振り返れば、ワンピースを捲《まく》り上げられた母が襲われている。春と母を交互に睨《にら》み、どうすべきなのか逡巡《しゅんじゅん》し、首を振る。耳を塞《ふさ》いだまま喚《わめ》く。この世には存在しない者に向かって罵詈《ばり》雑言を浴びせる。目を覚まし、洗面所に向かい、粘り気のある唾《つば》を吐く。

トースト

自分の会社が本当に燃えていたとは、思わなかった。もちろん、築五年の二十階建てビルが、ごみ袋に火を点《つ》けられたくらいで簡単に焼失するわけがなく、ボヤで消し止められただけだったのだが、何者かの意志によって自分の会社が燃やされようとした事実は、それなりに私を動揺させた。誰かに、「燃えてもいい」と判断されたのだ。「燃えたほうがいい」と望まれた可能性も、ある。

東側出入り口の外には、社員用の駐輪場が設置されていて、その奥が放火現場だった。可燃ごみの袋が積まれている。私の会社は個人情報を大量に扱うため、書類が山のように出る。それらはすべてシュレッダーにかけられて、業者が回収しに来るまでビルの裏側に置かれるのだが、それが燃やされた。

畳三枚分くらいの領域が焼けていた。黄色いロープがあちらこちらに張られ、警察官なのか、制服姿の男が立っている。立ち入り禁止だ、と誰かが注意を受けている。

「よう」と声をかけられ、振り返ると同期の高木が立っていた。「放火だよ、放火」

「どうして嬉《うれ》しそうなんだよ」

「最近、話題だろ。仙台市内の連続放火。たぶん、あれだ。あの一環だよ。ニュース見たから、朝一番に来て、焼け具合を見ておこうと、張り切って出社してきたんだ」

焼け具合、とは日焼けサロンか焼肉屋で発するべき言葉のようにも思えた。

「そういうためになら遅刻しないで来られるんだな」部署は異なっていたが、高木の遅刻がひどいのは有名だった。

「そうなんだよな、俺、すげえだろ」

「すごくないと思う」

私は焼けた壁にもう一度、目を向けた。実のところ、自分の会社が放火されたことよりも、別のことに驚いていた。昨晩、私のマンションの留守番電話に、春からの伝言が入っていたのだ。「兄貴の会社が放火に遭うかもしれない。気をつけたほうがいい」と。

「あいつの言う通りだった」

「どうした?」高木が聞き返してくる。

「いや」曖昧《あいまい》に返事をした。「関係ないけど、この壁、トーストが焦《こ》げた感じだ」

「石油をかけて火を点けたんだと。警備員がすぐに気づいて、あの程度で済んだらしい。動機はストレスだろうな」と断定口調だった。「昔から放火ってのは恨みだとかストレスが原因なんだよ。もしくは遺伝子のせいだな。放火魔の遺伝子がある。きっと。たぶん」

「遺伝子ねえ」

私たちの会社は、「遺伝子情報」を扱う企業だった。二十階建てビルの屋上近くに描かれる、「G」のマークは、「遺伝子」の「GENE」の頭文字だ。

「放火魔は遺伝しない」

「冗談だって」高木が肩をすくめた。「そんなに怖い顔するなよ」

「遺伝子が全てを決定している、っていう考えが好きじゃないんだ」私は正直に答えた後で、壁を指差した。「うちも恨まれてるってことかな」

「連続放火事件だとすれば特定の恨みなんてないんじゃないか? 適当に火を点けてるんだろ、どうせ。あ、そう言えばあれを聞いたか。薬局から薬が盗まれたって」

「へえ」気のないふりをした。一週間ほど前に、会社の調剤室から睡眠薬、正式には睡眠導入剤と言うのだろうか、それが盗まれ、騒ぎになった。

「ハルシオンだとか、ロヒプノールだとか、ごっそりだよ」

ごっそりと言うほどではないじゃないか、と私は内心で反論する。

「あれは何かの前触れだったかもしれないな。盗難の後に放火。次はもっとたちの悪い犯罪が起こる。そういう前触れだ」

「睡眠薬は、きっと不眠症に悩む社員が盗んだんだ」

「俺なんて、会社にいるだけで眠れるけどな」

「全員が全員、おまえみたいに優秀な体質じゃないんだよ」

「だよなあ」

「皮肉だよ、皮肉」

「あ、俺の耳ってさ、皮肉とか嫌味を濾過《ろか》しちゃうから」

「濾過しちゃうかあ」

「久しぶりに飲みにいこうぜ。おまえの奢《おご》りで」

「そんなに偉そうに奢られる奴《やつ》をはじめて見た」

彼は唇を尖《とが》らせた。「この間、紹介してやっただろ、探偵」

「確かに」

私の会社は、興信所や探偵事務所と密接な関係があった。遺伝子検査や親子鑑定は決して怪しいものではないが、依頼をしてくる客の中には怪しい者もいて、だから、提出書類や、呼吸の一つ一つから不穏な企《たくら》みが漂ってくる場合が、少なからずあった。そのため、依頼客の身辺調査は避けられない。それらの怪しさが本物であるかを、幾つかの興信所に調べてもらうのだ。非公式に、けれど日常的に。

高木は、興信所との契約や折衝を行う部署にいて、二ヶ月ほど前に私は、高木から業者を紹介してもらっていた。彼の豊富なコネクションの中から、優秀でリーズナブルな探偵を教えてもらった。

「俺は、あの紹介料をもらっていないんだ。我儘《わがまま》言っても許してもらえるんじゃないか？」

「奢るよ」紹介してもらった探偵が優秀で、好感が持てたことには感謝していた。

首だけで背後を見やる。焼けた壁の黒さはやはり、トーストの焦げに似ていた。

トロッコ

春から会社に電話がかかってきたのは、その日の夕方だ。彼は、「無事だった？」と淡々と言った。直接、職場に電話がかかってくることなどはじめてだったから、私は小さく驚きつつも、十年前のジョーダンバットの件を咄嗟《とっさ》に想起した。

「うちの会社が燃やされるって、どうして分かったんだ」

「絶対とは思わなかったけど」

「可能性はあると思ったのか」

「明日会えないかな。土曜日なんだから一緒に父さんの見舞いに行こう」

放火についての説明はその時にしてくれるんだろうな、と私は聞き返したが、彼は待ち合わせ場所について一方的に述べ、電話を切った。

「泉水《いずみ》さん、今の、弟さんですか？」

隣の席にいた事務職の女性が微笑《ほほえ》んできた。二十代前半の彼女は、電話の取り次ぎをする時に相手の名前をよく間違えるが、それを理由に怒られたりしない。私は怒られる。その差はどこから生まれるのか、と上司に一度尋ねたら、「だって、彼女は可《か》愛《わい》いじゃないか」とあっけらかんと言われたことがある。「なら、仕方がないな」と私も納得している。

今も彼女は就業時間中にもかかわらず、海外旅行のパンフレットを眺めているが、誰にも咎《とが》められない。

仕事場の壁に目が行く。スローガンとも警句とも取れる文言が、垂れ幕となって飾られている。大仰なコピーもあれば、「作業は、優先順位をつけて、順番に」と仕事のやり方について述べたものもあった。

「弟さんと仲いいんですか？」

「うん、仲はいい」即答した。

「羨《うらや》ましいです。わたし、ひとりっ子だから。どんな弟さんなんですか？」

「恰好《かっこ》良くて、運動能力も抜群で」二階から飛び降りても無事だ。「ユーモア感覚もないことはない」

「すごいじゃないですか」なぜか彼女は眼を輝かせた。冗談だと思っているのだろう。

「絵も上手だ。芸術的才能に恵まれている」

「そんな男の人だったらモテモテでしょう」

「モテモテだね」モテモテがどれくらい正式な日本語であるのか疑問を感じながら、うなずいた。「ただ、女性に興味がないのかもしれない」

「そっち系なんですか」ホモセクシャルなのか、という問いなのだろう。

「複雑なんだよ」

「人生は複雑なくらいがいいですよ」彼女はうっとりした。退屈な事務仕事で毎日が過ぎていく、自分自身の人生が念頭にあったのかもしれない。

芥川龍之介の「トロッコ」を思い出した。あの小説の最後に、退屈な人生を嘆く言葉があった。高校の教師は、「芥川が書きたかったのは、ようするにこの最後の一文なんだな」と言った。何だよ、最後の一行だけ読めばいいのかよ、と私たち生徒はいきり立ったものだ。

「俺の名前がイズミで、弟の名前が春と言うんだ」

「両方とも英語にすると、『スプリング』ですね」可愛らしい彼女は頭の回転も早い。

「正解」

父と母がどういうつもりで私たちの名前をつけたのか、正式には聞いたことがなかった。けれど、おそらくは、私と弟の間に何らかの連続性を持たせたかったのではないか、とは推測できる。命名とはすなわち、願いをこめることと近いはずだからだ。

「おまえたちは兄弟だから」と子供の頃、母は事あるごとに言った。言われなくとも分かっていることを、わざわざくどくど言うな、と私はそのたびにむくれた。

「そういえば」彼女が話題を変える。「昨日の火事、やっぱり放火なんですね」

「実はニュースも見ていなくて、今朝出社して気づいたんだ」

「テレビは脳味噌《のうみそ》を腐らせるんですよ。お婆《ばあ》ちゃんが言ってました」

「だと思った」

「社長は放火されたことを喜んでいるみたいです。今朝の全体会議に出席した課長が言ってました。テレビにビルが映ったし、宣伝になったって」

「テレビを見るのは、脳味噌の腐った奴らだけなのに」

「犯人は若い子だと思いますよ、きっと。高校生とか」彼女は根拠もないだろうに、断言した。だって最近の未成年は凶悪化しているから、と顔を歪《ゆが》める。「退屈だからやってるんですよ」

母を襲った未成年の犯人のことを、私は思い出した。当然ながら、今は未成年ではなくて、ぬくぬくと四十四歳の中年男になっている。専門家によれば、少年犯罪が増加している事実も、凶悪化している事実も、ないらしい。「だから、少年法を改正する必要はないのだ」という人もいる。そんなことはどうでも良かった。犯罪の増減や統計の結果がどうであろうと、私の母が遊び半分に襲われた事実は変わらないのだし、あの犯人がのうのうと暮らしている現実も動かない。

世の中には、たかがレイプじゃないか、と言う人がいる。口に出さずとも、思っている人間は予想以上に多い。

実際、親戚の中には、「少年犯罪の中では、性犯罪はポピュラーなほうだし、命には関わらないじゃないか」と言った人がいた。叔父だ。「命があっただけでも、良かった」と、当事者の私たちよりも、少年犯罪に精通しているような言い方をした。高校教師でもある彼は、世の中のことはすべて本に書いてあり、要約や法則で世界が説明できると信じているように、私からは見えた。

けれど、と私は思う。どんなに陳腐な犯罪でも、それによって、一度きりの人生がぐらぐらと揺すられることには変わりない。いくら事件が陳腐でも、人を不幸にするには充分だ。ちなみに私は、あれ以降、あの叔父はいないものだと思っている。

「どこか、海外旅行に行くの?」私は聞きたいわけでもなかったが、彼女のパンフレットを指差した。

「ええ」と彼女は言って、その表紙をこちらに向けた。「モロッコです」

芥川龍之介の「トロッコ」のことを思い出していたばかりの私は少し驚いた。

「似てるなあ」

「何がですか」

オングストローム

夜になって、高木と約束した居酒屋に行った。彼は妻帯者で子供もいるはずだが、見知らぬ女性を連れて現われた。

「誰、その子」

「今、ここで知り合ったんだよ」彼はそう言って、「な」と女を見た。女も「ねー」と首を傾ける。下着を見せるためとしか思えない短いスカートを穿《は》き、胸元の開いた服を着ている。目のやり場に困る。困り、腹が立つ。言いがかりではあるが、注文した唐揚げがなかなか運ばれてこないのは、彼女のせいではないか、と疑いたくもなった。

「女を見ればナンパするってのはやめたほうがいい」

「分かってはいるんだ。堅いことを言うなよ」と高木は箸《はし》を刺し身に伸ばした。「俺はさ、最適な二十三本を探しているんだから」

それは彼が好んで口にする言い回しで、聞くたび私はげんなりする。

「何、二十三本って？」女が顔を寄せてくる。香水の臭《にお》いが強く、高木の吐き出す煙草《たばこ》の煙と混ざり合って、火でも噴くように思えた。

「俺たちさ、遺伝子関係の仕事をしているんだよね」高木は言ってから、小鼻を膨らませる。自分の会社について説明をするのが好きだからだ。

「遺伝子？」

「ヒトゲノムだよ。ヒトゲノム」高木は声を高くする。「ＤＮＡって聞いたことがある？　細胞の核にはさ、ＤＮＡっていう二重螺旋《らせん》になったものがあるんだ」そう言って指を螺旋状に動かしている。「こういう風に、並んだリボンが二本ある。そのＤＮＡが集まって染色体というのがあるわけ」そこで彼ははたと思い悩む顔になり、私の顔を見た。「ちょっと思ったんだけどさ、この螺旋の幅というのは一定なのかな」

「幅？」

「ＤＮＡは螺旋状に捻《ね》じれてるわけだろ。その一回転する間隔のことだよ。一定なのか？　どれくらいの長さだったんだっけ？　入社の時の研修で教わったかもしれないな」

「それが遺伝子なの？」

「厳密には違う。ＤＮＡの中の一部が遺伝子」私は無愛想に付け足した。

「一部ってどういうことなのよお」

「どうでもいいんだけどさ」高木は頭を掻《か》いた。「簡単に言えば、そうだな、厚い電話帳がDNAだとするじゃないか。二冊セットであるわけだ。二重螺旋だから」

「タウンページとハローページね」女はなかなか面白いことを言った。

「そうそう。で、電話帳ってのは大抵つまらない住所と電話番号の羅列だろ。まったく面白くない。ただ、その電話帳には数ページごとに面白い文が紛れ込んでいるわけ。その面白い部分が遺伝子。DNAの中でも、特に意味のあるところが遺伝子なんだ」

「よくわかんなーい」

「そんなことはわかんなくてもいいんだよ。大事なのは、人間の細胞にはそのDNAのセットが四十六個あるってこと。染色体っていうのがね四十六本ある」

「さっきは二十三って言ってたよね」

「鋭いねえ」高木は愉快げに笑う。「いいか、人ってのは男と女がいてはじめて生まれるわけだ」そこでどういうわけか嬉《うれ》しそうに目尻《めじり》を下げ、唇を歪めた。「だから、男の遺伝子と女の遺伝子が、半分ずつ合体して、四十六本の染色体となるわけ」

「だから二十三?」

「そうそう。俺が君と子供を作るとするだろ」

「作ろうよ」女が艶《なまめ》かしく体を揺らし、擦り寄った。意図的なのか腕で胸を挟み、乳房を強調している。

高木の、やに下がった顔は見ていられない。

「俺はさ、自分の染色体ともっともピッタリ合う二十三本を探しているんだ。それは」演出なのか一呼吸空けて、「それは、君のかもしれない」と言い足す。

高木のあまりの調子の良さに、私は感心した。今この場で、「尊敬する人物は？」と訊《き》かれたら、彼の名前を口にしたかもしれない。

女はそこでふと思い至ったのか、私の顔を覗《のぞ》き込んだ。「で、どういう会社なの？遺伝子の関係の仕事って」

「よろず遺伝子屋」私はいい加減に答える。実際のところ、うちの会社の事業内容は節操がなかった。研究に嫌気が差した学者が、たまたま資産家だったので会社を起こしたのだ。社長の名前は、「仁」という。

小説や映画ではよく聞かれる言葉だが、遺伝子操作によって作り出された優秀な遺伝子のことを、「ジーンリッチ」と呼ぶことがある。「ジーン」は遺伝子のことで、「リッチ」は、「豊かな」という意味合いなのだろう。社長は自分の名前を紹介する時には、「仁リッチ」と言って、一人で嬉しそうにする。「金持ち仁」という意味に違いない。ようするに単なる駄洒落《だじゃれ》であるし、自らを、リッチと称する性格は誉《ほ》められるとは思いにくかったけれど、私は、社長のことが嫌いではなかった。

高木は得意になって話を続ける。「例えば、DNAで親子の鑑定ができるって言うだろ？　本当にこの息子は自分の子なのか、この父は自分の親なのか、そういうのを調べたりするんだ」

親子鑑定、という言葉に一瞬ぎくりとするが、私はそれをおくびにも出さない。

「もしくは、DNAで遺伝性の病気についてさ、調べたりするわけよ」

「すごーい、じゃあ、生まれる前から、病気に罹《かか》るかどうか調べてもらえるわけ」

「まあね」

恰好をつけて彼はとぼけるが、それは言い過ぎだった。どの遺伝子がどのような病気に関連しているのかは分かってきている。煙草の煙が充満する居酒屋で酒を飲んでいる今だって、次々に遺伝子疾患の原因遺伝子が、どこかで発見されている。

ただ、胎内にいるうちにそれらの異常を全《すべ》てチェックして、修復を施すなどということは今はまだ無理だ。それが現実なのだ。もしかすると私の父の癌《がん》だって、いつかは内服薬で治るかもしれない。でも、今は無理だ。それが現実なのだ。

「未来に関する検査をすべて扱う」とは社長がたびたび口にするスローガンだ。以前に流行《はや》った映画のキャッチコピーを真似《まね》て、会社のコマーシャルにはこう書いて、顧客を煽《あお》った。『未来を選べ』

　とにかく、DNA診断、出生前診断、不妊治療や精子バンク、DNAバンクなど、「未来」に関するサービスを扱うのが、私の会社だった。

「というわけで、俺はただの浮気男ではないんだよ」

「使命感に燃えているように聞こえる」私は、泡のすっかり消えたビールを喉《のど》に通す。

「二十三本を見つける使命ね」女が甲高い声で笑って、立ち上がる。膝《ひざ》上のミニスカートが忌々《いまいま》しかった。堪《たま》らないな、と私は顔をしかめた。

「あれ、トイレにでも行くの?」高木が、女に声をかけた。

「気が変わったの。わたし、帰ろうかなと思ってえ」

「は?」

「そろそろ彼が帰ってくるし」悪びれた風もない。

　高木は唖然《あぜん》とし、彼女が店を出て行くのを見送った。呼び止めるタイミングが見つからない、鮮やかな退出だった。ただ、彼女は途中で、一度戻ってきた。

　忘れ物でもしたのかと思ったのも束《つか》の間《ま》、彼女は早口で、「そうそう。さっき言ってたけど、二重螺旋は三十四オングストロームごとに一回転、捻じれてるのよ。オングストロームって百億分の一メートルなのは知ってるわよね。でも、あの単位って、スウェーデンの物理学者の名前からつけたらしいけど、知ってた?」と言った。

「は?」

「さっき分からなかったみたいだから、参考までに教えてあげるわ」彼女は片目を瞑《つむ》ったが、その後ですぐに、艶かしい眼差《まなざ》しに戻り、男を刺激する笑みを浮かべた。手と尻を揺すりつつ、姿を消す。

私たちは目を丸くしながら、店の閉店まで二人きりで飲んだ。飲むしかねえな、と高木は顔を歪め、だなあ、と私も言った。

グラフィティアート

土曜日に弟と会った。朝から快晴だったが、天気とは無関係の地下道に、私はいた。シンナー臭い落書きが充満している地下通路で、春を眺めている。

「兄貴、久しぶり」彼は手に持ったモップを、壁に立てかける。

「まともに会うのは半年ぶりかな」

「違うよ。この間会ったじゃないか。遺伝子検査のやつを渡す時に」

「ああ」簡単な遺伝子の検査であれば、口内の細胞を綿棒のようなもので拭《ぬぐ》うだけでできる。私の勧めで、春もそれを受けることにした。アルツハイマーやアレルギーの原因、癌にかかりやすいかどうかも分かるんだ、と説明してその気にさせたのだ。

「あれの検査結果って、いつ分かるわけ？」

「もう少し待ってくれよ」とお茶を濁す。

歩行者用のトンネルだった。仙台駅を通る在来線の線路を跨《また》ぎ、東側と西側を横断するためのものだ。

春は壁一面に描かれているスプレーの落書きを消している。「ガキはさ、消しても消しても、描いていくんだ」

「おまえの仕事はなくならなくていいじゃないか」

「自分が無職の世界が待ち遠しい。そう言った戦争写真家のことを時々、思い出すよ」モップを持ち直すと、バケツの中の液体に浸した。

液体から発散される臭いなのか、迂闊《うかつ》に顔を近づけると鼻と目を突くような刺激を感じる。目の前が光るような感覚がある。袖で鼻を隠す。

彼が消しているのは、一般的にグラフィティアートと呼ばれるものだった。テレビのニュースでも、よく耳にする。ようするに公共の壁や看板に描かれた、スプレーによる落書きだ。

市内の壁は、ずいぶん被害を受けている。無残な状況と言っても良い。街の店舗の壁やシャッター、ビルの看板、歩道橋の外側、信号機の脇《わき》のボックス、そこかしこに若者たちの落書きが溢《あふ》れていた。

「いくつかのグループがあるんだよ」春は苦々しい顔をする。「『俺たちはこんなところにまで描いたぜ。ここは俺たちの縄張りなんだ』とかね、そういう下らない自己主張をしている」

「オス猫がやるマーキングと似ているな」

「猫が縄張りに尿を吹きかけるのも、スプレー行動って言うね」

若者たちはスプレー缶をバッグに詰めて深夜に集まり、車のエンジンをかけたまま、壁にそそくさと落書きを吹きつけて、去っていく。らしい。

「捕まえられないものかね」

「現実的には難しいよ。ぱっとやってきて、すぐに逃げていくし。若い奴《やつ》らはみんな庇《かば》い合う。証拠もないから、犯人を捕まえる当てがない。仕方がなくて防犯カメラを設置する人もいるけど、さほど効果は期待できない」

「たちが悪いな」

「落書き自体は昔からあるんだ。古代ローマの、火山灰で埋没してしまったポンペイという都市なんてさ、壁の落書きばっかり発見されてるんだよ。誹謗《ひぼう》中傷だとか、選挙への推薦だとか、今と変わらないものばっかりだ。『ペラリウスよ、お前は泥棒だ』『サビヌスを造営委員にしろ』とかさ。あれは可笑《おか》しい。本当なのかな。紀元前の都市にだよ」

落書きを消すのが春の仕事だった。おそらく市内で、落書き消し専門の業者として名乗りを上げたのは、彼が最初だったのではないだろうか。「普通の薬剤じゃ消えないんだよ」春は研究を重ねて、効果のある薬液を作り出していた。俺はたぶん、日本一落書きを消すのが上手だね、と気取り、胸を張る。

壁にモップを擦《こす》りつけている。リズムを刻むように拭《ふ》いていた。面白いように落書きが消えていく。麻痺《まひ》してくるのか、臭いにもそのうち慣れ、鼻が重くなった感覚があるだけだった。

ふとそこで、洗剤や塗料の入った容器が幾つか置かれているのが目に入り、私の顔がほころんでしまう。左側から、背の高い物から順番に並べられていたからだ。

春はそういうところにこだわる性格だった。自分で何かしらの順序や決まりごとを作ると、それを忠実に実行するところがある。

父の書斎に並ぶ本を、著者の五十音順に並んでいないのがけしからんと言って、数日かかりきりで整理を行なったり、年賀状の番号は小さい数のものから重ねたほうが、当選葉書を見つけやすいではないか、とよく主張した。こだわりはじめると、いくら言って聞かせても、耳を貸さなかった。

子供の頃は、横断歩道の白い部分と黒い部分を踏んだ回数が等しくならないと気分が悪い、などと言いはじめて歩幅をちょこまかと調整するものだから、母が連れ歩くのに苦労していた。縁起《えんぎ》を担《かつ》ぎ、ジンクスを守ることに関しては、労力を惜しまなかった。

「この間、仙台のテレビ番組でこういうグラフィティアートを特集していたんだ」

「テレビは脳味噌《のうみそ》を腐らせてしまうらしい」

「テレビ差別だ」春が笑う。「グラフィティアートのことをやるんでわざわざ観《み》たんだ。そうしたら、グラフィティを描いている若者を見つけて、取材をしていてさ」

「テレビ局はそいつらを捕まえたのか？」

「捕まえるよりも、インタビューをしたほうが面白くなると判断したんだろうね」春は肩をすくめた。「テレビ局の男がこう訊《たず》ねたんだ。『このお店の人は必死に働いてお店を経営しているのですよ。壁を塗りなおすのにどれくらいお金がかかると思っているんですか』と。悪くない理屈だったと思う」

「平凡だけど、悪くない」

「そうしたら、その若者がこう言ったんだ。『店の壁に描かれるのが嫌だったらガードマンでも雇って、監視させればいいいんだよ。本当に嫌ならね。守ろうとしないでやられるのは自業自得だっつうの』」

「自業自得という言葉の使い方が違うっつうの」

「あまりのことにボリュームを上げてしまった」

「おまえは怒ったわけだ」

「理屈にもなっていない理屈をこねる若者は嫌いだ。大嫌いだ」春は頭を搔《か》いた。

「そういうことであれば、俺がそいつの自宅の壁にスプレーで何か描いてやろうと思ったくらいだ」

「そいつはいい」こういったことを話す時の春は本気だ、ということをすっかり忘れ、私は軽率にも簡単に賛同した。二人で声を合わせて笑った。「縄張りを表すと言っても、これ自体はアートなんだろ」と落書きを叩《たた》く。グラフィティアートと呼ぶくらいだから、「芸術」なのだろう、と短絡的に考えた。

「芸術なんかじゃない」春は短くきっぱりと否定した。「グラフィティアートのルールを知ってる？」

「ルールなんてあるのか」

「ルールがあるんだよ」春は指を折る。「一つ目、『絶対に見つかってはいけない』、二つ目、『できるだけ素早く描く』、三つ目、『自分より上手《うま》いグラフィティの上には描いてはいけない』」

「『素早く描く』というのは何か変だな」

「さすが兄貴」

「だろ」

「俺もそこが納得できないんだ。『素早く描く』ことと、『アート』は相反するものじゃないか」モップを振り上げて春は声を強くする。「適当なところで、素早く描いて逃げる、なんていうのは、『アート』じゃない。俺はそう思う。警察に逮捕されることを恐れて、妥協した絵のどこが、『芸術』なんだ。それは、芸術の真似事《まねごと》で、煎《せん》じ詰めれば、自己顕示欲の発露でしかない。自己主張の言い訳だよ」

「おまえはアートにはうるさいな」私は揶揄《やゆ》した。

春は歯を見せた。「俺の中のピカッソの血が許さないんだよ」

モップを置き、トンネル内を歩きはじめた。

描かれた絵を順番に指差す。「兄貴、俺はさ、こういう下手糞《へたくそ》な絵を自信満々に自慢している奴らが許せないんだ。俺と同じ人間だということ自体が信じられないね」

「おまえは落書き行為に怒っていると言うよりも、落書きの出来がひどいことに憤《いきどお》っているみたいだ」

「その通りだよ」春は平然とうなずいた。「下手な落書きは本当に腹立たしい。そういう意味ではネアンデルタール人なんだよ、こいつらは」壁に顎《あご》を向けた。

「ネアンデルタール？」

「兄貴も学校で習っただろ？　ネアンデルタール人とクロマニョン人。俺たちの子供の頃の授業ではさ、もっともらしく、ネアンデルタール人が進化してクロマニョン人になりました、なんて教わったけど、実際は違うんだ」

「学校で教わるのは、『物事を簡単に信じるな』ってことだ」

「ネアンデルタール人は、クロマニョン人とは別物なんだよ。どこかで勢力の交代があったんだ。今はそういう説が有力だ。理由は分からないけどネアンデルタール人は滅びた。で、今の人間たちはクロマニョン人、つまりはホモ・サピエンスって呼ばれる奴らの末裔《まつえい》らしい」

春は時々、私も知らないようなことを口にする。

「ネアンデルタール人とクロマニョン人の違いは何か分かる？　両方とも狩猟に頼っ

ていたし、道具も使っていた。まあ、クロマニョン人は農業をやってたっていう人もいるけど。ただささ、何万年かは、両者はともに地球にいたんだ。違う動物なのに、共存していた。ただ、ある一点、決定的な違いがあった」

「何だよ」

春は手の平を私のほうへ向けて、胸を張る。「クロマニョン人は芸術を愛したんだよ、兄貴」

ピカソ

私が中学生で、春が小学校五年生の時だ。春の通っていた小学校では、水彩画よりも油絵のほうが子供の想像力を高めると信じて疑わない教師がいて、なぜか生徒は全員が服を汚しながらも油絵をやらされていた。

ある年、春の描いた絵が、県のコンクールで大賞に選ばれた。

私たち家族ははじめて、彼の芸術的才能に気がつき、喜んだ。報《しら》せを聞くと母は、「どうしよう」と落着きをなくし、私は、「すげえ」と声を上げた。役所から帰宅した父は右手でガッツポーズを取った。

もちろん、週末には、家族揃《そろ》って県庁の展示会場へと出向いた。

春の作品は会場の真ん中に堂々と飾られていた。今でもよく覚えている。部屋の中央の壁に、自分の弟の絵が架けられ、私は鼻を高くした。小さな造花がタイトルの脇についていたが、それが大賞の印だったのだ。

そして、このこと絵に向かい合った私は、口を開けたまま動けなくなる。

風景画だった。

左側に崖《がけ》が描かれていたが、その質感や立体感に鳥肌が立った。台風で土砂が崩れた場面だ。折れた木が崖下に倒れ、その上に、泥にまみれた岩が転がっている。崖のえぐれたところからは、粘土質のような土が見えている。茶色や黄土色の絵の具が何重にも重ねられているが、その土がこぼれてきそうなくらいに立体的だった。音を立て、崩れる土砂の有様が、色の凹凸とかすれ具合で表現されている。

右側には水田が描かれていた。刈られた稲が、小さい山のように積まれ、並んでいる。精密に描写されているわけではないのに、黄金色《こがねいろ》の稲の一本一本の輪郭がはっきりとし、雨で湿った茎も把握できた。田んぼの表面に水の跳ねる跡が見えた。

その絵は決して、本物そっくりではなかった。構図は歪《ゆが》んでいたし、遠近法も狂っている。けれど、そのひしゃげ具合が、台風の不穏な気配を際立《きわだ》たせた。

後に私は、岸田劉生《りゆうせい》の、「道路と土手と塀」と出会うが、その時にも、似た感動を覚えた。つまり、「これは単なる景色じゃない」そう呟《つぶや》きたくなる風景画だったのだ。写真以上に本物だ、と。

遅れて寄ってきた父と母も、絵を前に立ち尽くした。しょせんは小学生の油絵だと甘くみていた彼らにしてみれば、予想もしない作品を前に呆然《ぼうぜん》とするしかない。しばらく三人で見惚《みと》れていた。気づけば周りには人だかりができてもいた。「これ、本当に小学生が描いたの？」と驚くような、訝《いぶか》しむような声を出す主婦もいた。

最近になって私は、ピカソが十二、三歳の時に描いたと言われる絵を観た。それは確かに驚愕《きようがく》に値するほどの正確なデッサンだったが、春の風景画も負けていなかったのではないかと思った。しかも、「私は幼い頃からラファエロのように描けた」と威張ったピカソよりは、私の弟のほうが慎みがある分だけ、優れているようにも感じた。

その時の春は、自分の絵への賞賛に囲まれながら、しきりに照れていた。

やがて、審査員と名乗る女性が近寄ってきた。「おたくの息子さんは天才かもしれません」と彼女は言った。お世辞ではなく、かなり本気の口ぶりだった。

父は頭を掻き、「親が一番、びっくりしていますよ」と小さく笑った。

「きっと親の血ですわね」審査員の女性は、樽《たる》のような身体《からだ》を揺らした。

「いえいえ、私たち夫婦はてんで駄目なんですよ。こういう才能はないようです」

実際、両親は駅前の地図を書くのですら苦労するタイプだったし、私にしても、取っ手付きのカップの絵を描いたら、象だ、と指摘されたことがあるくらいだ。

「そうじゃなくて、父親のほうの血ですよ」審査員は、声を若干低くした。

中学生の私ですら悪意を感じ取ることができる、軽侮のまじった口調だった。父と母の顔がさっと青褪《あおざ》めた。

その頃の私は、春の出生の事情についてまだ聞かされていなかったが、街の中には、母の襲われた事件について知っている人間はいく人かいた。それは間違いない。ゴシップは当事者以外を楽しませるために街を走るものだから、流れる水が隙間《すきま》を埋め尽くすように、まだ湿っていない土地に浸透しようという具合に、噂話《うわさばなし》は広がる。

私と春が車道でキャッチボールをしていると、自転車を押した老婆《ろうば》が二人でこそこそと喋《しゃべ》っているのが見えたり、買い物に行くと、見知らぬ夫婦が縁起の悪いものを目撃したと言わんばかりに、顔をしかめることもあった。噂は伝言ゲームで広がり、私たちは遠巻きに指を差されていた。

当の強姦魔《ごうかん》である青年はとっとと別の土地に引っ越し、結局はまた戻ってくるのだが、それでも被害者の私たちだけが笑い者となっていた形だった。

「妙な言い方をされますが。泉水も春も私の息子ですよ」父は動じることなく、女性審査員と対峙《たいじ》した。

「よく存じております。よくね」審査員は父と私たちの顔を交互に見た。「よくね」の言い方が非常によくなかった。「お父さんそっくりですものねえ」

春と父は外見上あまり似ていない。春のDNAには、父の遺伝子が一切入っていないのだから当然ではあるが、公然と口に出して言ったのはその女がはじめてだった。

「いったい、どうして産んだりしたのか不思議でしょうがないってみんな言ってるようですよ」女性審査員が言った。みんな、という不特定多数の味方を背負うのはずるいな、と私は、子供ながらに思った。

「どうしても何も」父は表情を微塵《みじん》も変えず、むしろ柔らかく穏やかな面持ちを見せると、「親が、生まれてくる子供と対面するのに理由なんてないじゃないですか」と答えた。それを私は覚えている。

後に、私は、父から事情を聞いたことがあった。

「あの審査員もさ、悪い人ではなかったんだ。後で分かったんだけどな、当時、ご主人と離婚したばかりで、おまけに自分の娘が腎臓《じんぞう》を悪くして、精神的にもまいっていたらしい」

「精神的にまいっていたからって、他人を愚弄《ぐろう》していいわけがないよ」私ははっきりと言った。

「それに、彼女、絵の教室をやっていたらしいんだが、自分の生徒たちよりも春のほうがずっと素晴らしい絵を描いたものだから、ちょっと苛立《いらだ》っていたんだろうな」

「同情はするけど、許したくはないね」

「だから春は怒っただろ」

あの時、胸を張って、審査員の女性に立ち向かったのは春だった。「僕とお父さんが似ていないのが、いけないわけ?」

「そういうわけじゃないのよ」女は肩をすくめた。

「僕とお兄ちゃんに何か文句があるわけ?」春は壁にかかっている自分の作品の額をつかんだ。両手で持つと、それを迷うことなく壁から外した。

女の前まで戻ってきた。私は何が何だか分からず、じっと見ているしかなかった。春は躊躇《ちゅうちょ》することもなく、絵を振り回し、審査員であるその女性の尻《しり》を思い切り叩《たた》いた。ぎゃ、と悲鳴がした。

布団《ふとん》が叩かれるようだった。私は事態が把握できず、とまどったが、その時にすぐに反応したのは母だった。「やめなさい！」と声を上げ、春の身体を取り押さえる。

春は、何度か女を叩くことを続けた。審査員の女性はバランスを崩して、前のめりに床に倒れ、ようやくそこで、母が額を取り返した。「やめなさい」ともう一度言い聞かせるように、言った。

母は言葉ほど怒ってはいなかった。その証拠に、額を取り上げると父と顔を見合わせて、にこりと笑った。あれ？と私は不思議に思ったが、すると、春から奪ったその額を振りかぶり、倒れたままの審査員の尻を、今度は母が叩いた。

そんなことしちゃ駄目だよ、と春が止めに入った。

結局、私たちは県庁の職員に別室へ連れて行かれ、散々注意を受け、春の受賞は取り消された。受賞が取り消されたことについて、家族の誰も残念がらなかった。

春は自分の絵を持ち帰った。「こんなの、いつだって描ける」と小声で言った。

帰りの車中で春はしきりに「僕たちは兄弟だよね」と訊《たず》ねてきた。私は、彼の感じている不安の出所《でどころ》が分からなかったので、「どうだろうな。俺はおまえみたいに絵が上手《うま》くないからな」とひとしきり苛《いじ》めた。彼は、「絵なんか」と泣きべそをかいていた。それから数年間、春は図画工作や美術の授業では絵を一切描かなくなった。

弟はあの時、薄々自分の父親のことに気づいていたのだろうか。そう質問をすると父は、「知るわけがない。けれど、予感はあったのかもしれない。おまえと自分が半分くらいしか血が繋《つな》がっていないかもしれない、そんな嫌な予感はあったんだ、きっと」と答えた。

「でもさ」私は相好《そうごう》を崩した。「母さんが額であの女を叩いたのはびっくりした」

「びっくりしたなあ。ひどい親子だ」父はそう言うと同時に目から雫《しずく》を溢《あふ》れさせ、頬や口の周りをくしゃっと歪めたかと思うと、嗚咽《おえつ》した。すぐに唇をきっと横広に開き、強張《こわば》った笑みを浮かべる。そしてまた、涙を流し、呻《うめ》く。あれは母の葬儀が終わった後の会話だった。父はビールの入ったコップを持ち上げ、「乾杯」と言った。乾杯という言葉が父は好きだった。握手に似ている、という言い方もした。「乾杯」と私も応じた。

放火事件のルール I

今、私の目前で、二十代となった弟が、落書きに憤《いきどお》っている。「ネアンデルタール人は絵を描かなかった。今のところはそう考えられているんだ。それに比べて、クロマニョン人が残した壁画は素晴らしい。こんな下品な落書きしかできない奴《やつ》らは、むしろ、ネアンデルタール人だね」

春は脈絡もなく不満そうに喋っていた。そうしてまた、壁を拭《ふ》きはじめる。

「珍しいな」私は思わず言い返していた。

「何がさ」

「おまえはいつも判官贔屓《ほうがんびいき》だから、てっきり絶滅した、ネアンデルタール人の肩を持つのかと思った」

「言われてみれば、そうだ」春はあっさり認める。「心情的には、滅びたほうの味方なんだけど」

「絵に関係する場合は、例外ってことなのか」

「俺はそういうところがいい加減なんだよな」

モップで何回か擦《こす》ると、スプレーで描かれたグラフィティアートは溶けた。まさに摩擦で、壁から蒸発した、という雰囲気がある。

「あと十分くらい待ってもらってもいいかな。それで大体消せると思う。それから一緒に、父さんのところへ行こう」

しばらく、じっと地下道の壁に寄りかかり弟の仕事ぶりを眺めた。リズム良く壁にモップを擦りつけ、時にバケツに浸し、場所を移動する姿は、それ自体が何かの表現行為にも見えた。営業マン風の男が横切ったり、高校生の集団が通り過ぎたりしたが、皆いちように、春の作業に一瞥《いちべつ》をくれ、まずは、「不謹慎な」と眉《まゆ》をひそめる素振りを見せるが、それが、消す作業だと察すると、即座に感心する表情になった。

「さっき、おまえ、言ったよな。グラフィティのルールでは、上手い絵の上には描いちゃいけないって」

「そうだよ。基本的なルールだ。それも守らない奴らがいるけど、それはもう話にならない」

「それなら、おまえが描いたらどうなんだ？　こんなことを言っちゃ悪いが、どうせ消したって、また描かれるのがオチなんだろ？　『綺麗《きれい》にしてくれたんですね、ありがとう、新しいキャンバスができたので、新作を描きます』とか言うくらいだろうに。それならおまえが描けばいいじゃないか」

「兄貴、鋭い」春が振り返った。「一応、許可はもらったんだ。この地下道に描いてもいいってさ」

その瞬間、私の頭には、あの十年以上前の風景画が浮かんだ。今にも崩れそうな土砂と、刈られた稲の立体感、そして台風の威力が詰まった、あの絵だ。

「よく役所が許したな」

「勤勉な者が得るのは、報酬と、チャンスと、信頼だよ。信用してくれたんだ。それにもし絵が気に入らなかったら、俺が自分で消すからって条件つきだし。俺は自分勝手だから、いざ自分が描くとなったら、公共物を汚すのも躊躇しないんだ」

「自分勝手な奴だな」

「今、そう言ったよ」春は笑うと目の端に皺《しわ》ができて、優しい顔になる。昔から、春が笑うと私たち家族は幸せだった。

「おまえは、酷《ひど》い奴だ」私はからかいまじりに、しつこく責める。

「俺は実は、悪人なんだ」春は真面目《まじめ》な口調で言い、「そのことは忘れないでほしい。絶対に。俺は正真正銘の悪人なんだ」と念を押すようなことまでした。「とにかく、これを消したら、一面に描くよ」

春は両手を広げた。向き合う汚い壁が一瞬、真っ白に広がる紙にも見えた。

「いつやるんだよ」

「今日の夜にでも」

「一晩で作るのか」

「一晩あれば充分」

「『素早く描く絵なんて芸術じゃない』って、さっき、どこかの若い男が怒ってたんだが」

「兄貴、若い男の言うことなんて信じちゃ駄目だよ」

女子高生たちが自転車を押しながら、地下道に入ってきた。甲高い声で喋り合う声は耳を劈《つんざ》くようで、私は顔をゆがめる。春はと言えば、じっと目を瞑《つむ》っていた。嵐《あらし》が過ぎ去るのをじっと待っているかのような気配だ。彼女たちは通り過ぎる時に、ちらりと春の顔を見て、全員で意味ありげにうなずきあう。言わんとするところは分かった。春の外見は、魅力的で、目を惹《ひ》く。見た者が、得をした気分になる。

彼女たちが消えると、私はようやく本題に入る。私たち兄弟には、いや家族全員と言ったほうがいいかもしれないが、極端に気がかりなことがあると、すぐにはそれを口にしない性質があった。回りくどいくらいに世間話を広げて、あたかもついでの思いつき、という装いで本来の用件を切り出す。

「一昨日《おととい》の留守番電話は何だったんだ。おまえはどうしてうちの会社が放火に遭うと分かったんだ?」

「俺はね、凄《すご》いことに気がついたんだ」春が寄ってくる。

「凄いことに気がついちゃいましたか」

「最近、仙台の街に放火事件が起きているのを知ってるだろ？　実はルールを発見したんだ」

「ルール？」私は目を細め、暗いトンネル内で灯りを探すような気分になる。

「放火の起きるルールだ」

「何だよそれは」

「絶対とは思わなかったけど、あの辺のビルの可能性が高かった。だから電話した」

「ルールのおかげで？」

「連続放火の現場近くには、グラフィティアートが必ずあるんだ」

23

春は西口へ通じる階段へ向かった。落書きは綺麗に消えた。薄い影のような色が若干残ってはいたが、原状回復としては問題がない。

「おい、そのルールのことをもっと説明してくれ」

春は時計を見た。担《かつ》いでいたバケツとモップを、車のトランクに詰め込んでいる。

「父さんに会ってから、つづきは説明するよ」

外に出ると、先ほどまでの暗くて息苦しいトンネルとは対照的な、明るさが待ち受けていた。眩《まぶ》しさに手をかざす。深呼吸をする。

「もったいぶるなよ」

「もったいぶるのは、知っている者の特権なんだって」

「急《せ》かすのは、知らない者の特権だよ。もしくは兄貴の特権だ」

「おしなべて兄貴というものは、早く生まれただけのくせに、偉そうなんだよな」

「マイケル・ジョーダンは子供の頃から兄貴にバスケで勝てなかったんだぞ。彼の23という背番号は、45番をつけていた兄貴のせめて半分でも上手くなりたいっていう思いからつけられた」有名な話を、私はわざわざ持ち出してみる。

「それってさ、結局、弟のほうが優れていた、っていう例え話じゃないの？」

時計を見ると、正午の少し前だった。春の車は近くの有料駐車場に停められていた。ボタンをいくつか操作した後で、千円札を精算機に入れた。その後で、白の四輪駆動車を発進させる。車内には本や雑誌が散らばり、天井には窓があり、空が覗《のぞ》けた。

「夜はここから星が見えるんだな」

「星を見ながら運転してたら、まず間違いなく自分がお星になるね」春は自らの発した冗談の下らなさに、笑っている。

「可愛い女の子を助手席に乗せて、星よりも君のほうが綺麗だ、とか言ってみたらどうだ」

「そんな会話で喜ぶ女の子がいたら、そのほうが怖ろしいって」

「そんな会話で喜んでくれる女の子がいたら、ありがたく思って、大事にしないといけないんだよ」私は教え諭すように言った。

兄の贔屓目で言うのではなく、春の外見は人並み以上だった。通りすがりの者の視線を、女性に限らず男たちの目も、集める。鋭さを備えた眼に、官能的な曲線を描く涼しげな眉、鼻は高く勇ましさもある。美男子と言うほど軟弱ではなく、寡黙《かもく》でありながらも敏捷《びんしょう》な獣、たとえば豹《ひょう》さながらの力強さが滲《にじ》んでいる。顔は小ぶりで、腕が長く、そのアンバランスな体型が、現実味を失わせ、言い方を変えれば魅惑的だった。

恋人を作るのに苦労するとは思いにくかったが、けれど、春に恋人がいる気配はない。ホモセクシャルなのだろうか、と心配したこともあるが、どうやらその節もないらしい。小学生の頃から、春に近づいてくる女性は数え切れないほどいた。実際、私は誕生日やクリスマスや卒業式のイベントの時には、家にやってくる女の子や贈り物の数をカウントしようとして、途中でやめたことがある。

どんな美人が現われようと、どれほど性格の良さそうな女性が登場しようと、春は動じなかった。誘惑や駆け引き、非難や賞賛のいずれにも取り合わない。そして、春にとっては迷惑な話だっただろうが、そのことが逆に魅力の一つとなっていた可能性もある。「自分が言い寄ってなびかない男はいない」と豪語する女たちが、なぜかこういうタイプの女性は世の中に幅広く存在しているようで、春のところに次々とやってきた。無視され、プライドを傷つけられ、敗残兵のように去っていく。もちろん、純情で一途《いちず》な女性も次々と、退場していった。

私はそれを見ているのが、愉快で仕方がなく、一方で弟には性的に何らかの欠陥、もしくは欠落があるのではないか、と疑いもした。一度だけ、春と酒を飲みに行った際、酔ったふりを装うという大人の作法を駆使し、その疑問をぶつけたことがあった。春は、私に怒ることもなければ困ることもなく、「欠陥か。インポテンツってこと？」と言い、「そうだったら、簡単なことなんだけど」と笑った。

兄である私を経由して、春を搦《から》め捕ろうとした女の子もいた。学生の頃だ。利用された私自身からすれば苦々しい思い出なのだが、それは弟を責める話でもない。

今で言えばあれは、ストーカーに分類されるのだろう。かなり、しつこい女性もいた。春の同級生で、たびたび我が家に押しかけてきては、私や父を悩ませた。丸顔で平凡な顔立ちをした、地味な子に見えたが、その執念、粘着たるやなかった。

毎日のように無言電話を寄越し、春の後をつけまわした。はじめて我が家に来た時の彼女は、「節足動物研究会」なる偽《にせ》のサークル名を名乗った。当時の春が、昆虫に興味があったからだ。今から考えれば微笑《ほほえ》ましいが、家に上がりこんで、偽の身分を名乗り、私たち家族と親密になろうとまで考える意志の力は不気味さを越え、神秘的な奥深さすら感じさせた。

「夏子さん」と、私と父はその子のことを呼んだ。「春」を追いかけまわすのは、「夏」に決まっているからだ。当時、母はすでに体調を崩し、入退院を繰り返していたので、私と父が主な被害者だった。私たちは根っからのお人好《ひとよ》しであるのか、何度も彼女と対面し、そのたびに説得し、なだめた。彼女には、困惑してくると両手で自分の耳を触る癖があり、次第にその癖が伝染しそうにもなった。あのつけまわしがどうやって終了したのか、今もって分からないでいるが、春が最後までその夏子さんを受け入れなかったことだけは確かだ。

とにかく春は、終始一貫して、「性的なるもの」から距離を保とうとしていた。

「経験していないことは語るべきではない」とは、春がよく言うことでもあったし、友人に、「おまえは恋人といても、ちっとも楽しそうではない」と非難されている彼を見たこともあるから、女性との交際が皆無だったわけではないだろうが、恋愛を楽しんでいる春を見たことはなかった。

「兄貴、人間は遺伝子に操られているんだろ?」以前、春がそう言った。利己的遺伝子という考えが、流行していた頃だ。親が自分の命を投げ出して子供を救おうとするのも、オスのカマキリが身を危険にさらしてまで交尾をするのも、みんな自分の遺伝子を継続させるためですよ、という考え方だ。

「かもしれないな」と私はいいかげんに答えた。「遺伝子が生き残るために人は操られている。男が女性にモテたいのも、セックスがしたいのも、もっと言ってしまえば性的行為と快楽がセットになっているのも全部、遺伝子の都合だろうな。セックスが不快だったら子供は減る一方だ。うまくできてるんだ」生物の本能は本当にうまく設計されている、と私は常々感嘆していた。

「男が浮気性なのはきっと、いろいろな女性と性行為をしたいからだろうね」春が言う。「遺伝子的に言えば、いろいろな組み合わせで子孫を残したほうが生き残る可能性は増えるから。バリエーションは多いほどいい」

「だから、男は新しい女性に興奮する。そういう理屈かもしれない」

「何だかんだとこじつけては見せても、結局は遺伝子に操られてるんだ」

「おまえは嫌なのか、そういうのが」

「そういう力に操られて、言いなりになってるのは不愉快だ」

「恰好《かっこ》良いことを言うなあ」

「恰好良くなんかないって」春は苦笑した。「恰好悪いよ。ださすぎだ。でも、不愉快なものは不愉快なんだ」

「おまえは、性的なこと、セックスなしで生きていくつもりなのか？」私は揶揄《やゆ》するつもりで、言い返す。トルストイの、「クロイツェル・ソナタ」を思い出した。性への嫌悪《けんお》を主張する男に対して、主人公がたしなめるように言う台詞《せりふ》があったのだ。

『性を否定するなら、それじゃ、どうやって人類は存続してゆけるんでしょうね』うろ覚えで引用した。『われわれはいなくなっちゃうじゃありませんか』」と。

春がその小説を読んでいることは、知っていた。彼は頰を緩めると、やはり記憶を辿《たど》るような顔になり、『じゃ、なぜわれわれが、いなければならないんです？』」と引用を返してきた。芝居がかったやり取りが可笑《おか》しくて、爆笑する。爆笑した後で、しばらく、「なぜ、いなければならないのか」という言葉が頭で鳴った。

「兄貴、父さんの見舞い、最近、行ってるわけ？」運転席の春が言ってくる。

「仕事が忙しくて」嘘《うそ》だ。忙しいのは本当だったが、それは仕事に見せかけた仕事以外のことであったり、長年の恨みを晴らす復讐《ふくしゅう》にかかわる作業だったりした。どちらにせよ、どうしても都合をつけたければ、できないことはなかった。

「強敵だよ」

「え?」私は聞き返した。

「癌《がん》」ハンドルを切りながら、そのついでのように春は言う。

父は二年前に胃に癌が見つかり、手術を行なった。恐れていたよりも、あっさりと手術は行われ、退院もすぐだった。けれど、最近になってまた癌が発見され、再入院となった。父は手術を二週間後に控えている。私は悲観的だった。

「父さんは強いよ」と私は言ってみた。

「相手も強敵だよ」

その通りだ。癌は憎らしいほどの強敵だった。全滅に見せかけた撤退を行い、時期が来るまで潜伏し、突如として進撃してくる。そういう奴《やつ》らの手口がほとほと嫌だった。人間に戦争を挑んでいるとしか思えないほど、戦術に長《た》け、効果的な攻撃を行なってくる。

車は片側二車線の県道を北へ向かっていた。

「細胞分裂って聞いたことがあるだろ？」

「一応は」春は、突飛な話題にも驚かなかった。

「実は細胞分裂にも寿命はあるんだ。染色体の両端にテロメアというやつがあって、それが寿命を表している」

「テロメア」

「TTAGGGの繰り返し部分」

「TTAGGG？」春が聞き返してくる。「兄貴が呪文《じゅもん》を唱えた」と笑う。

「こんなつまらない話をしても仕方がないか」と私は言い淀《よど》んだのだけれど、春は意外にも、「いや、聞きたいな」と先を促してきた。

右折車線に入り、車は交差点の真ん中で止まる。対向車が途切れるのを待つ。

「DNAという設計図が、細胞の中にはあるんだ。タンパク質を作り出す設計図だと思えばいい。アデニン、チミン、グアニン、シトシンという四種類の塩基からできていて、頭文字を取ってA、T、G、Cと書く。遺伝子はその四つの文字列の組み合わせで書かれている」

「たった四文字」

「そう、たったの四文字。DNAが二重螺旋《らせん》と呼ばれているのは知っているだろ？」

「何か図で見たことがあるよ。螺旋階段が二重になっているようなやつだ。で、二つの螺旋階段はところどころ繫《つな》がっている。梯子《はしご》のようなもので」

「詳しいじゃないか。その二重の螺旋階段にはさっき言ったように、AだとかCだとかが書かれているわけだ。もう一方の螺旋にも同じように文字が書かれている。そして、Aという文字があれば、それはもう一つの螺旋のTと、梯子で繫がっている。GはCと繫がっている。AとT、GとCの組み合わせしかない」

「絶対？」春が言った。

「絶対」とうなずく。「正しい遺伝子の設計図であれば、絶対にそうなっている」

「GとC、AとTの組み合わせ」春の声は小さかったが、しっかりとした質感を伴っていた。

「だから片方の螺旋階段の内容が分かれば、もう一方の内容も分かる。例えば、一方の螺旋階段がGATCという配列だったら、もう片方の対になる螺旋階段はCTAGとなっている。ルールがあるわけだ」

「そのAだとかGだとか、そういう暗号はいったい何の役割があるわけ？」

「必要に応じて、三文字ずつ暗号が読み取られて、対応するアミノ酸が作られるんだ」自分が熟知している分野の話をとうとうとするのは、自慢話に限りなく近く、私は苦手だった。だから、とても不親切に言った。「アミノ酸、つまりタンパク質を作るのが遺伝子。ただ、そうじゃない暗号部分もある」

「タンパク質を作らない暗号もあるってこと？」

「無意味な部分って思われることもあるけれど、厳密には違う。機能がはっきりしていないってだけだ。いくつかは、機能も分かっている。本当か嘘か、染色体の折り畳み方を記憶している箇所もあるらしいし、タンパク質を作る指令を出す箇所もあるとか言われている。遺伝子以外の部分も、ゴミじゃないってわけだ」

「なるほど」春はうなずいた。「となると、ジャンク領域っていう呼び方は誤解を招くね。ジャンクって言うと本当にゴミに思える」

私は少し戸惑った。「ジャンク領域なんてよく知ってるな」

春の横顔をまじまじと見てしまう。厳密には、遺伝子以外の部分をスペーサー領域と呼ぶが、ゴミと見なして、「ジャンク領域」と言う人もいる。

「兄貴が、ゴミなんて言うからさ、なんだかそう思っただけだよ」春はハンドルを握り、フロントガラスを見つめたままだ。

「反射的に、『ジャンク領域』なんていう呼び名が出てくるか？」私は運転席の彼の横顔を見て、首を捻《ひね》った。

「どこかで聞いたことがあったのかもしれない」

「おまえ、実は、遺伝子のことに詳しいんじゃないか？」そして兄を馬鹿《ばか》にしているんじゃないか？

「どこかで耳にしただけだよ」困ったように彼は、瞬《まばた》きを早くした。

釈然としなかったが、私は話を先に進める。「テロメアというのも、そういう遺伝子以外の領域にあるんだ。TTAGGGという並びの部分を指すんだ。DNAの両端には、そのTTAGGGの文字列が繰り返し並んでいる。上下に蓋《ふた》があるようなものだな。上と底に保護用のキャップがある、そういう感じだ。で、設計図をコピーするたびにそのテロメアは減っていく」

「回数券みたいに？」

「そうだな。ヒトでは大体、そのTTAGGGの記号が千回とか二千回とか繰り返し書かれているんだ。それが分裂するたびに五十文字分くらい減っていく。で、テロメアがある程度まで短くなると、もう細胞は分裂できない。回数券がゼロになる、ってわけだ。つまり、テロメアが細胞の寿命を表している」

「なるほど。そのせいで、細胞は寿命があるってわけか？」

「ただ、癌細胞は違う」左側の窓を見ながら言った。忌々《いまいま》しい、と舌打ちをした。

「違う、っていうのは？」

「テロメアが短くならないんだよ、癌の奴は。次々に延長していく。だから、癌細胞は永久的に分裂を繰り返していく」

「不死なんだ？」

「不死なんだよ」

「嫌なやつだな」

「きっと、友達とかいないんだろうな」私は言った。「普通、余計な細胞分裂は抑制されるはずなんだけれど、癌はそれを無視して暴走する」

癌は憎らしいくらいに、巧妙に生き長らえていく。本来寿命が決まっているはずであるのに勝手にテロメアを延ばし、監視人の制止も振り切って、分裂を繰り返して生き延びていく。自分の都合が良いように法律を改悪していく政治家に似ていた。

「いい気になりやがって」春も苛立《いらだ》った口調だった。癌に、「いい気」も何もないだろうに、と思いながらも、私も同じ気持ちだった。

「強敵だな」もう一度言う。

目の前に、総合病院の建物が見えはじめた。立派な大企業とも思える、威風堂々たる外観だ。胃が痛くなり、黒々とした憂鬱《ゆううつ》の塊が胸を満たしはじめる。鏡の前で、ブトツカットのジーンズを穿《は》き、「似合うか?」と訊《たず》ねてくる父の姿が不意に頭に浮かんだ。癌のいない頃の父だ。今よりもはるかに顔色がいい。

血管を通じ、鬱々たる思いが全身に広がる。助手席の私はこっそり、拳《こぶし》を強く握る。だから病院には来たくないのだ。

父の病気とピカソ

個室のベッドに上半身だけを起こして父は、文庫本を読んでいた。前回来た時よりも頬がこけて見えたが、錯覚だろう、と私は思った。眼の周囲が黒ずみ、くぼんでいるようにも感じたが、それも錯覚に違いない。脇《わき》の机には様々な大きさの本が積み重なっている。

「何を読んでいるわけ」

「推理小説だ」父は持っている文庫本を私に見せた。

父は昔から無類の読書好きだった。家の一室はまるまる書棚で埋まっていて、子供の頃から私や春は読む本には困らなかった。テレビゲームに飽きると、おもむろに父の本を引っ張り出し、二人で小難しい台詞を朗読して遊んだ。井伏鱒二《いぶせますじ》の「山椒魚《さんしょううお》」

の冒頭、「山椒魚は悲しんだ」を真似《まね》て、私たちは、自分たちの思うようにならないことが起きるたびに、「泉水は悲しんだ」「春は悲しんだ」と喚《わめ》いた。

「難しい本を読んでると、女の子にもてない」と母に言われたこともあった。仕方がなく読書をやめ、ビデオで映画ばかり観《み》るようにもなったが、結局、「映画ばっかり観てても、女の子にはもてない」と母に指摘され、非常にがっかりしたのを覚えている。

「あそこにある本はさ、俺が買ってきたんだよ」春は困ったように眉《まゆ》を下げた。「推理小説を買ってこいだとか、地図を買ってこいだとか、父さんは人使いが荒い。歴史の参考書まで買ってきた」

「そんなの、何に使うんだよ」

「小説に嘘が書いていないか、チェックするんだ」父が笑う。歯が先細っているような印象がある。

「小説を読むのは、でたらめを楽しむためじゃないか」私は反論した。「細かい誤りを取り上げて、つべこべ言うのは実は小説が嫌いな人だ」

「病人は暇だからな」それから、私たちの顔を順番に見て、「二人で遊んできたのか?」と訊ねた。

懐《なつ》かしいな、と私はしみじみと思った。父は昔から、その問い掛けを口にした。小学生の頃、外から帰宅した私が泥だらけの手を洗っていると、「二人で遊んできたのか?」と言った。「そうだよ」と返事をすると父は、「そうか」と嬉《うれ》しそうに顔を崩し、「違う」と答えると、「そうか」と寂しげに視線を逸《そ》らした。中学生にもなるとそれが煩《わずら》わしくて、父が訊ねてきてもたびたび無視をした。

「春の仕事ぶりを見てきたところだよ」

「街の落書き消しは繁盛《はんじょう》してるのか?」

春がまともに就職もせず、不安定な生活をしていることを、父はそれほど不満には思っていないようだった。「人生というのは川みたいなものだから、何をやってようと流されていくんだ」と言ったこともある。「安定とか不安定なんていうのは、大きな川の流れの中では些細《ささい》なことなんだ。向かっていく方向に大差がないのなら、好きにすればいい」

「街からは落書きはなくならないものか?」

「どんどん増えていく。どんな悪戯《いたずら》も、飽和状態になるまではずっとつづくんだ」春は言う。

「俺が偉ければ、そんな犯罪はすぐになくせるがな」父が自慢げに、鼻を上に向けた。

「どうやって」

「壁に落書きをする者は無条件で死刑。そういう法律を作ればいい。歩き煙草《たばこ》も死刑だな。万引きする少年も死刑。法律でそう決めてしまえば、絶対やめる」

「無茶苦茶だよ」私は、父の意見を否定する。「今度は春自身が落書きをするらしい」

「春が？」

「頼まれたんだ」春は、役所から許可をもらって地下道に絵を描くのだ、と説明した。

「おまえが描いたら凄《すご》いことになるだろうな」

「なるね。俺はピカッソの生まれ変わりだから」春はピカソのことをピカッソと呼ぶ。どうやら彼の中の取り決めとしては、それが親しみの表現らしい。

春は、小学生の時の、例の展示会での事件以降、絵を描くことを避けた。こっそりと部屋のデッサン帳や画用紙に描いてはいたらしいが、それを人に見せることはなかった。家族のうちで抜きん出て絵が上手《うま》いのは、違う血筋が混じっているからではないか、と怖れを感じていたのだろう。自分の本当の父親のことを知った後は、なおさら意識して、絵から遠ざかっていた節がある。自分の絵の才能がどこから来たのか、そのことに恐怖していたのだ。

けれど、高校二年の時を境に、再び、絵を描きはじめた。バスケットボール部のガードを務めるとともに、美術の才能も発揮して周囲を驚かせた。廃部寸前の美術部を復活させたのも、彼だ。

どうしてあの頃、急にまた絵をやる気になったんだよ、と私は後に訊ねた。

「父さんが教えてくれたんだよ」

「何を？」

「俺は、ピカッソの死んだ日に生まれたらしい」

初耳だった。

「どうやら困ったことに、俺はピカッソの生まれ変わりらしい」と半分は冗談めかし、半分は誇らしげに言った。「だから兄貴たちと違って、絵が上手いんだ」

春は自分の絵の能力について、「ピカソの生まれ変わり」という一点だけで納得した。強姦魔《ごうかん》の父親の存在や、才能は遺伝するのか否《いな》か、という問題にくよくよすることをやめたのだ。

父は平凡な公務員でしかなかったが、時折、私には思いもつかない閃《ひらめ》きと言葉で、家族を救った。埋没する詩人というものがあるのだとしたら、きっと父はその一人だろう。

春がピカソであるのなら、私は一体何の生まれ変わりなのか、と父に質問をしたことがあった。一九七一年五月二十日だ。父はいろいろと調べてくれた後で、「同じ年に亡《な》くなった有名人はいないが、五月二十日自体は蘇我馬子《そがのうまこ》が死んだ日らしいぞ」と教えてくれた。笑いを堪《こら》えていた。

ピカソと比べると格差があるようにしか思えず、私は、「馬子ってちょっと嫌だな」と不貞腐《ふてくさ》れた。

「壁には絵具で描くのか?」

「スプレーだよ。グラフィティアート用のやつ。専門に売っている店まである」

「その店をまず取り締まれよ」私が言うと春は、「どんな悪事も、細分化されて、罪が分散するんだ」とすぐに答えた。

「おまえが描いた絵を見てみたいな」父がなぜか、目を窓へと向ける。

「病院を出たら一緒に見に行こう」春は言う。

「手術はいつだっけ?」私は知っているくせに、訊ねた。

「二週間後だ」

「それが終われば解放だ」春が手を開いた。

「そうだな」とうなずく父の身体《からだ》には、やはり癌《がん》が依然として居座っているはずで、その癌自身が、「そうだな」と首肯したのではないかと私は、からかわれた気分にもなる。いい気になるのも今のうちだ、と指を差したかった。

ミステリにおける退屈な手続き　I（今までのあらすじ）

「兄貴の会社が放火されたんだ。最近、仙台では放火事件が多い」やがて春は、そのことを父に伝えた。

「新聞くらいは読んでいるからな、知っているよ」

「何件起きているか、知ってる？」

「おまえは分かるのか」

「興味があったから」春が首肯した。「俺の知っている限りだと、一番目は十月六日の深夜なんだ。株式会社シー・エス・エスというソフトウェア会社の自社ビルが燃えた。一階の無人のはずの事務所から発火して、二階まで焼けたけれど、怪我人《けがにん》はいなかった」

「ソフト会社なら遅くまで人が残ってそうだけどな」素朴な疑問を私は口にした。

「その五日後、パチンコ屋のゴールドコーストが燃やされた。閉店後のため、やっぱり怪我人はいなかった」

「駅前のか。西口？」

「西口。ボヤで済んだ。次は十六日、駅の東口にある朝日不動産がやられた」

「小さい店もやられてるのか」狙《ねら》われているのは、ビルや大規模店舗ばかりかと思いこんでいた。

「二十一日には小さな古着屋。ここは残念ながら全焼。怪我人はいない」

「分かったぞ」父が人差し指をこちらに向けた。「全部、五日間隔だ」

「残念」と春は本当に残念そうに眉を下げた。「次は六日後なんだ。仙台駅東口の生協に放火。物置が燃えたくらいで済んだんだけれど、消そうとした通りがかりの老人が火傷《やけど》した」

「ついに怪我人が出たわけだ」

「酷《ひど》い話だよ」春は嫌悪《けんお》感を浮かべた。「それから、三十日と今月の三日だ。武田堂という名前の判子屋とアフタヌーンがやられた」

「アフタヌーンというのは、駅前のほうのスナックだな」と父が口を挟む。「役所の同僚と行ったことがある」

「で、一昨日《おととい》の夜、兄貴の会社が被害にあった」

「ボヤだったけどね」

「よく覚えているもんだ」父が手を叩く。

「異常だ」私は、弟を指差す。

「今時、放火なんて、それほど異常な事件じゃないって」

「違う。放火事件のことをそこまで覚えているおまえが異常なんだ」

「否定しない」春が肩をすくめた。「俺は異常だ」

「春は」と私は、父に向かって説明をする。「うちの会社が燃やされることを、預言した」

「当てたのか？」

「ルールがあるんだ。連続放火事件のね。だから、次は兄貴の会社が標的になる、と予想できた」

「ルールか」父は新種の昆虫を見つけた子供さながらの喜びようだった。「やっぱり連続事件にはルールがなくちゃ駄目だよな」と力強く首を何度も縦に振った。「連続事件には関連性がなくちゃいけないんだ」

推理小説に毒されている父を見るのは、微笑《ほほえ》ましかったが私は、不謹慎ではないか、と非難するのは忘れなかった。

「放火された現場近くには、グラフィティアートが必ずあるんだ」春ははっきりとした口調でゆっくりと言う。

「グラフィティ、というのは例の落書きか？」

「そう。壁に書かれた落書き。実はね、落書きを消すという仕事柄、俺にはいつも落書きの最新情報が入るようになっているんだ」

「連絡網でもあるのかよ」私は茶々を入れる。

「その通り」春が目尻《めじり》に皺《しわ》を寄せた。「時間を持て余した知り合いが何人かいて、街を徘徊《はいかい》しているんだ。グラフィティが描かれていると連絡をくれる」

「刑事と情報屋の関係みたいだな」

「近い」

その知り合いというのは浮浪者だろうな、と想像できた。春はどういうわけか、浮浪者の知り合いが多い。学生の頃、通りかかった深夜の公園からどうも知った声が響いてくるぞ、と目をやったところ、春が、照明のついた小さな広場で、布切れ同然の服を羽織った男たちとキャッチボールをしていた、ということがあった。球が見えねえよ、と愚痴を零《こぼ》す浮浪者に、目を凝らせば大丈夫だって、と返事をし、捕り損なったボールを追いかけながら、ちゃんと投げてくれよ、と浮浪者が文句を言うと、「自分で逃げてるんだろ。見れば捕れるって」と春は軽やかに声をかけていた。

「落書きの情報が入れば、その壁の持ち主なり管理会社に電話して、『消してあげますよ』って営業活動ができるし、情報があると助かるんだ」

「その情報がどうしたんだ」父が訊《たず》ねた。

「新しいグラフィティが描かれると、俺はそいつを見に行く。で、このひと月前くらいから妙な落書きが増えていた」

「妙？」

「英語の文字が描かれているんだ。それ自体は珍しいことではないよ。自分たちのチーム名を描き残すことは多いし、意味も分からない横文字を描いてるのもある」

グラフィティアートには縄張りを示す意図もある、と春が言っていたのを思い出した。

「ただ、俺が気になったのはそれとは別なんだ。はじめに見かけたのは先月の六日の朝だったんだけれど」

「放火事件一件目の日だな」父は文庫本を完全に閉じて、身を乗り出した。

「後から考えると、あれは燃えたソフト会社の斜向《はすむ》かいの駐車場だったんだ。駐車場案内の看板に、『God』と描いてあった。ただの殴り書きかと思った」

「神様を殴って書くとは不謹慎だ」と父が嬉しそうに言い、それがまた不謹慎な様子だった。

「上手だったんだ。アルファベット自体がデザイン化されて、綺麗《きれい》な青色をしていた。赤で縁取りされて、斜体で、『God』と描かれていた。その時は別段、変に思わなかったんだ。上手いと感じただけで。それが、五日後に今度は『can』という文字を見つけた」

「その時点で、おまえは放火事件との関連性に気づいていたのか」

「その時はまだだったよ」と言いつつ春は忙《せわ》しなく瞬《まばた》きをした。それを父がじっと見つめている。「おかしいと思ったのはその次かな。白いビルの壁の、『talk』を消したんだ。そうしたら、翌朝の新聞にまさに同じ場所が写っていて、隣の不動産屋が燃えたと記事にあった。急にぴんと来て、今までの新聞をひっくり返したんだ」

「それで何が分かった？」

「俺が消した落書きの近くで、放火が起きている」

「続けると文章になるとか言うんじゃないだろうな」訊ねながらも、私はそわそわとしはじめていた。生来、そういった謎《なぞ》解きには目がないのだ。このまま春の話を聞いていると、引《ひ》き摺《ず》りこまれて、夢中になってしまうのではないか、という予感と、不安があった。

「『God can talk』」春が小声で言う。

「神様は話すことができます」父は中学生のようにそれをそのまま訳し、「そりゃ、できるだろうなあ」と笑った。「神様は何でもできる。その気になれば、俺の癌だって消せるんじゃないか？　その気にならないだけで」

私はそもそも、「癌」という言葉が苦手だった。と言うよりも、怖かった。父の検査結果を聞きにいった日、医師の口から「ガン」という単語を耳にした時には、真《ま》っ暗闇《くらやみ》に放り出された気がした。覚悟をしていたにもかかわらず、その凶暴で、悪魔的な病名を聞いたとたん、絶望感に押しつぶされてしまった。

癌を告知された患者でも、自分の病気を語る時に、「あれ」だとか、「この病気」だとか抽象的な呼び方をする人が少なからずいるらしい。あの単語を口にすると、それだけで自分の身体の穴という穴から生命が逃げ出していくような気分になるのかもしれない。私はそう思う。癌そのものよりも、「ガン」という発声のほうが恐ろしいくらいだ。あの忌々《いまいま》しい呼び名のせいで、あいつらが余計に、張り切っているような錯覚すら感じる。

「他の放火現場も同じなのか？」

「全部だよ。次の古着屋の時は数軒離れたコンビニの壁だった。『Ants』とあった」

「アンツって言ったら、蟻《あり》か」どこか馬鹿《ばか》にされた気持ちだった。

「次の日のニュースで古着屋が燃えたと知って、確信を得た。放火事件とグラフィティアートはリンクしている」

「リンクねえ」私は眉《まゆ》に唾《つば》をつける。

「残りの四件の放火事件もか？」父は、私とは正反対で、興味津々《しんしん》、好奇の触角を縦横無尽に振りまくる、という様子だった。

「放火の前日には必ず近くで、グラフィティアートが見つかる。生協の時は、『goto』という文字があった」

「本当かよ」私は頭を掻《か》きながら、どこまで信用して聞けばよいものか悩んでいた。子供の頃から、春の下らない冗談に騙《だま》されたことはずいぶんあった。

「判子屋の火事の前には、『America』と描いてあるのを見つけた。で、次の落書きが少し変わっていたんだけれど、数字が描かれていた」

「ええと、それは」父は聞いたばかりの情報を必死に整理している。「アフタヌーンというスナックの火事の時だな？」

「そう」

「数字ってどういうことだよ」

「『280』ってさ、それだけ描いてあった。ただ、絵は今までと同じ描き方だったから、同じ人間の作品だとは思う」

にひゃくはちじゅう、と私は発音してから、首を捻《ひね》った。意味が分からない。

「その次に見つけたのがつい一昨日の朝だったんだ。兄貴の会社の近くにあるビジネスホテルの駐車場の壁」

「何て?」

「『century』」春は上手に発音した。「だから、あの一帯のどこかで火事があると思った。で、試しに調べてみたら、狙われそうな範囲の中に、兄貴の会社があった」

「だから、電話をくれたのか。親切で?」

「驚くかと思って」

「驚かせていただきました」私はわざと慇懃《いんぎん》にお辞儀をする。「で、繋《つな》げると、『God can talk Ants goto America 280 century』か」と文字列を繋げた。「動詞が二つある」

「文章が切れるんだろうな」父は落ち着き払っていた。「『Ants』からは別の文になるんだ、きっと」と推測し、顎《あご》に手をやった。「神は喋《しゃべ》ることができます。蟻たちはアメリカに行きます」と英語を訳した。「おい、泉水、蟻はアメリカを目指すのか?」

目指すのか、と訊ねられても困る。私は滅多に海外には行かないが、年末年始の成田空港の混み具合から察するに、蟻たちがアメリカに興味を持ってもおかしくはないんじゃないか、と半ば捨て鉢に答えた。「自由の国だし」

「280 century はさらに不可解だな」父は困り果てた顔を微塵《みじん》も見せず、むしろ、意気揚々としている。ごそごそと脇《わき》の机から白紙を引っ張り出した。「もう一度、言ってくれ。書き留めるから。俺が謎を解こうじゃないか」

「謎なんてないじゃないか」私は呆《あき》れる。

「これが謎の文章じゃなければ、何だと言うんだ。誰かへのメッセージだ」父は言い切った。

「そうとは限らない」

「いや、暗号だよ。意味はある」父は自信満々だった。

「春はどう思うんだ」

「実際のところ、兄貴のほうがそういうのは得意じゃないか」

「そうだよ、泉水。おまえはこういうのが好きだったじゃないか。クロスワードパズルのこと、覚えているだろ」

父は、私や春の少年時代の話をするのが好きだった。しかも大抵は、私が失敗した話や思い出したくない話ばかりで、私の成し遂げた善行や偉業に関しては、触れられたためしがない。私の成し遂げた善行や偉業がないからなのかもしれないが、親であるならばそれはそれで、善行や偉業をでっち上げてでも話すべきではないか、とも思う。

「そんな子供の頃の話をされても困るって。覚えていないんだから」と抵抗するが、何割かは記憶に残っている。それがさらに屈辱的だった。

探偵 Ⅰ

子供の頃、クロスワードパズルが好きだったのは事実だ。うちで契約していた新聞の日曜版に毎週載っていたので、私は朝、目覚めると、パジャマを着替えるよりも、顔を洗うよりも先に紙面を開き、パズルに取りかかった。

自分で答えを見つけ、それを桝目《ますめ》に埋めていく作業に夢中になった。一歩一歩、真実に自分が近づいているという手応《てごた》えが、私の性格によく合っていたのだろう。

ある朝、新聞を開くとすでにいくつかの答えが記入されている時があった。犯人は父で、もちろん、悪気があったわけではない。「おまえには解けそうもない問題があったから、先に答えを埋めておいてあげたんだ」

私はその直後、癇癪《かんしゃく》を起こして暴れた。らしい。実のところ、その暴れた部分の記憶はなかったが、後から聞かされるところによればそうだ。

「あの時のおまえは、『全部、自分でやりたかったんだ』ってな、泣いて暴れた」

「俺も覚えてるよ。『兄貴、大人げないなあ』って呆れてたよ、俺は」

「おまえが覚えているわけがないだろう」

「いや、兄貴の鬼のように怒った顔はよく覚えている」春は言ってから、「クロスワードの鬼」であるとか、「クロスワードの権化《ごんげ》」であるとか、そういった称号を並べ立てて、愉快げにしている。

「泉水はとにかく、自分でやらないと気が済まないんだ。本も先にあらすじを読むのを嫌うし、試合の途中から放送される野球中継も見なかった」

「ようするに途中参加が嫌いなんだ」

ぐうの音も出ません、と私は答えたくなる。父の指摘は鋭かった。中学校のサッカー部でも、先発メンバーに入れないと途端にやる気をなくした。補欠となったことへの落胆ではなく、単に他人事《ひとごと》になってしまうのだ。「これは自分の試合ではない」と。だからなのか、リレーは大嫌いだった。

「兄貴は途中参加の時はまるでやる気がないのに、自分が最初から参加していると頑固だし熱心だ。そして意固地だ」春が可笑《おか》しそうに言う。「あれ、覚えている？ オリエンテーリング」

「これは思い出話に見せかけたイジメなのか？」参りました、と手を広げたが、春は話を止めない。

「町内会のオリエンテーリングで、俺は兄貴とチームだった。二人きりだったと思う。地図を見てさ、方位磁針を颯爽《さっそう》と構えて、どんどん俺を引っ張っていってくれた」

悪かったよ、と私は先に謝った。方位磁針の北と南の向きを私は完全に逆に理解していた。「南」を「なん」と読むことから「N」がそれに対応すると、思い込んでいたのだ。

「気づいたら俺たちはまったく知らない町に辿《たど》り着いていたんだ。それでも兄貴は間違いを認めなくてさ。俺が諦《あきら》めようって言っても、耳も貸さないし。『俺についてくれば大丈夫なんだ』とか、自信満々でさ。あの頑固さは何に由来したのかな」

「どうしたら許してもらえるのかな」

「道に迷ったって認めた後もさ、『日が沈む方向に歩いていけば家に帰れる』なんて言ってたんだ。そのくせ、太陽なんてあっという間に沈んじゃって」

「推理小説には、泉水に似た奴《やつ》がたくさん出てくる」父が文庫本に目をやった。「探偵が自信満々に説明をするところは、どこかおまえに似ている」

「いや、父さん、探偵は基本的には途中参加が得意のはずだし、何より、クロスワードパズルで癇癪を起こさないよ」私は自嘲《じちょう》気味に言う。

「兄貴には名探偵の資質があるってことだよ。だからさ」

「だから？」

「放火事件とグラフィティアートの謎も、兄貴ならきっと解ける」

「何だ、その決めつけは」私は驚く。

「兄貴に期待をしているんだよ」

「意固地じゃない探偵に頼めばいいだろ」私は溜《た》め息《いき》混じりに、文庫本を指差した。

「探偵なんていうのは現実にはいないさ」父がしみじみと言って、本の表紙を触る。

「まあね、現実の探偵というのは、興信所みたいな事務所だけだからね。うちの会社は仕事柄そういうところに仕事を頼むけど」私は、どうか話題が逸《そ》れていきますように、と祈る。

父が目を輝かせた。「その探偵は難事件を解決するのか？」

「まさか。身元調査とか、人捜しとか」

「地味だな」父の口ぶりは、それは僕の欲しいお菓子じゃない、とむくれる子供以上に、幼かった。

「地味で、退屈な事柄にこそ、神様は棲《す》んでるんだ」と春が口を挟んだ。

「おまえは面白いことを言う」

「父さんが教えてくれた言葉じゃないか」

「この間、仕事を依頼した探偵はとても優秀に見えたけれど」同期の高木に紹介してもらった探偵のことを頭に浮かべていた。

「おまえが探偵を雇ったのか？」

「必要だったから」

その後も父は、放火事件の情報をしきりに確認していた。復習するようにメモ帳に書き留める。実のところ、興味のないふりをしていた私も、必死に暗記をしていた。

「そう言えば」父がふと顔を上げた。「春、おまえ、さっきのオリエンテーリングの後で、何と言ったか覚えているか？」

「え、俺が？」春が突然言われてとまどっている。私はほくそ笑む。覚えていない過去のことを突つきまわされる気持ちを、存分に味わえばいいのだ、と。

「おまえと泉水は結局、町内会でビリだったんだ。泉水はすっかり落ち込んでいてな。

そうしたら、おまえが言ったんだよ。『僕とお兄ちゃんは最強なんだ』とな。で、『こんなのルールがおかしい』と言って、方位磁針を踏んづけた」父は微笑《ほほえ》んだ。「『二人一緒なら絶対に負けないんだ』ってな、おまえはそう言ってひどく怒ってた」

「そんなことを」と春は目を丸くした。「俺は言ってたのか」

言ってたぞ言ってたぞ、と私は自身が覚えてもいないくせに、囃《はや》す。

父の価値とゴッホ

父は見たところ肩幅もなく、中肉中背で、優男《やさおとこ》だった。宮城県のはずれにある町の、農家の五男として生まれた。食うのに困り、店からパンを盗んで非難されるような悪童でもなければ、桜の木を折った後に、「私がやりました」と手を挙げ、将来の活躍を期待される少年でもなかったらしい。市役所に勤める公務員としても、目立って活躍するほうではなかっただろう。重要な判断を迫られたり、部下たちに指示を仰がれたり、交渉相手と膝《ひざ》を突き合わせて駆け引きをしたり、そういった優秀な人間が経験するイベントとは縁がなかったのではないだろうか。

かと言って父が無能だったとは思わない。むしろ、逆ではないか、と推測してもいる。ただ、他人に能力をひけらかす種類の人間ではなかった。そして、他人に能力があることをひけらかさない限りは、穏やかさだけが取り柄の、無能な人間に見えてしまう種類の人間だった。数回会って会話をする程度では、父の価値は分からない。

以前、母にこう言ったことがある。「ゴッホっているでしょ」

「画家の？」

「そう、画家の。あのゴッホが、レンブラントの、『ユダヤの花嫁』を観《み》た時に、『もう二週間この絵の前に座っていられるなら、十年寿命が短くなってもいい』と言ったらしいよ」

ふうん、と母は関心があるのかないのか分からない反応をした。ふうん、それがどうかしたのか、と。

「ゴッホは絵を理解するのにはそれくらいの時間が必要だって知っていたんだ。ってことは、人の凄《すご》さを知るのにもそれ相応の時間が必要だろうな。それを今、不意に思ったんだ」念頭にあったのは、父のことだった。

「わたしにはすぐに分かったけどね」

母は十代の頃からファッション雑誌のモデルをしていて、容姿に恵まれていた。派手ではないが、それだけに骨格や肉の付き方の良さが滲《にじ》み、眼は大きく、髪は長かった。外出をしても、私たちの姉に間違えられることが多く、三十代後半になっても美しい母は、私の自慢でもあった。思えば母の美しさは、それなりに周囲の僻《ひが》みや妬《ねた》みを買っていたに違いない。母が未成年の強姦魔《ごうかんま》に襲われた時も、その災難は、彼女の突出した美貌《びぼう》を減点するために用意された、調整作業の一種だと納得していた人も多かったのではないだろうか。これでようやく世の中に平等がなされた、と溜飲《りゅういん》を下げた人もいたのではないか。

母は、父と出会った時のことをよく覚えていた。

「あの時、わたしはまだ二十歳を過ぎたばっかりでね、仕事で仙台の温泉まで来たんだけど」雑誌グラビアの撮影許可に関わり、立ち会ったのが役所の担当部署にいた父だった。

「会って話をした瞬間、わたしにはこの人は、他の男とは違うって分かった」

「そんな馬鹿《ばか》な」

「直感も侮《あなど》れないんだよ」母は穏やかに言った。交際を持ちかけたのは、母だった。

「あの時は、何が起きたのか分からなかった」その時のことを父はそう言う。母は東京に一度戻ると、モデルの仕事をあっさりと辞め、荷物をまとめると、都内のマンシヨンを解約し、再び東北本線に乗り、仙台へと戻ってきた。

「で、どうしたの」

「そりゃ、お父さんの職場に行って、よろしく、って挨拶《あいさつ》したに決まってるでしょ」

「父さんが嫌がるとは思わなかったわけ？」もしかすると、自分が美人だから断わられるわけがないと踏んでたのではないか、と私は言いもした。

「軽蔑《けいべつ》するならするがいい」と母は冗談めかして、胸を張った。「でもね、何か、お父さんが受け入れてくれるような予感がしたんだよね」

「直感の次は予感だ」

「まあね」

その話になると父はいつも居心地が悪そうで、「普通の恋愛はもっと、段階を踏んで、ゆっくりと進むものなんだろうなあ」と口元を歪《ゆが》ませた。

母が、春を妊娠した時、「産もう」と決断したのは父だった。らしい。「妊娠した」と母が告白したのは、仙台の七夕まつりを見ている最中で、混雑した人波の中で、一歳半前だった私は、父に負ぶわれながら眠っていた。そう聞いた。母の報告を聞いた瞬間、父にはそれが自分の子供ではなく、忌々《いまいま》しい事件の結果としてできたものだとすぐに分かったようだ。

「よし、産もう」父はほとんど悩むこともなく、返事をした。恰好《かっこう》つけたわけではないだろう。実際、背中には重いコンニャクのようになった私が乗っかっていたので恰好がつくわけもない。

七夕まつりの最終日、春は生まれてくる前に死を宣告されるという危機を脱したことになる。救ったのは父だ。決定し、待ち望み、歓迎し、出産に立ち会い、産まれてきた春に真っ先に頬擦りしたのは父だった。

私に、春の出生のことをはじめて話してくれた夜、父はぽつりと、「正解なんてないんだろうな」と零《こぼ》した。

「正解?」

「俺たちと同じ境遇の人はいくらもいるだろ。レイプ事件なんて無数にあるんだろうから。妊娠した子を堕《お》ろす人もいるし、産む人もいる。どっちが正しいと思う? 子供を産むべきだったのか、産まないでなかったことにすべきだったのか。俺には分からない。正解なんてないんだろうな」

産むべきか、産まないべきか。試験問題や○×のクイズではないのだから、確かに正解があるはずがない。けれど、通常、常識的に考えて、そういった状況で、出産することを選択するのは稀《まれ》ではないか、と思う。おそらくはその時に、「産もう」と父が決断したのには理由があったのだ、と私は確信している。産むことを選択するに至る理由だ。母が若くして亡《な》くなったその病とも関係しているのではないか、と想像したこともあった。ただ、とにかく確かなことは、父や母がその理由を一度も、私たちの前で口にしなかったことだ。少し考えてみれば分かるが、「これこれこういう理由があって、仕方がなく産んだんだよ」と言われて、「そうか良かったよ。ありがとう。ほっとした」と答える子供がいるとは思えない。いや、私の弟であればもしかすると、落ち着き払った達観を見せ、「助かったよ」と微笑んでみせるかもしれないが、だからと言って、その必要があるとは思えない。言い訳や説明が必要なのは、物事に対して後ろめたさがある場合だ。

「父さんは、春のことをどう思っているわけ？」私はその時、予想もしなかった家族の秘密に混乱しながらも、訊《たず》ねた。

父の返答次第では、私の人生はそこでぽきりと折れてしまったかもしれない。投《な》げ遣《や》りな回答や、曖昧《あいまい》な返事、子供をはぐらかすような答えを父が口にしたならば、私は家の中のありとあらゆる物に幻滅したはずだ。茫洋《ぼうよう》たる黒い海に放り投げられた気持ちになり、もはや何ものも信じることのない犯罪者の予備軍に、身を落とした可能性もあった。

父は即答した。

「春は俺の子だよ。俺の次男で、おまえの弟だ。俺たちは最強の家族だ」

そこには、我こそが悲劇の主人公である、と自らを哀れむ様子もなければ、自分自身を鼓舞するような響きもなかった。うっとりするナルシシストの顔にも見えず、その父の言葉は私を救った。聞かされた事実に驚きはしたが、怯《ひる》まずに済んだ。「血の繋《つな》がり方」など、どうでもいい些末《さまつ》なことではないか、と思うことができた。

「母さんから妊娠のことを知らされた時、俺は咄嗟《とっさ》に相談したんだ」父がそう言ったことがある。

「相談って誰に」

「神様に」それから、苦い果物を嚙《か》み砕《くだ》くような表情をした。「笑うだろ」

「信仰もないくせに?」

「信仰もないくせに。一瞬のことだったんだろうが、俺は空を見上げて質問をぶつけていたんだ。どうすることが正解なのか教えてくれとな。即席で、神に祈ったわけだ。ああいう時に頼れるのは、神様くらいだ」

「節操がない」

「必死だった」

「で、返事はあったわけ」

「あった。声が聞こえた」

あったのかよ、と私は笑う。

「思い違いかもしれないが、はっきりと聞こえたんだ」父は冗談を言うようでもなかった。「俺の頭の中に怒鳴り声が聞こえた」

「神様が怒鳴るとは。何と言ってきたわけ」

「『自分で考えろ！』」

「は？」

「『自分で考えろ！』ってな、そういう声がしたんだ」

私は噴き出した。「無責任にもほどがあるじゃないか」

「だがな、考えてみると、これは神様の在り方としては、なかなか正しい」

「そうかな」

「俺は即座に決断した。自分で考えたんだ」

地味で、目立たず、特技もないが、父はやはり凄い、と私は信じている。きっとゴッホなら、分かってくれるに違いないが、彼はもう死んでいる。母ももういない。残念だ。

ローランド・カーク

謎《なぞ》解きに夢中になっている父は見ようによっては、愛らしかった。「ええと、古着屋の店名は何だ？」

「チーム、だよ。英語だね。T、E、A、M」と区切って春が説明をする。父は、アルファベットを丁寧にメモ帳に書いた。

「この時、描いてあった落書きは何だ？」

「『Ants』だ」春が即答した。今や、落書きと放火の詳細についての第一人者だ、と私はからかう。

父はスペルを確認した後で、放火事件と落書きの内容を見比べ、「何のこっちゃ」と首を傾《かし》げた。

私は横で聞きながら、「God can talk。神様は喋《しゃべ》れる」とは何の比喩《ひゆ》なのだろうか、と頭を捻《ひね》る。「Ants goto America。蟻《あり》たちはアメリカに行く」とはさらに意味不明だ。

諦《あきら》めなければどんなことでも可能だ、という格言なのだろうか。

「よく言われるけど、God は逆さから読むと Dog だ」私は言ってみる。

「そうだね」春が相好《そうごう》を崩した。

話が逸《そ》れるが、春が尊敬する歴史上の人物は、昔からずっと、ガンジーと徳川綱吉だった。

ガンジーは、春にとっては大切な、骨格たる人物と言って良かった。性的なものに嫌悪《けんお》感を抱き、「人間にとってもっとも大切なのは抑制だ」とも言った。彼の唱えた、「非暴力主義」は、二十世紀における、「人類最大の武器」だと春は言ってはばからない。映画を何度も観ては、そのたび泣いた。

「未来の人々は、あのような人が生身の姿でこの地球上を歩いていたとは、到底信じられないだろう」

これはアインシュタインが、ガンジーについて語った言葉だ。春は、ガンジーを評価しているからという理由でのみ、アインシュタインのことを評価している。

そして、そのガンジーと同じくらいに愛着を感じているのが、徳川綱吉だった。こちらは理由は簡単で、ようするに、「生類憐《あわれ》みの令」が好きなだけなのだ。犬が人間より偉くて何が悪い、とよく言った。

「ずいぶん昔だが、市役所で講演会があったんだ」ペンを持って下を向いたまま、父が唐突に口を開いた。「今でも覚えているんだがな、放火の動機で一番多いのが確か、『不満の発散』だった。半分以上がそれだったな。で、次が、『恨み』。その次が火事騒動を楽しむためだとか、痴情のもつれ。計画的な放火というのは珍しいんだ」

「不満の発散、かあ」ぴんと来なかった。

「火は浄化作用があるんだよ」父は、自分自身が火によって慰められた経験があるような口調だった。「焚《た》き火《び》でもゴミを燃やすのでも、じっと眺めていると、癒《いや》される」

「人は生まれつき、燃やすのが好きなのかな」私は十代の頃、キャンプファイアーを囲んだ時の高揚感を思い返した。

「燃え尽きる、という表現もあるくらいだから、何かをやり遂げた気分になるのかもしれない。火は達成感を想起させるのだろうか。これは日本人であるせいかもしれないが、やはり火葬にすると諦めがつくしな」

「火や火事には魔力みたいなものがあるんだ。三島由紀夫の本で、金閣に放火した青年の青春小説があるよね」春が口を開く。

「あれは青春小説なのか」

「まさに、あれは、青春小説だよ」春は嬉しそうに歯を見せた。自分の自己顕示欲を持て余し、煩悶《はんもん》する思いの吐き出し方に右往左往する青春小説だ、と。「あの主人公の僧がさ、『金閣が焼けたら、世界は変貌《へんぼう》する』と考える場面があるじゃないか」

「あったかもしれない」

「きっと、人間が世界を変えるために使うのは、火なんだ」春は、火や炎の話をしているのとは不釣合いの、涼しい顔をしていた。「で、神が世界を変えるために使うのは水だよ。聖書に出てくる洪水」

「聖書によれば、ソドムの町は火で焼かれたんじゃなかったか」父が笑う。「神は火も使うじゃないか」

「それは」春は鋭く言って、父に向かって指を立てる。「例外だよ」

私は反射的に、子供の頃に聞いた話を思い出していた。日本神話に出てくる、コノハナノサクヤビメのことだ。彼女は妊娠した際に、夫のニニギノミコトから、「本当に俺の子か」と疑いをかけられ、それを証明するために産屋《うぶや》に火をつけた。その話のことだ。

「この中で無事に子供が産まれてきたら、あなたの子だと証明されます」とむちゃくちゃな理屈を彼女は展開した。

私はテレビ番組でその物語を見た。春も一緒だったはずだ。妊娠や出産についての詳しい仕組みは分からなかったが、出口を塞《ふさ》いだ産屋に火を放つ妊婦の姿を想像して、震え上がった。

「火は身の潔白を証明します」とテレビ画面に映し出された文字を、私はいまだに覚えている。あの時はじめて、「身の潔白」という言葉を知ったが、それにしてもあれは、ちょっとした心の傷になった。あんな目に遭うくらいであれば、身の潔白など証明しないほうがよほどマシではないか、と思わずにはいられなかった。最近でも、汚職の疑惑で追及された衆議院議員が、記者に囲まれて、「身の潔白を証明したい」と発言するのを見て、曰《いわ》く言いがたい恐怖を感じた。子供の頃の恐怖が自然に甦《よみがえ》るのだ。

思い出したばかりのコノハナノサクヤビメのことを話題に出そうとしたが、私はやめた。「俺の子供なのか?」と夫に追及されるコノハナノサクヤビメは、春を妊娠した母の立場と重なるような気がしたからだ。そんな話を持ち出せば、いくら神話の話題とは言え、私たち三人の間に、得体の知れない魔物のように、「春の出生」が浮かび上がってくるのは間違いがない。癌《がん》の息苦しさをやり過ごすのですら精一杯であるのに、この上、私たち家族の遺伝子の問題まで漂いはじめたら、あまりの空気の重さに沈黙を余儀なくされ、病室の床に押し潰《つぶ》されるかもしれなかった。

春は何かを祈るかのようにゆっくりと瞬《まばた》きをした。「人の放火。神の洪水だ」とまた言った。「例外は忘れよう」

父はその後も、放火事件とグラフィティアートの件をしきりに気にしていた。

「今度、仙台市内の地図を買って、現場に印をつけなくてはいけないな。位置関係とかにもルールがあるもんだ、そういうのは」

「父さんは本当に犯人を捕まえるかもしれない」春が、私に笑ってみせる。

「父さん、これは現実の話だから、推理小説のような趣向はきっと、ないよ」

「おまえたちはつまらない息子だな」と彼は大袈裟《おおげさ》に拗《す》ねてみせた。

私たちが帰ろうとした時、「そう言えば」と父が声をかけてきた。「春、おまえに借りたCDはなかなか良かったぞ」

すっかり布団《ふとん》を被《かぶ》り、枕《まくら》に頭を置いて、昼寝をはじめる恰好《かっこう》になっていた。

「聴いたんだ？」春が表情を崩した。「ローランド・カーク」

「誰だよ、それ？」

「兄貴はジャズを聴くっけ？」

「教養としては」歯切れ悪く答える。

「ジャズは教養じゃない。昔は、みんなあれを聴いて、踊ってたんだ。ローランド・カークというのはさ、サクソフォンとフルートの奏者だよ。生まれてすぐに失明したんだ」

「目が見えないのか」父の声は感心するようだった。

「目が見えようが、見えまいが、作品とは無関係だろ」私は難癖をつけるつもりはなかったが、口出しをした。実際、作者の生い立ちや労力と、作り出された作品の評価には関係がないはずだった。作者自身には関係があっても、鑑賞する側には意味をなさない。どちらかと言うと、そういう押しつけがましさが私は嫌いで、だから、「どうせ」とも思った。どうせ、盲目のサックス奏者が演奏する音楽は、暗くて湿り気の多いものだろうな、と。

そこで父がすっと布団から起き上がった。「泉水も聴いてみろよ」と慣れた手つきで枕もとのラジカセを操作しはじめる。「どのアルバムがいいか」

「『Volunteered Slavery』でいいんじゃないかな。あの曲が一番分かりやすいから」

「何だよ、それ」

「日本語に訳すと『志願奴隷《どれい》』だね」

「げ」その言葉だけで私は暗澹《あんたん》たる気分になった。人種差別を訴える音楽なのだろう、とは察しがつく。このサックス奏者は何らかの運動家なのかもしれない。活動や思想を否定する気はなかったが、望んで聴きたくもなかった。

私の反対意見を無視し、曲がはじまった。ライブ演奏のようだ。観客の拍手がぱらぱらと聞こえる。騒がしい男がひたすら何かを喚《わめ》いていた。演奏らしい演奏はなかなか始まらず、私は肩をすくめた。何を喚いているのか判然とせず、運動家のアジテーションとしか感じられなかった。

そこに。

突然、サクソフォンが鳴った。

頭よりも先に身体《からだ》が反応した。ぴくんと上半身が弾む。春がにやにやしながら、私を見ている。想像していたのとは正反対の、輪郭のはっきりとした軽やかなサクソフォンの音色が弾み、心地よさで背中の毛が逆立つ。軽やかだった。しかも、矛盾するようだが、軽薄ではない。重苦しくもない。はしゃぐようなサックスと、跳ねるようなピアノが、胸を叩《たた》く。

「これは」と私は言った。「これはいい」認めるのが悔しくて、慌《あわ》てて、「かもしれない」とも付け足す。

春は目尻《めじり》に皺《しわ》を作った。

「この演奏しているのが盲目だと聞いて、俺には納得が行ったよ」父が笑った。「この楽しさはそういう人間だから出せるんだ」

「そういう人間?」

「目に見えるものが一番大事だと思っているやつに、こういうのは作れない」父の言わんとすることは、薄《うつす》らとではあったが、分かった。この、「軽快さ」は、外見や形式とは異なるところから発せられているのだろう。しかも、わざと無作法に振舞うようなみっともなさとも異なり、奇を衒《てら》ってもいない。言い訳や講釈、理屈や批評からもっとも遠いものに感じられた。

「小賢《こざか》しさの欠片《かけら》もない」私は呟《つぶや》く。

「この演奏者はきっと、心底ジャズが好きなんだ。音楽が」父がうなずく。

「本当に深刻なことは、陽気に伝えるべきなんだよ」春は、誰に言うわけでもなさそうで、嚙《か》み締めるように言った。「重いものを背負いながら、タップを踏むように」

それは詩のようにも聞こえ、「ピエロが空中ブランコから飛ぶ時、みんな重力のことを忘れているんだ」と続ける彼の言葉はさらに、印象的だった。

地球の重力とピエロ

春の言葉が、二十年以上の間、まったく出てこなかった記憶をあっという間に蘇《よみがえ》らせた。

サーカスのテント内の様子が、私の目の前に音もなく、立ち上がる。私は、野球帽を気取った角度でかぶる小学生で、観客席の最前列で天井を見上げ、隣には同じ恰好をした春がいる。後ろには両親が並んで座っている。

テント内は、日差しがわずかに入り込むだけで薄暗かった。出口がどこにあるのかも分からず、私は、非日常的なその閉鎖空間や、そこに漂う獣たちの臭《にお》いに、いつにない高揚を感じた。犬のように鼻をくんくんと鳴らした春は、「犬かな、犬かな、犬が出るのかな」と落ち着きがない。

「ライオンだよ」私が言うと、春はさっと顔を青くした。

「犬が食べられたりしないかな」

ロシアのサーカス団だった。公演が市の事業であったため、父が職場で入場券を安く購入していたのだ。

動物の小屋に足を踏み入れたかのような匂《にお》いがやはり、強烈だった。汗や糞尿《ふんにょう》の混ざるような独特の体臭と埃臭《ほこり》さが漂う。昼間からビールを飲む男の下品な声、甲高い音を立てる自転車を漕《こ》ぎ、舞台に現われた熊《くま》、レオタード姿の美しい白人女性、炎の輪をくぐるライオンを見て、「おお」と子供のような歓声を上げた父、それらが、脈絡なく、思い出される。

そして、ピエロだ。

その存在についてはテレビや本で知っていたけれど、じかにピエロを目にしたのは、はじめてだったはずだ。おそらく春もそうだったに違いない。

ピエロは、無言のままパントマイムを続け、泣き顔のメイクをしているにもかかわらず、陽気にタップを踏み、私たちを混乱させた。大きな玉の上に乗り、軽快に動き回るピエロは、この世にいてはいけない者にも見えた。違和感があったのだ。違和感を背負いつつも、表情を変えずに、つぎつぎと観客から笑いを引き出している。

ああ、と春がうめくような声を上げたのは、空中ブランコがはじまった時だ。

優雅にお辞儀をすると、落下する恐怖など微塵《みじん》も見せず、ためらいもなく彼は飛んだ。反対側から投げられた別のブランコに飛び移る。演出のうちであるのか、ピエロは時折、落ちてしまうような仕草を見せるので、私はひやひやした。

「落ちるよ」春が首を曲げて、空中ブランコを見上げながら、心底不安げな声を出した。私も怖かった。ピエロがブランコを移動するたびに、息を呑《の》んだ。自分自身の足元に突如として穴が開き、一気に落下してしまうような恐怖を感じ、尻から寒気がぞわぞわと這《は》い上がった。

「大丈夫、落ちないから」と言ったのは母だった。地面にしっかりと根付くような声だ。

「落ちちゃうってば」

「大丈夫だよ。ほら」

母の力強い物言いに唆《そそのか》されるように、私たちは前のめりになり、目を凝らした。遠くに見える、ピエロの顔を見た。

「あんなに楽しそうなんだから。落ちるわけがないよ。かりに落ちたって、無事に決まってる」

母の口にしたのは、まったく根拠のない理屈ではあったけれど、そう言われてみると、泣き笑いの表情をした、無邪気さ丸出しのピエロが、呆気《あっけ》なく落下することはないように思えた。よしんば手を滑らせ、無様に降下したとしても、動揺を浮かべたり、怪我《けが》を負うことはないようにも感じた。そんなことがあっては道理に合わない、と。

「ふわりふわりと飛ぶピエロに、重力なんて関係ないんだから」

「そうとも、重力は消えるんだ」父の声が重なってくる。

「どうやって?」私が訊《たず》ねる。

「楽しそうに生きてれば、地球の重力なんてなくなる」

「その通り。わたしやあなたは、そのうち宙に浮かぶ」

母と父がそのようなやり取りをしていた覚えがあるのだが、それが本当に正しい記憶であるのかは自信がなかった。当時の私が、「重力」という単語を知っていたとも思えなかったし、記憶というものはその時々で脚色されるものに違いなく、だからこれも、私が都合よくでっち上げたものの可能性が高い。

地獄変

私たちは、スバル製の車に食事を見張られていた。ファストフード店にいた。混雑していたので、二人で並んで座る窓側の席しか空いていなかった。窓の向こう側は駐車場で、乗ってきた白い車が正面に見えた。腹を空かせた家来が、食事中の殿様を睥《へい》睨《げい》するかのようだ。

「おまえの車も腹が空いてるんじゃないか？」

「ガソリン入れてあげないとな」春は暢気《のんき》に言って、ハンバーガーに食いついた。

「父さん、瘦《や》せたかな」

「瘦せた」

「癌だもんなあ」目の前の肉やパンを嚙《か》み砕くついでのように、彼は喋《しゃべ》る。

「さっきの放火事件とグラフィティアートのことだけど、あれはおまえが父さんのために作った話なのか？」

「父さんがすごく興味を持ってただろ。てっきり、おまえの作り話なのかと思った」

春は飲みかけていたコーラを噴き出す。「嘘《うそ》じゃないって」

「作り話なんかじゃない。正真正銘の現実のことだよ。何なら、火事現場とグラフィティの現場に連れて行こうか？」

「ぜひ、お願いしたいね」

「兄貴も実は興味津々《しんしん》じゃないか」

「興味津々というほどではないな」

「明日以降であれば案内するよ。今日は、夜からグラフィティアートを描く。これからデザインを練らないと」

「それなら明日、電話する」

「了解」と応《こた》えた春の声と、彼が飲み物の容器を潰《つぶ》すくしゃっという音が重なる。

「そういえば、何を描くんだ？」店を出る時に訊ねると、春はドアを開きながら、

「良秀って知ってる？」とこちらを向いた。

「秀吉じゃなくて？」

「良秀。画家の名前だ。芥川龍之介の『地獄変』に出てくる」

「そういえば、おまえは昔からあの小説も好きだったよなあ」

「あの青春小説」

「おまえは何でもかんでも、青春小説にする」

「最近、あの画家のことをよく思い出すんだ」

記憶は定かではなかったが私も、大体の粗筋は覚えていた。「地獄変」の屏風《びょうぶ》絵を描くために、娘を死なせてしまった画家の話だ。「あれは怖い話だよな」

春は自分の車に近づくと、遠くから鍵《かぎ》についているボタンを押した。遠隔操作でドアキーが解除された。

「俺はあの話が好きでさ。実際、絵を描くということは、あれくらい必死なことかもしれない、って思うんだ。『地獄変の屏風を描こうとすれば、地獄を見なければなる

まいな』」春は、芥川龍之介の文章を真似《まね》する。

「実際に見ないと描けない画家なんて、想像力が足りないだけだろ」

「言えてる」春が運転席に乗る。私は助手席のドアを開けて、中に入った。

「そうだ、うちの会社のビルまで送ってくれないか」

「仕事？」

「おまえの言っていた、ビジネスホテルに行ってみようと思うんだ。うちの会社の近くのさ。落書きがあったんだろ」

「centuryってやつだ」

「まずはそれを見てみるよ」

エンジンがかかり、スバル製の四輪駆動車がぶるっと身震いをはじめたのとほぼ同じ時、私は助手席側の窓から、駐車場を歩いている女性を見た。ふいに目が合い、たじろぐ。年は二十代の半ばだろう。色白で、整った目鼻立ちをしていた。

「どうかした、兄貴」

「いや」美人を見かけたんだ、という話題は弟にするべきものとも思えず、そう言えば、芥川龍之介の「地獄変」も火事の話だよな、とどうでもいい話題を口にした。

橋 I

車の中で、「橋」のことが話題になった。

「青葉山の橋は危ないらしいからさ、兄貴も車で通る時には気をつけたほうがいい」

まさか、春の口から、青葉山の橋の話が出てくるとは思ってもいなかったので、私はかなり驚いた。自分の悪事を指摘された気分になり、動揺する。

「橋が？」はじめて知ったような顔をした。

「知り合いから聞いたんだけどね」

「幽霊が出るから、危ないのか？」

片側一車線の狭くもない橋だ。渓谷を跨《また》いでいるため、谷底から百メートルほど高い位置にある。必然的に、というわけでもないのだろうが、飛び降り自殺を決行する者が多いことで、よく知られている。

私は見晴らしの良い、自然に囲まれた青葉山の景色が非常に好きだったので、その青々とした木々の力をもってしても、自殺者の決意を鈍らすことができないのが、残念だった。むしろ、自然の優雅さは、人の絶望を深くするのだろうか。

投身自殺が多いということは、つまり怪談話も多い。子供の頃から、そのたぐいの話を唸《うな》るほど聞いた。深夜に車で走り抜けると、後ろから四つん這《ば》いの女性がもの凄《すご》い速さで追ってくるという怪談を今でも覚えている。あれのせいで、はじめて車で通りかかった時には、目を閉じたくなり、人を轢《ひ》きそうになった。

「怪談じゃなくてね、危ないのは事故だよ。兄貴なんて、日頃、あんまり運転していないんだから、余計に注意したほうがいい」

「でも、あの橋には高いガードがあるだろう？　ものものしいフェンスが」

あまりに自殺者が多いためなのか、数年前から橋の両脇《わき》には、高い位置までフェンスが設置された。まさに壁と呼んでも差し障《さわ》りのないフェンスで、三メートル以上の高さがあった。しかもフェンスのいただきは、登ってくる人を叩《たた》き落すように、内側へ折れ曲がっている。

「あれでも年に一回くらいは谷底で死体が発見されるらしい」

「あの壁をよじ登るのか？」巨大な、反り返った横壁をどうやって越えるのか、と私は驚く。壮絶な作業に思えた。

「普通はあんなフェンスを登っているうちに思い止《とど》まりそうだけどね。きっと、とてつもなく強い意志が、彼らを衝《つ》き動かすんだよ」

「そのとてつもなく強い意志を、生きることには使えないのか」

「あの鉄格子《てつごうし》のような高いフェンス、橋の両端の部分は昔のままなんだ。背が低くて弱々しい、網のフェンスしかない。しかも、ボルトが緩んでいるのか、押せば外れそうなんだってさ。それを防ぐためにガードレールがあったんだけど、前に衝突事故があって、倒れたままらしい」

「それは危ない。今すぐ、市に連絡をしたほうがいい」心にもないことを私は言う。

「夜中に橋を渡っている時に、あそこのフェンスに突進しそうになった人がいるんだ。あやうく百メートルの落下をするところだった。この間会った、塗装業者の親爺《おやじ》が言っていた」

「あそこは直線だから、普通に走るならフェンスなんて関係ないだろうに」

「酔っていたらしい」春が眉《まゆ》を上げる。「酔って、蛇行運転をして、フェンスに衝突しかけた」

「実際に、いたのか」私は思わず声を大きくしてしまう。飲酒運転をしていれば、あの橋から落ちることもあるのではないか、と想像はしていたが、まさか本当にそういう事例があったとは思わなかった。心強い気分になる一方、警戒心も強めてしまう。

「兄貴も気をつけたほうがいい。まっすぐに行こうと思えば思うほど、道を逸《そ》れるものだからね。生きていくのと一緒だよ。まっすぐに生きていこうと思えば、どこかで折れてしまう。かと言って、曲がれ曲がれ、と思ってると本当に曲がる」

「カーブしか投げられないピッチャーみたいだなあ」

「フォークしか投げられない投手よりはましだけど」

「落ちていくだけってことか」

車の速度が遅くなり、路肩へと近づきはじめる。私の会社が近づいてきたのだ。

「そのおまえの知り合いは、橋のフェンスが危ないことを誰かに連絡したのかな？ 市とか県とか、役所に」これはぜひとも確認しておかなくてはならなかった。

「どうだろう。あの親爺は、他の奴《やつ》も同じ目に遭えばいいと思っているに違いない」

「それはありがたいな」

「どういうこと、それ」

「意味はない。冗談だ」

昔に見たテレビ番組のことが頭に甦《よみがえ》る。中学生の頃の記憶のはずで、私がまだ、春と父に血縁があると無邪気に信じていた時だと思う。一人きりで食卓に座り、テレビをつけたら、その番組が放送されていた。一般人を題材にしたドキュメンタリーだ。

女子高生が、自分が母の連れ子であることを知らされ、「本当の父親」に会いに行く、という内容だった。

生まれて一度も会ったことのない父親に会いたがる、その子の気持ちが私にはよく理解できなかった。何よりも、十年以上もその子に愛情を注いできた、「育ての父親」の立場があまりに軽視されている気がして、私は少し批判的な気分だった。

結局、彼女は実の父親と再会を果たした。その感動の場所がどこか有名な橋だったのだ。

真の父親は意外に若く、優秀なサラリーマンの外見をしていた。顔はモザイク模様で消されていたが、背が高く颯爽《さっそう》としているのは、ナレーションの説明がなくとも分かった。

彼女の嬉《うれ》しそうな顔が映し出された瞬間、十代の私も感づいた。あ、この子はきっと手っ取り早い逆転を体験したかったのだ、と。いま一歩、垢抜《あかぬ》けない自分の人生に、劇的な変化が訪れるのを、大きな努力もせずに、待っていたのではないか、と意地悪く、勘ぐった。彼女は、遺伝子の繋《つな》がった父親が優秀だとしたら、自分の価値が変わるに違いない、と思ったのではないか、と邪推した。

育ての父親にあたる男性は、その女の子が本当の父親と会っている間、心底、不安な顔をしていた。ここぞとばかりにテレビは、その彼の顔を大写しにした。家で時計を眺めながら、落ち着き払ったふりをしながらも、早く娘が帰ってこないか、と狼狽《ろうばい》しているのがありありと見えた。

深夜になって娘が帰ってきた時、育ての父は、娘を優しく迎え入れた。「おかえり」と草臥《くたび》れ果てた顔に無理やり笑みを作り、手を差し出した。ああ、何とこの父親は偉い人なんだろうか、と中学生の私は、花林糖をぽりぽり齧《かじ》り、目やにを掻《か》きながら、感心した。

娘が気まずさと照れ臭さを見せながら、育ての父と握手する場面はとても良かった。

さらに印象に残っているのは、その後だ。

テレビはそれ以降の彼らについても映し出したのだが、その中で、親子喧嘩《げんか》があった。喧嘩と言っても、父親が、娘の生活態度を注意し、不機嫌になった娘が自分を正当化するために反論する、というありがちな衝突に過ぎなかったが、興奮のあまりか、それともテレビカメラの前で叱《しか》られたことに対する恥ずかしさが動揺を呼んだのか、彼女は思わず、「赤の他人が父親面しないでよ」と言った。

え、とテレビの一視聴者である私は驚き、持っていた花林糖をぱりんと割ってしまった。それを言ったら、と動揺した。それを言ったらおしまいだ、と。

画面の中の、父と娘はそのうちに仲直りをし、テレビは半ば強引に感動的な、「観《み》て良かったでしょ」と言わんばかりのエンディングを迎えるのだけれど、私の頭には、娘の台詞《せりふ》だけが頭にこびりついていた。暗い気持ちになり、とにかく一刻も早くこの不快なことを忘れようと、花林糖をぼりぼりと齧ることに専念した。なのにまだ、覚えてる。

ビジネスホテルの陰謀

休日に会社を訪れるのは、好きではない。ビルを見上げると、ほとんどの階から蛍光灯の明かりが漏れている。仕事好きの人間が多いのか、仕事が多すぎるのか、休日出勤の社員は尽きない。建物に入るのであれば正面の玄関で社員カードを、壁に嵌《は》め込まれた読み取り装置に通す。自動ドアが開くと、中に入ったところで今度は暗証番号を入れる。遺伝子という究極の個人情報を扱う手前、セキュリティにはうるさい。けれど、私はそういうセキュリティ強化には懐疑的だ。どんなセキュリティにも穴はある。そもそも、外部の人間の出入りを遮断したところで、内部の社員が悪さをする可能性だってある。先日発生した、会社の調剤室から睡眠薬が盗まれた事件も、社員でセキュリティ手順を知っている者であれば、誰でも実行可能だった。私だってできた。なのに会社は社員を調べない。億劫《おっくう》なのだ。

セキュリティの高さは、手続きの面倒くささとほぼ同義だ。端末操作のアクセスログをいくら詳細に取得しようとも、悪巧みを図る者はいくらでも抜け道を探し出す。彼らは面倒くさいことを嫌がらない。割を食うのは、無害で無知な一般人だけだ。

最終的な拠《よ》りどころは、「性善説」ではないだろうか。社員の机の前に、各自の母親の写真と自分の赤ん坊だった時の写真を貼《は》るように義務づけるのが、一番の不正防止策としか私には思えない。おまえの胸に聞いてみろ、というやり方だ。

放火された跡は、一日前よりも大人しく見えた。黒々としていた焦《こ》げも、色が薄い。

警察が調べている最中なのか、ロープが張られたままになっている。ロープのぎりぎりまで壁に近づいて、燃え跡を眺めた。「不満の発散だ。達成感があるのかもしれない」と父は言った。「ジーン・コーポレーション」のビルを巨人に喩《たと》えれば、巨人の足の小指に煙草《たばこ》の灰を擦《こす》りつけた程度のものではないだろうか。巨人が炎に包まれて崩れ落ち、土地という土地を覆《おお》い尽くす灰になるくらいであれば爽快《そうかい》感も生まれるだろうが、これでは欲求不満が募るだけに感じられた。近くのディスカウントショップで買ってきた、使い捨てカメラの包装を破る。周りを見渡し、誰も見ていないことを確認すると、燃えた壁を撮った。念のため、二回押した。

シャッターの音とともに、子供の時の春を思い出す。

小学生の頃までの春は、とにかく私の真似をしたがった。小学校に通い始めた時も、一緒についてこようとしたらしいし、私が書道を習えば、当然のように春もやってきた。そのため、私たちの書く字は、非常によく似ている。私が読んだ漫画を隣から覗《のぞ》き込み、私が鼻を掻けば、隣で春も鼻を掻いた。

写真を撮る時は可笑《おか》しかった。春の写真を撮ろうと、私がカメラを構えると、春はすたすたと駆け寄ってきて同じ恰好《かっこう》をするのだ。カメラを持ってもいないくせに、ファインダーを覗く仕草をして、隣に並ぶ。おかげで、子供のカメラマンが二人で、無人の風景写真を撮るような恰好になってしまう。

「おまえはあっちに立ってろって」

「じゃあ、お兄ちゃんも」

「それじゃあ撮れないじゃないか」

「いいじゃん、それでも」

ビジネスホテルは、私の会社から五十メートルも離れていない場所にあった。「仙台東ビジネスホテル」と時代がかった電飾の看板が立っている。煉瓦色《れんがいろ》の壁は、周囲の建物から浮いていた。玄関の自動ドアから覗くと、フロントには煙草をくわえた男が新聞を広げている。

「ちょっと訊《き》きたいんですが」客ではないことを表明するつもりで、早口に言った。

「駅？」

「え」

「駅に行く道順だろ、違うのか？　それを訊きにくるやつが多いんだけどな」白髪の男は新聞を畳みながら、私を見る。赤いベストを着ている。前髪を全部後ろへ流していた。細い顔が神経質に見える。ビリヤードのキューを握っていた頃のポール・ニューマンを思い出した。

「落書きのことです」

そこで思ってもみないことが起きた。フロントの男の顔つきが一変したのだ。ぎゅっと引き締まり、眉が逆立った。背中を向けたかと思うと、男はフロントの奥へ歩いていってしまう。話の途中でどこに行ってしまうのか、と不安になった。

「あの」と再び声をかけた時だった。赤いベストの男はくるりと振り返り、腕をまくったかと思うと、こちらに向かってきた。勢いをつけてジャンプをし、カウンターに飛び乗る。男は明らかに六十は過ぎているように見えたのに、走り幅跳びでもするかのように、飛んだのだ。

私は棒のように固まっていた。驚いて、口も開けない。還暦を過ぎた人間がこれほど高く跳躍するとは考えたこともなかった。

「おまえがやったのかあ!」男は、私の襟首を捻《ひね》り上げてそう怒鳴った。「いまさら謝りに来たって許さねえぞ」

ぐいぐいと詰め寄ってくる彼は、気の力で私を嚙《か》み砕かんばかりだった。逃げ場のなくなったボクサーのように、私は壁に背中をつけた。襟がつかまれ、ぐいぐいと押される。「違いますよ。違います」首を振るのがやっとだ。

すると男は、手の力をすっと抜いた。「何だ、そうか」

あっさりとしたものだった。

私は首元でよじれた服を手で伸ばす。「うちも落書きをされたんで、同じ犯人なのか調べようと思って見に来たんですよ」即興で嘘《うそ》を口にする。

「何だ、そうか」

その物分りの良さに私はまた、驚く。

「そうか、あんたも被害者か。あんたもホテル屋かい」

「違いますが。壁にやられちゃいました」

「ああいう悪ガキは本当に許しがたいな」

「駐車場に描かれたって聞いたんですが」

男がぎろりと私を睨《にら》む。てっきりまた襲われるのかと思い、身構えてしまう。

「裏の駐車場だよ。見るか？　って、もう消しちゃったけどな」

「ご自分で消したんですか？」

「面白い若者がいてな。専門なんだと。電話してきたから、頼んだ。そしたら、綺麗《きれい》に消してくれた」

それは私の弟です、とも言えなかった。根拠はなかったが、そんなことを言ったら、男は深い皺《しわ》で囲まれた目でこちらを睨み、また両手で首を締め上げてくるのではないか、という予感があった。

男に案内され、ビルの外に出る。駐車場はすぐ隣にあった。乗用車が五台は停められるくらいの広さで、無断駐車禁止を訴える看板もあった。「ここにな、落書きがあったんだ」男は、駐車場とビジネスホテルの間に立つブロック塀を、顎《あご》で指す。

「英語だって聞きました」

ぎろり、と男はまた睨む。軍隊経験があるのかもしれない。もしくは定年退職した警察官か、格闘家だ。でなければ、あんなふうに眼で人を嚙み殺すような顔ができるわけがない。ビジネスホテルのカウンターにいるのには不釣合いの迫力だ。この男は特殊工作員として、組織の陰謀が渦巻くビジネスホテルに潜入したのだ。そのほうがよほど納得がいく。

「ああ、俺にはよく分からなかったが、英語だったな」

ブロック塀をじっと見る。落書きの形跡はほとんどなかった。顔を近づけてよく見ると、僅《わず》かに色の違う部分があると分かる程度で、何が描かれていたのかまでは判然としない。

「俺がな、朝の交代時間にやってきた時に見つけたんだ」

「何時ごろです?」

「五時には来てた。そうしたら、ここにデカデカと悪戯《いたずら》されていてな、もう、腹が立って仕方がなかったな」

「ちなみに日にちは?」

「昨日、いや、おとついか。おとついの朝だな。うん」日にちを思い出すために上目遣いに指を折る時だけは、愛嬌《あいきょう》がある。「警察もろくに相手にしてくれねえよ」

「あっちに、『ジーン・コーポレーション』という会社があるのはご存知です?」

「ジーン？　あの『G』とでかでかと看板があるところか。ああ、ご存知だねえ。俺は詳しいことは分からんが、何か、イヤらしいことを研究しているところなんだろ」

「イヤらしい、ですか」笑いを堪《こら》える。遺伝子と生殖の研究は、どうやら世間的には「イヤらしいこと」のようだ。「仁リッチ」が聞いたら泣くだろうか。

「あのビルと、このホテルって何か関係がありますかね？」

「ないんじゃねえの？」

「ですよねえ」

「もし犯人が現われたら許さねえぞ。ああいう、隠れたところで、見つからずにこそこそと、というのが俺は大嫌いなんだよ。今更のこのこ謝りに来たって、許さねえよ」

「ですよねえ」話を合わせた。「菓子折り持ってきたって、投げ返しますよねえ」

「いや、あれならいいな。あの菓子」と言って、仙台の名物であるカスタード入りの菓子の名前を口にした。「あれを土産物で持ってくるなら、許してやってもいい」

「地元の名物じゃないですか」

「好物でな。でも、自分の住んでる街の土産物なんてわざわざ買わねえだろうが。だから、買ってきてもらえるとな、嬉《うれ》しいわけよ」

挨拶《あいさつ》をし、別れた。念のため、写真を撮っておくことにした。男がビジネスホテルに戻っていくのを確認してから、カメラを持って構える。かしゃりとボタンを押した瞬間、男が自動ドアの前で立ち止まり、私のほうを睨んできた。ぎろり、と音がするかのようだ。愛想笑いを浮かべる。

JLG

美人に声をかけられるのは嬉しいものだが、見知らぬ美人というのはそれなりに気味が悪く、いや、それでも嬉しい。不思議なものだ。

「すみません、ちょっと話をいいですか?」

自分のマンション前に辿《たど》り着いたところで、声をかけられた。夕方の五時を回っていた。「昼間、会いました、よね?」と私はどうにか声を出す。

ファストフード店の駐車場で見かけた美人だった。背は私よりも低いが、女性にしては長身のほうかもしれない。反射的に足元に目をやる。踵《かかと》の低い靴を履いていた。同い年くらいではないか、と推測してみるが、こういう女性は実年齢よりも大人びて見えるのだろうな、と勝手に納得する。

「春さんのお兄さんですね」明晰《めいせき》な女性が大抵そうであるように、はっきりとした喋《しゃべ》り方をした。

「ええ、春さんのお兄さんです」ぼんやりとした気分のまま、答えた。彼女の顔が若干緩んだのが分かる。「可笑《おか》しいですか?」

「いえ、ただ自然に笑ってしまっただけです」

「長年憎んできた敵に、ようやく出会った。そんな笑顔だったけど」恨みを買った覚えはなかったのだが、彼女の目つきは、刺々《とげとげ》しかった。「失礼だけど、君は?」美人といえども、ずけずけと自宅に押し入ってくるような態度に、少々むっとした。美人は怯《ひる》むことを知らないのか、申し遅れました、と名刺を寄こしてきた。名刺の左上に大きなロゴマークがあるのが目立っている。

『JLG』

「ジャン・リュック・ゴダール?」私は反射的にフランス人の映画監督の名前を呼び捨てにした。JLGといえば、あの監督の略称に決まっているからだ。

「日本文化会館管理団体です」大きな目は瞬《まばた》きをするたびに風を起こしそうだった。

「ジャパン、ライシーアム、グループ」と彼女は滑らかに発音した。名刺をもう一度見ると、申し訳程度に「Japan Lyceum Group」という英字も書かれていた。

「何だゴダールじゃないんだ」フランスの映画監督が美人を派遣するはずがないと分かっていながらも、落胆した。

「郷田順子と言います。あなたはお兄さんの泉水さんですね」

「よくご存知で」

「ええ、それは」当然だと言わんばかりにうなずいた。「春さんのことをいろいろと調べていますから」

「それはその」私は近眼の者が遠くを見るように、目を細めた。「尾行ってこと？」

「春さんのことを調べていますので、それなりに」

それなりに尾行しているのですか？ と聞き返したくもなる。「興信所？」

「ですから、日本文化会館管理団体です」苛立《いらだ》つ女優のようだった。ですから、の部分が一際《ひときわ》、語調が強い。「全国の文化会館など、文化的施設の管理を行なっているグループです」

「具体的にはどんな活動を」

「文化会館や文化センターと呼ばれる施設の清掃や警備、ちょっとしたトラブルの調査を行なっています」

「聞いたことがない」

「つまり、嘘だと?」

「いや、嘘というか」私は言い方を変える。「嘘臭い」

「ヤエヤマサナエって知ってます?」

唐突な質問に私は耳を疑う。「人の名前?」

「トンボの種類ですよ。ほら」

「ほら、って何が」

「あなたは聞いたことがなくても、八重山にはヤエヤマサナエというトンボがいるんです。トンボにはサナエトンボ科とか、そういう分類があるんです。嘘臭くなんか、全然ないですよ。それと一緒です。お兄さんが聞いたことがなくても、存在しているものってきっと多いですよ」

「軽率だった」

「わたしはゴダールなんて人を聞いたこともありませんでしたが、それでも映画館では上映されていたようです」

「君の仕事が、どうして春と関係するんだ」

「全国的に、文化会館の壁に落書きをされるケースが増えてきました。特に宮城県、なかでも仙台市では今年に入り、ひどくなっています。青年文化会館の壁に何度もスプレーで落書きがされ、悪質なことにそれが繰り返されています」

「春に消してもらおうとしているのか」

「いえ、そういうわけではないのです」

「春は絵を消すのも、描くのも得意だ」

「もちろん知っています」そう言った彼女の目に、微妙な色が浮かぶのが見えた。はじめて見る種類のものではない。若かった時、何度か見かけたものだ。

たとえば学生だった頃、私が恋人を連れて歩いていると、街中でばったりと春に出会ったことがある。「弟だよ」と紹介をすると、その彼女は平静を装いつつも、目を輝かせた。あの時の目の色を思い出した。凍える冬が通り過ぎ、ようやくやってきた春に引き寄せられ、地中から顔を出す蟻《あり》もきっと同じ目をしている。彼らが複眼であっても、憧憬《しょうけい》の気持ちは一緒だろう。これは、春に見惚《みと》れる目、啓蟄《けいちつ》の頃の虫の高揚感だ。

「なら、どうして春のことを調べているんだ」

「春さんに最近おかしな様子はないですか。どこか様子が変ではないですか」

「様子が変？　その曖昧《あいまい》な質問はどうなんだ」

そこで私は不思議な感覚にとらわれた。あれ、と思った。どこかで会ったような気がしたのだ。いったいどこで？　こんな美人に出会っているのなら、おそらく忘れるはずがないのに、とたじろぐ。先ほどのファストフード店以外の場所だった。もっと前のことだ。どこかで遭遇していたのではなかろうか。いや、と私は思い直す。これは、道ばたを行くゴールデンレトリーバーを見て、「以前に、この目の犬とは出会ったことがあるぞ」と隣家の柴犬を思い出すようなものかもしれない。

「春がどうしたって言うんだ。妙なことを言って、ふざけないでほしい」

詰問口調に気分を害したのか、彼女は不愉快を顔に出した。「分かりました。ただ、わたしがお兄さんにお会いしたということは、春さんには内緒にしてください」

「どうしてそんなことまで指示されないといけないんだ」

「そのほうが春さんのためになると思います。春さんの行動は妙なんですよ。精神状態も安定していません」

私は顔を曇らせる。思ってもいない回答だった。人の弟を不安定だと決めつけないでほしい、と腹が立つ。「ジャパン、ライシーアム、グループって、精神科医だったっけ？」

「日本文化会館管理団体です」

「日本文化会館管理団体って、他人の精神状態の安定、なんて気にするんだっけ」

皮肉まじりに返事をしつつ、昼間の春を即座に思い出していた。春との会話を頭の中で再現してみる。変わったところがあっただろうか。

「春さんの精神状態は不安定です」

「誰の精神だって不安定だよ。今はそういう世の中じゃないか」ビルに火を放つ者もいれば、人の持ち物に平気で落書きをする若者もいる。「覚悟」の意味も知らない政治家が胸を張り、どうでも良いゴシップばかりを報道するテレビが正義を盾にする。

「こんな時代に、まともな精神を維持できるのは、よほどの哲人か鈍感な人間か、もしくは、日本文化会館管理団体の職員だけだよ」

「ノートを見たことがありますか」

「ノート？」彼女の質問は謎かけのようだ。

「春さんのノートには気味の悪いことが書かれています」

「あいつは絵を描くから」

「いえ、絵ではありません。字です。正確には人名です」

「人名？」

「何の脈絡もない名前を書いているんですよ。順番は忘れましたが、チャイコフスキー、アインシュタイン、ゴーギャン、アルキメデス」彼女は指を折りながら次々と列挙していった。「そんな有名人ばかりの名簿に意味がありますか？」

「チャイコフスキー、アインシュタイン？」

「妙ですよね？　春さんはノートにぎっしりと書いているんですよ、そういうものを。繰り返し。人というのは精神が落ち着かなくなると、そういう症状も見せるらしいんです」彼女は本心から心配をしている、そういう表情だった。

　海外の怖い小説で、狂った小説家が同じ文章ばかりをタイプしている話があった。それを思い出し、一瞬、寒気を感じる。春がノートに顔を近づけ、神経質な字で偉人たちの名前を書きつらねている光景を思い浮かべ、ぞっとした。

「有名人の名前を覚えようとしているんじゃないかな」

「何のためにですか？」

「試験に出るから、とか」私の声は消え入りそうだった。

「何の試験ですか」と彼女は生真面目《きまじめ》に聞き返してくる。

「そんな試験はないよね」

「人間は本来、繰り返すことが苦手なんですよ。特に、単純で意味のないことの繰り返しは人を狂わせます」

「そのノートがそうだと言うわけ？　というよりも、そのノートをどこで見たんだ」

「とにかく春さんは今、非常に不安定な状態にある、と思うんです。繊細な状態と言っても良いかもしれません」

「春が仮に精神的に疲れているとして、それがどうしたんだ」

彼女は困惑を眉間《みけん》に浮かべた。「春さんは、壁の落書きに関わっている可能性があります」

「あいつは落書きを消すのが仕事だから」

「それ以外にも」

「それ以外？」

美人はそこでどういうわけか勝ち誇った表情を浮かべた。「何だかんだ言っても、お兄さんも知らないことが多いんですね」

去り際に彼女が、「そう言えば、お母様は、春さんのお母様はどうなさっています？」と訊《たず》ねてきた。質問の意図が分からずに動揺した。五年前に病気で死んだと説明する。

「ああ、そうなんですか」と答える彼女は無表情だったが、ショックを押し隠しているようにも見えた。なぜ、そこで母の話になるのか見当もつかなかった。どうせならば、父のことも聞くべきだ。

一人その場に残った私は、春のことを考えた。狂人のノートは実在するのかどうか、実在するとすれば、いったいなぜ、そんなノートが作成されているのか。それに彼女は、どこでノートを見たのかも明らかにしなかった。

「春は落書きに関わっている」と彼女は言った。グラフィティアートの何に春が関連していると言うのだろうか？「こんなものは芸術ではない」と批判していた弟が、その落書き自体に荷担しているとは思いにくかった。

ほどなく私は、あの女は嘘《うそ》をついている、と結論づけた。先ほど会ったばかりの弟に精神の不安定さは見当たらなかった。信じるべきは、弟のほうだ。けれど、「本当に言い切れるのか」と問い質《ただ》してくる私が、私の内側には、いた。「おまえの弟は精神的に不安定じゃないのか。違うのか。言い切れるのか」と。

燃えるごみ

ジョーダンバットの出来事よりも後だったのか先だったのかははっきりしないが、あれもやはり、私が大学生の時のことだ。

学生の仲間数人と繁華街に飲みに行き、隣のテーブルに座った女の子たちと意気投合し、カラオケに行った帰りだった。

バスがなくなり、タクシーに乗る金もなく、私は歩いて、家を目指した。友人たちがばらばらと去り、いつの間にか一人きりになった。時計を見るとすでに深夜二時を過ぎている。

塀に囲まれた民家や小さなアパートを眺めつつ、本当にこの中には住人がいるのだろうか、と不思議に思った。光の届かない海の底さながらの静けさで、その町のひんやりとした空気に、少しずつ私の酔いも醒《さ》める。

前方に人影を発見し、足を止めた。瘦身《そうしん》の若者はジャージ姿で、ごみ集積所の前に立っていた。電柱が少し離れたところにあって、そこに取り付けられた電灯の頼りない明るさが、その姿をぼんやりと照らす。

集積所には翌朝の、燃えるごみ収集を前に、すでにごみ袋が積まれていた。

そこにいる若者が春だ、と気づいた私は、高校生の彼が深夜に何をやっているのか、と訝《いぶか》しんだ。青少年が何をしている、立小便なら家に帰ってからにしなさい、とからかってやろうと思い立つ。

その直後、春がごみ袋を蹴《け》りはじめた。

え、と当惑し、私は足を止める。彼はまず、右足でごみ袋を踏むようにした。鈍く、潰《つぶ》れる音がした。足を引き抜くと、さらにもう一度、ビニールの袋を踏みつけた。

それからはめちゃくちゃだった。春は乱暴に足を上げ、右、左と振り回し、ごみ袋を蹴った。自分の脚が左右の二本しかないことがもどかしく、悶《もだ》えるかのような、蹴り方だった。

ごみ袋が破け、春の靴がそこにめり込む。無理やりに引き抜き、さらに踏む。ごみ袋の山が崩れ、車道に転げ落ちる。春は気にせず、脚を振り回した。茫然《ぼうぜん》と立ち尽くす私には、彼が雄叫《おたけ》びを上げているようにしか見えない。

薄明かりの下、把握できた春の横顔は、見たこともない形相で、私の肌は粟立《あわだ》った。距離があるにもかかわらず、ごみ袋から漏れた生ごみの、野菜や黴《かび》のまざったような匂《にお》いが鼻にこびりつく気がした。反射的に息を止めた。

気がつくと姿が消えていた。私はすっかり酔いも醒め、集積所に近寄り、散乱したごみ袋を元に戻した。脇に、液状の嘔吐《おうと》物がある。私の弟が今、吐いたものだろう。饐《す》えた匂いが、私の喉《のど》を締め上げる。

家に帰り、部屋を覗《のぞ》くと、春はいなかった。ただ、翌朝の朝食時には、さも一晩眠っていたかのような素振りで現われ、母に、「さっき散歩に出た時、転んで、ごみ箱にぶつかったんだ。服を洗濯に出しておくよ」と伝えた。

あら、と母は呆《あき》れながらも笑った。春には、嘘《うそ》をついている様子もなければ、隠し事をしている気配もなかった。

私はそれきり春に、あれは何だったのだ、と確認することはできなかった。

弟の内側で、黒々とした泥のようなものが静かに堆積《たいせき》していて、それが臨界点を越え、時折、ああやって小さな爆発を繰り返しているのではないか、と私は恐れを感じた。

つまり私は、あの春の行動が、重要なことで悶え苦しむ人間の姿だ、と薄々察していたのだろう。自分の弟の性行為を目撃したかのような不快感が、そこにはあった。

だからというわけでもないのだが私は、大学を卒業後、万が一、就職先が仙台であったとしても、家を出て一人暮らしをしたほうがいい、と考えるようになった。

二万八千年前

父は、私の予想以上に張り切っていて、電話をかけてきた。病室内で携帯電話を使うことは禁じられているせいか、夜の九時にわざわざ、院内の公衆電話からだ。

私は書店で買ってきた市内の地図を壁に貼《は》りつけ、丸印をつけているところだった。春から聞いた情報を思い出しながら、火事の現場を赤鉛筆で囲み、グラフィティアートの現場のほうは、青色の鉛筆で印をつけた。とはいえ、具体的に分かっている場所は自分の会社とビジネスホテルだけだったので、その二箇所に色を塗っただけだった。

「どうだ。昼間の謎《なぞ》は解けたか？」電話の父が声を弾ませる。

「謎も何もないじゃないか」

「俺は気づいたんだがな。これだけは言えるぞ」

「何を言えるんだ」

「次の落書きは、『ago』だ」

私は事情が飲み込めず、言葉を探す。「どうして」

「二百八十世紀というのは変な表現だが、ようするに、『二万八千年』ってことだろう。となれば二万八千年前しかない。だから『280 century ago』だ。リズムもいいしな。二万八千年昔に何があったのか知ってるか？」

「この間のテレビで、あなたは昨日の昼食を思い出せますか？ってやってた。記憶力は衰えていませんかって。二万八千年前のことを覚えている人は稀《まれ》だよ」

「ちょうど春に買ってきてもらった歴史の参考書があったからな、それによれば」父は参考書を持って公衆電話のところに立っているらしい。ご苦労なことだ。「二万八千年前は、ネアンデルタール人が絶滅したって書いてあるぞ。約二万八千年前。だいたいその頃ってことだ」

「へえ」

「きっとそれが関係しているんだな」

「それって」

「原始人だ。今度の放火事件にはそれが関係しているに違いないな」

「原始人には、火は欠かせないからね。放火にはぴったりだ」私はおざなりに相槌《あいづち》を打った後で、春に聞いたばかりの知識を披露する。「父さん、知ってる？　ネアンデルタール人は絵を描かなかったんだ。壁画に残っている絵は、今の人類の祖先が描いたやつだけだ」

「お」父は興味を示した。「面白そうな話だな」

「もしかすると、その違いが、生き残った者と絶滅した者の差なのかもしれない」

「絵の能力が？　いや、それはないだろう。ホモ・サピエンスが生き残って、ネアンデルタール人や北京《ペキン》原人が滅びた理由はもっと別にあるさ」

「何なのさ？」

「それを考えるのは俺の仕事じゃない。ただ」父はのんびりとした口ぶりの、最後を引き締めた。

「ただ?」

「絵が描けるとか描けないとか、そんな綺麗事《きれいごと》じゃないはずだ。ある種の存在が絶滅したんだから、そこには、おぞましい出来事があったに決まってる」父は言い方こそ穏やかではあったが、私を諭すようではあった。「そうに決まってるんだよ、泉水」

「そうか」私もそれは真摯《しんし》に聞き入れる。

「それはそうと、さっきから右手が痒《かゆ》くてな」と父が急に嘆いた。

「左手じゃなくて何よりだ」

「そうだったな」父が懐《なつ》かしそうに言う。「左手が痒いと、春は大騒ぎをしたな」

右手が痒いと良いことがあり、左手が痒い時には悪いことが起きる、とはヨーロッパの縁起《えんぎ》かつぎらしい。ドイツでは、右手が痒いと金が入り、左手だと金が出ていく、ということになっているようだ。

春は縁起をかつぐのが本当に好きだった。神経質というほどではなかったが、占いや伝統的な言い伝えを、子供の頃からとても気にしていた。「ホクロの数は数えちゃ駄目だ」だとか、「あのお店は蜘蛛《くも》が下がってるから繁盛《はんじょう》するよ」だとか、「黒猫が横切ったから五歩後ろに下がって」などと昔から、事あるごとに言ってきてうるさかった記憶がある。

「俺の病室に桃が置いてあったのに気づいたか」

「桃？」

「鬼門には桃を置くものらしい。鬼だから、桃太郎の桃を置くという意味なのか？　春が置いていったよ。こんな時期にどこから持ってきたんだろうな。『孫悟空は桃を食って不老不死になった』なんて言ってな、桃ばっかり持ってくる」

「そういうところは変わらないんだね」

「人は変わらない」

「そう言えば、郷田順子という女の人を知っている？」ふと思い立って訊ねてみた。

「郷田？　聞いたことがないな。いるのかそんな女性が」

「いるよ。父さんが聞いたことがなくたってさ、存在してるものはいくらでもあるよ。たとえばさ、ヤエヤマサナエって知ってる？」郷田順子から聞いた話を思い出して、父に投げかけてみた。

「ああ、トンボの種類だろ。絶滅しそうなやつだ」

「知ってるんだ？」

「それくらいはな」

「あ、そう。なら、いいんだ」

二言三言会話をしてから電話を切った。部屋は静まりかえる。私しかいない部屋なのだから、私が黙れば静かになるのは当然だったが、それでもそれは何かを取り繕うような静寂に思え、壁や天井のどこかで、陰鬱《いんうつ》な黒色をした粘り気のある何者かが、目を光らせ、耳を欹《そばだ》てている。そんな気がしてならない。

エンジン、円陣、猿人

人の一生は自転車レースと同じだと言い切る上司もいれば、人生をレストランでの食事に喩《たと》える同僚もいた。つまり、人生は必死にペダルを漕《こ》いで走る競走で、勝者と敗者が存在するのだという考え方と、フルコース料理のように楽しむもので、隣のテーブルの客と競う必要はなにもないという構え方だ。私は、どちらが正しいのかは分からなかったが、その時は現実に自転車を漕いでいた。駅へ向かっていた。

腕時計を見る。夜の十一時を過ぎている。眠れなかったので、マンションを飛び出した。枕《まくら》に頭を載せたはいいものの、郷田と名乗った女性の言葉がどうにもひっかかり、一方では、大学生の時に見た、ごみ集積所での弟の姿が頭にこびりつき、まるで眠れなかった。決断をするまでは優柔不断で、煮え切らないことこの上ないが、一度決めると行動が早いという人間がいる。私はその典型だった。直線的で、かつ盲目的な、やり方しかできない。

着ていたスウェットを脱ぎ、ベッドに投げ、ハンガーからタートルネックのセーターを剝《は》ぎ取った。靴下を履き、綿のパンツに足を通す。ジャケットを羽織ると、玄関を出た。

自転車を走らせれば、駅まではそれほどの距離はない。大きな交差点を二つ渡ると、すぐに左折して地下道へ向かう。昼間、春と待ち合わせた地下道だ。自転車を停め、鍵《かぎ》をかける。

深夜近くになると、地下道を利用する人の数はぐっと減る。サラリーマンの帰宅時間がすぎると人通りはなくなり、静まり返る。薄暗いトンネルのようなその場所は、治安が悪いことでも有名だった。若者の溜《た》まり場となっているだとか、変質者のたぐいが潜んでいるだとか、あまり良い噂《うわさ》は聞かない。実のところ私も、夜にそこを通るのはできるかぎり避けていた。

皆が避けるから人の往来は減り、さらに閑散とし、余計に誰も近づかなくなる。

地下道の階段を、恐る恐る降りていく。春はそこに、いた。作業用の服なのか、藍《あい》色《いろ》のパーカーを着てフードを被《かぶ》っていたがすぐに分かった。スプレーの匂いが真っ先に鼻に飛び込んでくる。同時に目が沁《し》みて、顔を背ける。むせた。

目頭を擦《こす》り、涙を流し、咳《せき》を終えて近づく。春はなかなか気がつかなかった。壁を睨《にら》む横顔には、画家の集中力が漲《みなぎ》っていた。口元にはマスクをし、目にはゴーグルを装着し、ものものしい姿だ。向かって右側の壁にスプレーを吹きかけている。私は反対側の壁に背中をつけて、春の描いている絵を見た。

はっとして、息を呑《の》む。

円が描かれていた。球体と言ったほうが近いだろうか。光沢やグラデーションが不思議な立体感を作り、その球体がいくつも並んでいる。大きさは様々で、微妙に重なりあい、全体がさらに巨大な円形を形作っている。スプレーでこれほど綺麗な円を描けること自体が、私には驚きだった。光沢のあるその球体は明らかに無機物をイメージしているはずだが、その集合体は、どこか生き物にも見える。

春の動きは素早かった。一瞬も休むことなく作業を続けている。手に持ったスプレー缶を軽快に振る。からからとリズムを取るような音が鳴る。噴射口を壁に向けたかと思うと、腕を大胆に動かす。色が壁にじわっと定着する。缶を地面に置くと、ほとんど下を見ずに別のスプレーをつかみ、振る。からからと鳴らし、また、壁に噴射する。立つ位置を変える。腰をかがめ、下部に色をつける。手首が柔らかく動いている。

舞踏やパントマイムを見るかのようだ、と思った私は、ごみ袋を鬼気迫る様子で蹴り狂っていた、高校時代の弟の姿を思い出した。今のスプレーを振る彼と重なり、寒気がした。慌《あわ》てて、首を横に振る。

「兄貴、いつからいたの？」春にそう声をかけられて、我に返る。いつの間にか春が横に立っていた。頭に被さっていたフードを外し、ゴーグルとマスクを取っている。

時計を見る。深夜零時を十分ほど越えていた。到着してから四十分は経《た》っている。

「ちょっと前に。完成か？」

「本当は絵に完成なんかあるわけがないんだ。でも、まあ、これで終了」

「すごく良いよ」

描かれていたのは、単なる球体の繋《つな》がりではなかった。それぞれの色が微妙に混ざり合い、不思議な迫力を見せている。明るい青を基調とした同系色が幾つも使われている。夜明けの空の持つ爽快《そうかい》感と、更《ふ》けていく夜の底知れない沈黙、両方を持ち合わせていた。見ながら、ぼうっとした。ぼうっとした隙《すき》を突くかのように、シンナーの刺激臭が喉《のど》に入り、私はまた強くむせた。

「可愛《かわい》くて、憂鬱な感じの絵だ」春が言う。

「可愛いのと憂鬱なのは、矛盾しないのか」

「矛盾はどこにだってあるよ」まるで道端に落ちているかのような言い方だった。

「タイトルは？」

「こんな落書きにタイトルなんてないよ」春は笑う。「でも、まあ強いて、つけるなら『エンジン』だ」

「エンジン」その言葉が地下道に反響する。その、「エンジン」の発声により、今にも地下道の壁が揺れだすような気配があった。

「円の陣形って書いて、『円陣』でもいいし」

「猿の人でも、猿人だ」私は言ってから、ネアンデルタール人のことを思い出す。

「わざわざ見に来たわけ？」

「弟想《おも》いだろ」おまえの精神状態が正常であるか心配になったのだとは言えなかった。

「あのビジネスホテルはすぐに分かった？　駐車場に落書きがあったホテル」

「分かったよ。綺麗に消えていた」愛想のいい管理人がいた、と嘘《うそ》も言った。

「俺が消しちゃったからなあ。でも確かにあそこには『century』の文字があったんだよ」

「今日、こういう女性に会った」郷田順子から、もらったばかりの名刺を春に見せた。

春はそれを受け取ると、じっと見下ろした。「凄《すご》い。JLGだ。ジャン・リュック・ゴダールじゃないか」と即座に言う。

「やっぱり、そう思うよな」

「俺はゴダールが好きだよ」春は甘い果実を齧《かじ》ったように、顔をほころばせた。そして、「右側に気をつけろ！」と大声を出した。私はびくつくように右を振り向き、その後で、それがゴダールの映画の作品名であることに気がつく。「びっくりするくらい退屈で、びっくりするくらい美しい映画をつくる、天才だ」

「その女性、びっくりするくらいの美人だったけどな」

聞いた途端に、春の顔が曇った。それから、もしかするとその女性はこういう外見ではなかったか、と背の高さや髪の長さを言い当てた。

「知り合いか？」

「まあ」

「おまえのことを調べているようだった」

「調べてる？　いや、この人は」春は何かを言いかけた。けれど、口を閉じた。

「何者なんだ」

春は困惑を浮かべ、「この郷田さんには関わらないほうがいい」とだけ言った。

「それにしてもその名刺は素晴らしいね」春は言った。「彼女を見直した」と、名刺をもう一度しげしげと眺めてから、私に返す。

「吸い込まれそうな美人だったぞ」

「兄貴は騙《だま》されやすいんだ」

「どういう意味だ」確かに私は女性の嘘や駆け引きには免疫がなく、大の大人が流感に何度も罹《かか》るようによく騙される。けれど、真正面からそう言われると、むっとはする。

「別に大したことじゃないよ」春は片づけをつづけた。「ただ、もう一度だけ言っておくよ。その女性には関わらないほうがいい」

「美人だからか？」

「美人であっても」

空になったスプレー缶の整理が終わるのを待ってから、階段まで歩く。

「それにしても、立派な落書きだな」入り口から眺めても壮観だった。右の壁は青い球体の模様で埋め尽くされている。これを見た役所の人間は、「いっそのこと全壁面に、この地下道全部に、絵を描いてしまってくれ」と依頼してくるのではないだろうか。そうなったらこれは薄汚れた地下道などではなくて、海中を通るトンネルのようになるはずだ。青いエンジンを積んだトンネルは、いつか動き出すかもしれない。

「そういえばこの間、あのビジネスホテルの近くで」と地下道を出た後で春が言った。「偶然会った人と喋《しゃべ》っていて、思い出したんだ。昔、奥入瀬《おいらせ》にみんなで行った時のことを」

「ああ、行ったなあ」ずいぶん昔のことだ。父が車を運転し、家族で旅行に行ったのだ。「それがどうかしたのか」

「特に意味はないんだ。ただ、あの奥入瀬渓流のさ、人と一緒に歩くような静かな流れを思い出したら、気持ちが楽になった。それでこんな絵が浮かんだ」

「それまでは気持ちが苦しかったのか？」

「当たり前だよ」と春はまさに、当たり前のように口にする。「この間、車で通った寺の脇《わき》の看板にこう書いてあったよ。『まさか、楽するために生まれてきたんじゃあるまいな』」

「怖いな、それ。赤ん坊が聞いたら、泣く」

「でも、その通りだと俺は思うよ。生きるってことはやっぱり、つらいことばっかりでさ、それでもその中でどうにか楽しみを見つけて乗り越えていくしかない」

「達観してるねえ」と私がからかうと春は、「達観したふりでもしていないとやっていけないって」と答えた。

またしても私の瞼《まぶた》のあたりに、ごみ袋を蹴る春の姿が浮かぶ。明日、昼頃になったら電話をするよ、と私は自転車に跨《また》がった。帰りはマンションまで十五分もかかった。

会社の仕事

夢の中で、電話が鳴っていた。私の家の電話は決してそんな音は発しないにもかかわらず、巨大な鈴が激しく音を立てた。私は受話器を何度も取るが、鈴はさっぱり止まらず、音は激しさを増す。腹が立って目を覚ましたら、現実に携帯電話が鳴っていた。もちろん、鈴の音ではない。泥沼から這《は》いつくばって脱け出すような気力をふり絞ってベッドから起きた。テレビがつけっ放しになっていた。深刻な顔をしたニュースキャスターが、世界情勢を語っていた。どんなに軍事力がある国でも、突然、敵国に攻め入ることはしないのですよ、などと喋っている。攻撃を行いたいのはやまやまでも、その前に手続きを踏んで、攻撃する大義名分を見つけようとしているんですよ、と視聴者のうちの誰かを諭すように言っていた。スイッチを消し、電話を手に取って、受話ボタンを押した。

男が私の名前を呼んでくる。「この間、言ってたサービスってのは、まだやってくれるわけ?」

「葛城《かつらぎ》さんですか?」私は確認をした。

つい先日、彼の家に行って、DNAの検査内容について、説明をしたばかりだった。四十を過ぎたこの男は、最近、仙台へ越してきて、市街地の高層マンションに住んでいた。高層で高級、耐震で防音、現代的で瀟洒《しようしや》な住まい、だ。

反省からも謙虚さからも距離を開け、若い頃の不良振りを自慢するような男だった。「二枚目」という古めかしい分類が当てはまる外見をしていた。濃い眉《まゆ》が雄々しく、眼光も鋭い。若い時の彼が、女性に不自由はしなかっただろうことは、容易に推測できた。

彼は若かった頃の自分を、「鬼畜だったなあ」と表現する。なぜか、自慢げに言う。

検査をする前に念のため、と私が調査を依頼した探偵は、葛城のことを丁寧に調べてくれていた。今は、「自営業」と称しているが、現実には売春斡旋《あつせん》を行なっていることも分かった。暇と好奇心を持て余す女子高生を管理し、金とストレスを抱えた中年サラリーマンにあてがう。需要と供給をうまく考えたありきたりの商売だったが、彼はうまくやっているらしく、儲《もう》かっているようだった。

「ええ、そうですね、DNA検査をやっています」

「日曜日に電話なんかして悪かったかなあ。でもいつでも連絡してくれって言ったのはおまえだよね」

おまえ、という乱暴な言い方が耳に引っ掛かった。

「ええ、構いません。では、DNAの検査をして構わないんですね」私は客と接する時はいつもそうするように、平らかな声を出す。

「本当に遺伝子で病気だとかが分かるのかねえ。あんまり、本気にはしてねえんだけど。まあ、おまえが勧めるからさ。やってもいいかって思ってね」いい年をした中年であるにもかかわらず、男の喋り方は子供じみていた。

「では私のほうでまた伺いますので、その時に」

「血とか抜かれちゃうわけ?」

「口の中を綿棒のようなもので擦ってもらうだけです。それで、DNAは採取できますから」

「いつ来てくれる？」

「いつでも」

「今日って言ったら今日来ちゃうわけ？　そっちの会社も暇だねえ」

部屋の壁にかかっているカレンダーを見る。「明日以降に、伺いますよ」

葛城は手帳か何かを開いているのか、しばらくして、「それなら明日だな。明日の朝。今日の夜は用事があるからな。ちょうど終わる頃だから、朝の八時頃に来てくれよ」と言った。

「分かりました」明日は確か社長がフロアで朝礼を行う日だったが、八時であれば会社に行く前に寄ることができる。

「でも、おまえの会社って意外にでかいんだねえ。テレビ見てたらコマーシャルもやってたよ。ちなみに、不妊検査とかもやってるんだって？　うちで働いている女の子とかも検査したがってるかもなあ」

「不妊検査や親子鑑定をしています」

私がそう言うと、男は考え込むように一瞬、黙った。

それから、名案を思いついた、とでもいうように声を高くした。「俺がやってみて良さそうだったら、うちの会社で契約してもいいな」

おおかた、売春で働かせている女たちが妊娠した時に、その子供の父親鑑定をやって、相手を脅迫しようと企《たくら》んでいるのではないか、と私は想像した。

「葛城さんも病気の検査以外にも、不妊検査なども行われますか？」

「いや、いいよ。妊娠させちゃったことなら何回もあるからな。不妊ってことはねえよ」男は自分の発した言葉を自分で楽しんでいる。爆笑した。「不妊検査するより前に、親子鑑定しなきゃいけない子供がたくさんいるってことだな」

電話を切った途端、部屋の四方の壁が、私を押し潰《つぶ》そうと迫ってくる気がした。

朝から不快だったが、もう一度眠る気分でもない。窓に向かって伸びをすると、着替えて、朝食用の食パンに齧《かじ》りつきながら、壁に画鋲《がびょう》で留めた、仙台市街地の地図を見た。

春に電話をかけるのにはまだ時間が早いので、自分ひとりで現場を周《まわ》ってみようかと思い立った。人に案内してもらうよりは、自ら調査をして歩き回ったほうが、性格に合っている気がする。やはり、父が言ったように私は途中参加が嫌いなのだ。

物事は順を追っていくべきだと思うので、まずは一件目の放火現場である「株式会社シー・エス・エス」を調べることにした。

はじめに行なったのは、パソコンの電源を入れることだ。私はあまりコンピューターやインターネットというものが好きな人間ではない。パソコンで検索をするくらいなら、辞書をひっくり返すような人間だ。

同期の高木には、「インターネットで調べようが、文献を調べようが、得るものは同じだろうに」とからかわれる。そのたびに私は、「違う」とむきになる。

「ネットで得た知識なんて、薄っぺらいものなんだよ。軽薄な情報だ。それに比べて、俺が広辞苑を抱えて、調べたことには重みがあるんだよ」

「内容は一緒だぜ」

「そう言う奴《やつ》らはだな」私は理屈をこねる。「映画館で観《み》ても、レンタルビデオで観ても、映画の内容は一緒だってほざく人間と、同じくらい愚かなんだよ」

「内容は一緒だろうが」

「まあね」認めざるをえない。

起動したパソコンの前に座る。検索ページに接続し、さっそく、「シーエスエス」と入力し、検索ボタンを押した。結果が出てくる。莫大《ばくだい》な数の検索結果にうんざりしながら、何度かキーワードを変更して、目的の会社のホームページを見つけ出した。

世の中には、インターネットを使えば、世界の大半のことが把握できると信じている者が多いに違いない。実際、把握できる可能性も高い。ただ、過信は禁物だ。インターネットで検索して表示されない人物や物事は、世界中のどこにも存在していないのだと思いかねず、だとすると、これからは、世界から身を隠したいのであればコソコソとねぐらを移動させる必要もなくて、検索条件をすり抜けることだけに腐心すれば良いことになる。

シー・エス・エスというのは仙台本社の会社だった。春が言ったように自社ビルが駅の東口にあった。その住所をメモ帳に書き写した。同じようなやり方で、「ゴールドコースト」という名のパチンコ屋と、「朝日不動産」という名の不動産屋の住所を発見する。

これはもしかすると、インターネットで全てが解決するのかもしれないぞ、と私は思わず、「放火　仙台　ルール」と検索をしてみたが、当然のことながら、犯人の名前がピンポイントで出てくるようなことはなく、無意味な検索結果が山ほど表示されただけだった。

壁の地図に向かい、調べた住所の場所を赤色で囲んだ。まずは、この三件を調べてみることにする。

あれ？　奇妙な感覚があった。じっと地図を眺めているうちに、何らかの記憶が呼び出される気がしたのだ。見たことがある？　けれど、はっきりとしない。地図にマークした地点に顔を近づけて、指でなぞってみたが、その既視感の正体は分からなかった。

壁から地図を取り外し、丁寧に畳む。私は几帳面《きちょうめん》で、折り畳んだ紙の角が綺麗《きれい》に重ならないと気になるたちなので、何度かやり直した。

ミステリにおける退屈な手続き Ⅱ（現場検証）

ソフトウェア会社、シー・エス・エスの自社ビルは確かに焼けていた。全焼というほどではなかったが、私の会社のビルよりは明らかに被害が大きい。

南側の角部屋が特にひどかった。壁は残っていたが、ガラスなしの窓からは、煤《すす》だらけの室内が見えた。パイプ椅子《いす》が積み重なって倒れている。不完全燃焼の消化不良、という様子だ。ロープは張られていないため、近づくことはできたが、どうせこのビルも、意味のないセキュリティシステムが施されているに違いない。

築十年以上の建物だろう。「CSS」とロゴがビルのいただきに描かれている。休日だと言うのに、室内の明かりがいくつも点《つ》いていた。

ビルの周辺を十分ほど徘徊《はいかい》し、建物を観察すると他にやることは見当たらない。放火された角部屋の前に戻ってくると、正面に立って、カメラを構えた。シャッターを切った。

自転車に跨ると、今度は新幹線の高架線下の車道を走り、西口へ移動する。信号待ちをする車が集まっていた。たわんだ道に溜《た》まる濁り水のように、渋滞している。その脇を走り抜けていく。

パチンコ屋のゴールドコーストはすぐに見つかった。地下道の近くで、居酒屋が肩を寄せ合うように並ぶ、細い道路に面していた。

昔ながらのこぢんまりとした、と言えば聞こえは良いが、実際には、営業努力をやめた廃屋の集まりにしか見えなかった。災いが去るのを、膝《ひざ》を抱えて待っているだけの、努力嫌いで無職の若者を髣髴《ほうふつ》とさせた。

そのパチンコ屋は完全に名前負けをしていた。看板も割れていたし、「ゴールド」という雰囲気からは程遠い。勇ましいマーチが流れてはいた。その勇ましい発破に唆《そそのか》されているのか、店内にはそれぞれの客が、それぞれの事情と切迫感と時間を持て余し、パチンコ台を見つめている。

店員に話を聞こうかと思ったが、音楽が騒々しく、さらには非常に忙しそうだったこともあって、諦《あきら》めた。別の自動ドアから出る際、壁が黒く焼けている場所を見つけた。二台ほどパチンコ台が撤去された痕跡《こんせき》がある。ここが放火現場だな、と見当をつけた私は、店員の視線を気にしながら、使い捨てカメラで写真を撮った。

次に訪れた朝日不動産の店主は気さくだった。私がもしマンションを探している最中であれば、すぐに契約を交わしたかったくらいだ。

ビルの五階にあることを看板で確認すると、エレベーターで上がった。ドアが開いた途端に、「いらっしゃい」と声をかけられる。開店するところだったらしく、店主が立て看板を移動していた。

客ではないのだ、と白状した。「私のところも放火未遂にあったので、いろいろ聞きたいんですが」と適当な嘘《うそ》をでっち上げた。

店主はそこで、「客でない者は去れ」と、叱《しか》ってきてもよいくらいなのに、顔をほころばせ、「面白いねえ」と店の中へ入れてくれた。それだけでも申し訳なかったが、さらに、お茶まで出てきたので恐縮してしまう。

「あまりお客は来ないから、心配しないでいいぞ」と彼は言った。あなたは心配したほうがいいですよ、と出そうになる。

彼は、私の話す嘘を疑うこともなく、「放火なんて物騒だよねえ」と言った。「うちはね、別に大したことがなくて済んだんだけど」

「みたいですね、どこに火をつけられたんですか？」店を見渡しても、被害に遭った形跡は見当たらなかった。

「一階のところだよ。このビルのね、一階にゴミ捨て場があってね、そこが燃やされたんだ。うちなんかは五階だろう？　客も来ないが、火も来ない。助かったよ」

「はあ」曖昧に返事をしながらも、疑問を覚える。「ということは別にこのお店が狙《ねら》われたわけじゃないんですね」

「幸いね。このビルの一階が燃やされただけで、うちがやられたわけじゃない」

「ですよね」

　春からは、不動産屋が放火に遭った、と説明をされていたので、私はてっきり五階のその店舗が放火されたと思い込んでいた。確かにエレベーターで五階まで上昇し、その後で火を放つのは手際《てぎわ》が良いとも思えなかったが、そう思い込んでいた。

「つまり、火を点けられたのは、このビルの一階だけですか」と念を押すと、店主はにこやかにうなずいた。「いかにも」

　私が帰る際、店主はエレベーターまで見送りにも来てくれ、私はますます心苦しくなった。

「このビルは何という名前でしたっけ？」

「大嶽《おおたけ》ビルだね」

最後にそんな会話を交わし、礼を言って、私はエレベーターに乗った。

焼け跡は確かに一階にあった。ごみ収集日のパネルが貼《は》られたあたりに、燃えたと思われる木製の置き場があった。写真を撮る。ついでに五階を見上げて、不動産屋の看板も撮った。まったく、と思った。「朝日不動産が燃やされた」などと紛らわしい言い方をしないでほしいものだ、と春に文句を言いたくなる。正しくは、大嶽ビルが燃やされた、と言うべきだろうに、と。

喫茶店に入り、ポケットから引っ張り出した地図を広げた。「シー・エス・エス」「ゴールドコースト」「朝日不動産」の三軒は、火事の被害に遭っていた。春のでっち上げではなかったということだ。その位置関係を眺める。自分が自転車で走ってきたルートを確認しながら、「東、西、東」と口に出してみた。駅を挟んで、東口、西口、東口と現場が移動している。

これはちょっとしたルールだろうか。もしかすると、他の放火現場もそうなっているのかもしれない。

「放火は東と西の交互に行われる」呟《つぶや》いてみるが、そこから新しい閃《ひらめ》きが浮かぶこともない。地図を見ながら、他の放火現場のことを考えているうちに、心を弾ませている自分に気づいた。これでは、弟の思惑通りじゃないか、と呆《あき》れる。

類人猿ディスカッション

いつだったか、あるテレビ番組の中で、「人間というのはさ、下半身は動物でいいんだ」と、インテリ作家が語っているのを観た。「上半身は理性で、下半身は本能で、制御するのが一番なんだよ」と、人間の全《すべ》てを熟知しているかのような言い方をした。

私の隣にいた春は、「動物は」と言った。「動物は、雌の発情期以外の時には穏やかなもんだよ。年がら年中、セックスのことを考えている人間のほうがよっぽど落ち着きがない。この作家はさ、人間のほうが賢いような言い方をしてるけどさ」

「人間は賢いじゃないか」

「人間の賢さは、人間のためにしか役立っていない」春はすぐに反論した。

「そうかな」と私は首を捻《ひね》る。そして、「どうして人間には発情期がないんだろうな」と浮かんだ疑問を口にした。

「発情期があると、雌はその時しか、雄の気を惹《ひ》けないいんだ。人間の雌は生活していくのに雄が必要だったからさ、いつでも雄を惹きつけるために、発情期をやめた」

「本当か、それ」

「と主張している人もいる」春がおどけて笑った。「みんなさ、勝手なことを言ってるんだよ。動物と違って、いつ子供が生まれても食料が確保できて、妊娠時期の調整がいらないから、と言う人もいるし、子殺しを防止するためとも言われるし」

「子殺し？」

「ゴリラにね、よく見られる現象なんだ。ゴリラというのは家庭的で、雄一匹に雌数匹という安定した集団で暮らしているんだって。なのに、子殺しがよく起きる。雄がたとえば、病死したとするでしょ、そうすると別の雄がやってきて、子供を全部殺すんだ」

「何のために？」

「簡単に言っちゃえば、雌を発情させるためだよ。子育て中の雌は発情を起こさないから。そこで子供を殺害し、力を見せつけて、雌にアピールするんだ」

「怖いな」

「発情期があると、こういう恐ろしいことが起きるから、だから人間は発情期をなくしたんだ。そう説明する人もいる。なぜなら、人間は優秀だから、と」

「言いたくなる気持ちも分かるけどな」

「人間は優れているから、性欲をコントロールできる。胸を張って、恥ずかしげもなく、そう言う人もいるけどね、どうせなら、もう少し恥ずかしげに言うべきだよ」

「おまえが嫌いそうな意見だな」

「人間に性欲のコントロールができるなんて、誰が証明したんだろう」

春の表情に大きな変化はないが、その言葉にわずかながら熱がこもりはじめていることに気づき、私はそれ以上に温度が上がらないように、「まあなあ」とそっけなく言い返した。

「哺乳類《ほにゅうるい》の中で、日常的にレイプが行われるのは、人間とオランウータンとゾウアザラシだけらしいよ」

「そんなことを知っているおまえに驚くよ」

「可笑《おか》しいだろ？　人間は、動物の中でも、とても例外的な強姦魔《ごうかんま》ってことだよ。他の哺乳類は、法律がなくても、レイプはしないんだ」

「人間は特殊なのか」

「なぜなら、優秀だから」

「そう人間を責めないでくれ」

「それに俺の予想だけど、オランウータンとゾウアザラシにはたぶん、レイプの理由があるよ。今のところははっきりしていないけどね、きっとある。たぶん、人間だけが、レイプのためにレイプをするんだ」

「なぜだ」状況は良くなるはずがないのに、思わず訊《き》いている。「なぜだと思う」

「興奮するからじゃないかな」

「単純な答えだな」

「誰かを貶《おと》しめて、汚して、自分の快楽を全《まっと》うする。そういうのが好きなんだろ。理由はない」

サバンナでのライオンの交尾や、壮大な儀式のように腹を寄せ合う鯨の交尾、犬たちが忙《せわ》しなく行う交尾、映像や写真でそういうものを見る時、春はとても幸せそうな顔をする。

「彼らは、セックスの時に言い訳をしたり、勘違いをしていない。人間は賢いからさ、セックスの最中にも自己欺瞞《ぎまん》や勘違いばっかりだ」

「勘違い?」

「相手を支配しているだとか、辱《はずかし》めているだとか、道徳的であるだとか、道徳的でないだとか、余計なことをぐちゃぐちゃ考えるんだ。宗教や神にまで結びつける奴《やつ》もいる。性的な場面を描けば文学的だ、官能的だ、と持て囃《はや》す奴もいる。セックスをしたところで、何も超越しないし、誰のことも支配できない。人間の性は、動物よりも数段、馬鹿馬鹿しい」

「ただ、馬鹿馬鹿しいからこそ、意識しなければいいじゃないか」私は何気なく言いはしたが、それはずっと弟に伝えたかったことでもあった。「特別なものではなくて、ごく普通のことで、それほど神経質になることはない。そうじゃないか？」

春は、「そうじゃないんだよ、兄貴」と哀れむような目を向けてきた。

そうじゃないんだ、弟よ。私のほうも、彼を哀れむ。

「チンパンジーに似た種類で、ボノボっていうのがいるんだよね」と言ったこともあった。それはごく普通のファミリーレストランか何かで、私たちは向かい合って、最初は映画や漫画の話をしていたのだが、いつの間にか類人猿の話を春がはじめた。

「聞いたことがあるな」と私はパスタをフォークで巻きながら、答えた。

「ほとんどチンパンジーと同じなんだ。でも、ボノボの社会はチンパンジーとまるで違う。ヒトとも違う」

「ヒトよりもさらに邪悪だ、とか？」

「逆だよ」

「逆？」

「平和的なんだ。ボノボの社会には、レイプも子殺しもない。ついでに言えば、階級闘争だってない。しかも、ヒトと同じで雌がいつ排卵期なのか雄には分かりにくい」

「どういうことだ？」

「彼らもまたしょっちゅう交尾しているんだよ」春が愉快そうに言う。「一日に何十回も交尾することもある。彼らにとってはセックスは挨拶《あいさつ》なんだ。実際、友人を作ったり、仲直りをするために、交尾をする。正式には交尾じゃない場合もある。雌同士が、性器を擦《こす》りあわせたりするんだ」

「それはいいのか？」

「ボノボは、あっけらかんとしているんだ。そこには支配も、優劣も、言い訳もない。人間は生物の中で唯一《ゆいいつ》、生殖とセックスを切り離した、なんてね、偉そうに話す人がいるけど、嘘だよ。ボノボだって同じなんだから。しかも、彼らのほうがよっぽど平和に暮らしている。性的な哺乳類という同じ道を歩んだものの、ボノボは成功例で、人間は失敗作だったんだ。俺はセックスを否定したいんじゃない。ボノボは許すよ」

隣のテーブルのカップルが、男二人で、「生殖が、セックスが」と話をする私たちのことを怪訝《けげん》そうに窺《うかが》ってきたので、愛想笑いをした。

JPG

喫茶店を出ようとしていたところで、意外な知人を見つけた。探偵だ。同期の高木に紹介され、仕事を依頼した男だった。

そもそも探偵とは、日の明るいうちに外出したり、堂々とコーヒーを啜《すす》ったりしないものだ、と思い込んでいた私はびっくりし、政治家をファストフード店で見かけたかのような戸惑いを受けた。

一番奥のテーブルに座り、窓の外をじっと眺めている。漫然と外の景色を見やっているというよりは、往来する通行人をじっくりと観察している。

黒澤という名前のその探偵は、年齢は三十代の半ばから後半というところだった。貫禄のある皺《しわ》が何本か顔にはあったが、脂肪がまとわりつく中年男とは程遠い。

私はレジへ向かうところだったのを、わざわざ引き返し、その席に歩みを近づけ、「どうも」と挨拶《あいさつ》した。

彼はまずゆっくりと窓から視線を離し、私を見上げ、唇をほころばせる。「座るかい」と自分の向かいの席を目で示した。

「この間はどうもありがとうございました」座りながら私は礼を言う。

「こちらこそ、早々と報酬を振り込んでもらって助かった」黒澤は表情を緩めた。テーブルの上の右手を、左手で擦っている。ぼんやりと眺めながら私は、長い指だな、と思う。「依頼内容もそんなに大変ではなかった。ああいうのならいつでも歓迎だ」

私は少なからず驚いていた。私の依頼内容は、人探しと身辺調査というオーソドックスなものではあったが、それほど容易《たやす》いものではなかったはずだ。犯罪事件の捜査と同程度の厄介さが伴っていたはずで、簡単な依頼とは言いがたかった。

「何を見ていたんですか？　真剣な顔つきでしたよ」

「ああ」黒澤が目尻に皺を作る。「観察をしていた」

「街行く人たちを、ですか？」

「ラッシュばかりの人生を行く人々を、羨《うらや》ましがっていたんだ。俺はそこから弾かれたからな」

彼の表情は昨晩テレビで見たチーターを思わせた。丘の上から標的を涼しい顔で見下ろしている、あの肉食獣の顔だ。それを口にすると、黒澤は「チーターというのは意外に獲物を逃がすことが多いらしいな」と額を掻《か》いた。地上最速の脚力を持ちながらも、失敗を繰り返す肉食獣は、何かを達観しているに違いなく、それは黒澤の、物事に執着しない雰囲気と近かった。

「俺の仕事には人間観察が欠かせない」

「探偵ですからね」

「いや」黒澤が困った顔を見せた。「本業は別にあってね、探偵はどちらかといえばその補助的な仕事だな」

「副業で探偵ですか」そういう職業のあり方もあるものなのだな、と感心した。「探偵というからには、助手や事務員がいるんですか？」

「仕事は一人でやるものだ」

「ビートルズは四人でやってましたよ」

「だから解散しただろ。ボブ・ディランは永遠に解散しないぞ」

「そりゃそうですよ」

言いながらも内心で、一人であれだけの調査を、あんな短期間でやってしまったのか、と驚いてもいる。

「この間の男のマンションはずいぶん高級だったな」

一瞬何のことを言っているのか理解できなかったが、すぐに、先日私が調査を依頼した件だと分かる。

「頑丈そうでした」ああいう男のような、勤勉な世渡りから無縁の者に限って、しっかりと防御されている。

「まあ、セキュリティはぼろいけどな」黒澤が呟《つぶや》いた。私にはその言葉の意味が分からなくて、「え、何がです」と聞き返した。

「あのマンションの鍵《かぎ》は、全部が全部、ピッキング対策用のに交換されている」

「なら、ばっちりじゃないですか」

「そう思うのが素人なんだよ。管理会社はとにかく、業者に頼んで交換してもらえばいいと思い込んでいる。交換したおかげで、もっと狙《ねら》われやすくなることもあるのにな。あれは、ピッキングには対応していても、他に弱点がある」

「そういうものなんですか」

「ほっとしている人間が一番危ないんだ」

「いつもびくびく警戒している野生の鹿《しか》のほうが、動物園の檻《おり》に囲まれた鹿よりも、安全ってことですね」私は、我ながら良い譬《たと》えだな、と思いつつ言った。

「いや、それはもちろん、動物園のほうが安全だろ。食われる恐れがない」黒澤が長い指を私に向けた。

やっぱりそうですか、と私は頭を掻く。

「で」黒澤はそこで目を細め、カップからの湯気を揺らすような優雅さを見せ、「俺が見つけたあの男は何をしているんだ」と言った。

私はすぐに反応できなかった。

「調査を依頼してきた相手に訊《たず》ねるのはルール違反かもしれないが」

「何をしているんだ、というのはどういう質問なんですか」

何をやったんだ、ならまだ理解できる。

「俺が調査している最中、あの男、何度か現場にいた」

「現場？」工事現場という意味ではないだろう、とは私にも分かる。

「そうか、それはそっちの把握していることではないんだな」と黒澤は言い、それきりその続きを話すことをやめた。

私はどうにかその話の続きを聞きだそうと、話題を戻し、しつこく訊ね、半ば懇願したけれど、彼は口が堅かった。

「そうだ」私は根負けし、郷田順子の名刺をポケットから取り出した。「こういう団体って聞いたことがありますか？」

俗事から超越したような、黒澤の穏やかさを窺っていると、どんな疑問も相談をすれば解決してくれるのではないか、という期待が湧《わ》いたのだ。

名刺を受け取りながら、「俺に関係しているのか?」と眉《まゆ》を動かす。

「いえ、参考意見として」

「参考意見、というのは、採用されない意見の別名だよ」黒澤は苦笑した。

「そこにロゴマークがついているんですが」

「JLG」黒澤が首をひねる。「ジャンプ、ランプ、ギャング、の略か?」

「ジャン・リュック・ゴダールを思い出しますけどね」

私の言葉を聞き流しながら、黒澤は名刺を繁々と眺めていた。「日本文化会館管理団体ねえ。聞いたことがないな。仙台の住所なのか。調べてみるか?」

「いや、結構です。まだ」郷田順子のことは、今のところ重大な問題とはなっていなかったし、調べても面白い事実は浮かび上がってこないのではないか、と思った。

「JPGは何か分かるか?」黒澤はクイズを出すようだった。

「JLGではなくて、JPGですか」私は首を振る。「俳優のジャン・ポール・ベルモンドだとJPBですね」

「ジャン・ピエール・レオはJPLだな」

「世の中、頭文字に注目すれば、それらしく聞こえるものですね」

「ジャン・ポール・ゴルティエの略だよ」

「服のブランドの?」

「そうだ。あそこのジャケットが欲しいんだが、高い」

そのブランドの服は、私もよく、雑誌や映画で見かけた。スポーツ選手が颯爽《さっそう》と着こなしているのも見たことがある。フランスのデザイナーではなかっただろうか。どちらかといえば奇抜で、中性的なデザインだった気がする。あんな服を着て、似合う日本人は稀《まれ》でしょうね、と言いかけたがやめた。まさに黒澤はゴルティエを着ても様になるような雰囲気を持っていた。

「JPGですか」

「頭文字をつなげるっていうのは、それなりに大事なことだな。JADというのもあるぞ」

「もう、やめにしませんか、この遊び」

「ジョン・アーチボルト・ドートマンダーの略だ」

「誰です、それ?」

「有名な泥棒の名前だ」

「有名なんですか?」少なくとも私は聞いたことがない。

「仲間意識がある」黒澤は俯《うつむ》き気味に言い、コーヒーに口をつけた。

「泥棒といえば、こういう話を知っているか？　空き巣の家に、空き巣が入る話だ」

「寓話ですか？」

「他人の家に忍び込んで、いい気になっている泥棒がいる。そいつは自分以外の人間が泥棒をやるなんていう可能性は考えてもみないんだ」

「優秀な人にありがちな思い込みですね」

「で、ある日、自分の家が空き巣に入られて愕然《がくぜん》とする」

「それは何かの教訓ですか」

「自分が考えているようなことは、別の人間も考えているってことだ。大抵の企《たくら》みは自分に返ってくる」

席を立つ直前、私は気になって、「依頼人のことは口外しないんですよね」と訊ねた。

「実は俺は正式な探偵ではなくてね、だから守秘義務なんて存在しない」

私は不安な顔をしたはずだ。

すると彼は、「でも、大丈夫だ」とうなずく。「俺は、依頼人のことは誰にも言わない。たぶん、拷問《ごうもん》を受けても、はじめのうちは我慢するさ。爪《つめ》を剝《は》がされるくらいは我慢するつもりではいるんだ。それくらいは、どうにか踏ん張れるんじゃないかと、自分に期待を持っている。膝《ひざ》を金槌《かなづち》で潰《つぶ》されるとなったら、さすがに喋《しゃべ》るけどな」

正直な告白にも聞こえたので私は笑った。信用できる気がした。

春から電話がかかってきたのは、午後の一時過ぎだった。

「兄貴、今晩だよ」唐突に言った。

「さっき電話をしたぞ。グラフィティアートの現場を案内してくれる約束だろう?」

「それどころじゃない」断定的な言い方だった。

「何がどうしたんだ?」

「今晩」春は、演出のつもりではないだろうが一呼吸あけて、「今晩、放火が起きるよ、兄貴」と続けた。

グラフィティアートの現場 I

蕎麦《そば》屋の駐車場には似つかわしくない、落書きだった。

私は、「田村蕎麦」と看板のかけられた木造建築の店の前に立っている。年季の入った暖簾《のれん》がかかっていた。入り口は煤《すす》けた色をした開き戸で、その両端には背の低い木が並ぶ。丁寧に刈られていた。蕎麦屋の入り口から、右回りに細い道を歩いていくと、裏手に駐車場がある。

ブロック塀に、「ago」という文字が描かれていた。その単語は父が予測していたものだ。ずばり的中か、と悔しさが僅《わず》かにある。稚拙な落書きではなかった。赤色で描かれた、「ago」の斜体文字はきっちりと濃い紺色で縁取りがされている。デザイン化されたアルファベットだ。使い捨てカメラを取り出して、そのグラフィティアートを撮影した。昔ながらの蕎麦屋の前に、「ago」という文字が向かい合っているのは、妙な取り合わせだった。

「蕎麦屋のおばさんが愉快な人でさ、『あの落書きは、うちの旦那の顎《あご》が前に出ているのを茶化しているんだ』って笑ってたよ」春はすでに、落書きを消す商談を、蕎麦屋の店主と済ませていた。

「『ago』と顎を言い換える駄洒落《だじゃれ》なんて、中学生だってやらない」

「田村蕎麦では、やるんだよ」

もう一度、落書きの前に立つ。それほど大きな字でもない。両手で円を作るくらいの大きさで一文字ずつ、全部で三文字並んでいるだけだった。

「『280 century ago』ねえ」

「つまり、二万八千年前ってこと」春はそのまま訳してみせた。

「二万八千年前に何があったか知っているか？」父の受け売りを話そうとする。

「ネアンデルタール人が滅んだ」

「あれ、知ってたんだ？」

「俺を誰だと思ってるんだよ、兄貴。はじめて洞窟《どうくつ》壁画を描いた、ホモ・サピエンスの末裔《まつえい》だよ」

「みんなそうじゃないか」

「クロマニョン人とネアンデルタール人は、まったく別の動物であるにもかかわらず、それでも、この地球上に一緒に存在していた」

「共存していたんだろ」

「そう、何万年間かはね、共存していた。次々と繁栄していくクロマニョン人のことを、滅んでいくネアンデルタール人はどういう思いで眺めていたんだろう。俺はそれがすごく気になるんだよ」

「俺は気にならないけどな」

「絶滅近くの頃になると、ネアンデルタール人がクロマニョン人の石器を真似《まね》しているような痕跡《こんせき》が見つかっているんだ。生き残るために縋《すが》る思いだったのかもしれない。どうして自分たちが滅びなくてはいけないのか、必死に敵の戦略を検討したのかもしれない。想像すると悲しくなるよ」

「やっぱり、おまえは判官贔屓《ほうがんびいき》だ」私はそう指摘する。その後で、「この店のところにグラフィティアートが見つかった。となると、この近くで放火事件が起きるということか？」と話題を戻す。

「その通り」

蕎麦屋の入り口は、片側二車線の比較的大きな車道に面していた。国道から繋《つな》がっていて、県庁や市役所に向かう通りだ。中心街からは少し離れている。

「狙われるのはどこだ」私は自分が地図を持っていたことを思い出した。慌《あわ》てて取り出す。駐車場に止めてある車のボンネットに、地図を広げた。

「準備がいいなあ、兄貴は」

「まあな」

「地図なんて持ってすっかり乗り気じゃないか。良かった。その気になってくれて」

「何でおまえが喜ぶんだよ」

「今までのケースからすると、グラフィティアートの見つかった場所から、半径百メートルくらいの圏内なんだ。放火現場は全部、そのあたりだね。それから、角度からすれば、グラフィティアートの見える位置にある建物が、狙われている」

「グラフィティアートが見える位置？」

「現実的に、その建物から見えるかどうかは別だけど。グラフィティアートの描かれた壁から、後ろ一八〇度は圏外ということだよ」

春は地図上の現在位置、「田村蕎麦」の場所をすぐに見つけ出して、指差した。それから、地図の基準尺に指を当ててから、「百メートル圏内だとこのあたりだ」とそこを中心に、半円をなぞった。近くにある公園をすっかり飲み込むくらいの範囲だった。

「可能性としては、この辺かな」春はそう言って、地図上に描かれているビルのうち二つを人差し指で叩《たた》いた。

私は地図をじっと眺め、その後で実際に見えるビルの位置を確認する。今までの傾向からして、マンションよりもオフィスの入ったビルのほうが可能性が高いから、と春は言った。左手に見えるのが、「仙南ビル」で、右手にあるのが、「東北ゼミナール」という名前の予備校だった。

春と一緒に、両方のビルを見てまわる。それぞれ七階建て、五階建てのビルで、

「定礎」と彫られた石盤を見ると、築年数もほとんど一緒だった。

「どちらかが燃やされる」春は言い切った。

そのはっきりと断定をする言い方が、私に、郷田順子の言葉を思い出させた。春さんは今、非常に不安定な状態にいます、というあの言葉だ。

「今晩か?」

「十時でいいかな」春が言った。

「え」

「待ち合わせは十時。今晩十時にこの駐車場で。『ago』と書かれたここで会おう」

「待ち合わせるのか?」

「兄貴も張り込むだろ」

そう言われて、自分がまったくそのようなことを考えていなかったことに気がついた。「張り込み?」

「放火犯を捕まえるだろ」

「どうして」

「楽しみだ」春は、困惑する私のことなど気にもせず、伸びをした。

「そうだな」と私は早々に観念する。昔から、春が笑うと私たち家族は幸せだった。

「『焦《あせ》って約束をするな』」と春が言う。

「何だそれ」

「ガンジーの言葉だよ」

「おまえは、本当にガンジーが好きだ」

連続放火犯を捕まえる。自分に言い聞かせるように、鼓舞するように、頭の中で唱えた。実感がない。犯罪者を追いかける緊張感や恐れ、高揚感、興奮、それらが私には欠けていた。恐ろしいくらいに欠けていた。

「ついでだから、今までの放火とグラフィティアートの現場を周ろうか」と春が誘ってきた。私には断わる理由が見当たらない。時計を見るが、まだ夕方にもなっていなかった。駐車場のブロック塀に沿うように自転車を停め、鍵《かぎ》をかける。助手席に乗った。実はすでに何箇所かは周ってみたんだ、と打ち明けると弟が、「やっぱり乗り気なんじゃないか」と言ってきた。

未来から来た男

未来からやってきた弟を、私は見たことがある。彼が大学生で、私が就職活動中の頃だ。やはりあの時も電話で呼び出された。その日の私は就職活動の結果、つまりは採用不採用の電話連絡を待っていたのだが、春は気にもしなかった。「いいから、いいから」と言った。「いいから、早く来てよ」

「いいわけないだろう」と怒ったが、春は意に介さない。しまいには、「そんな会社に就職したって仕方がない」と会社名も聞いていないくせに言った。

私自身、いつかかってくるともしれない電話に疲れていたのかもしれない、結局は同意した。

出向いたのは、駅をさらに北へ向かった、国道に突き当たる手前のところだった。マンションや企業のビルが並ぶ場所で、市街地の中でもひときわ無機質な風が通うような区域だった。春はバス停のベンチに座り、足元に群がる土鳩《どばと》に、パンをやっていた。鳩は落ち着きがない。就職の面接に行ったらこいつらは全員不採用だな、と自分のことを棚に上げて思ったのを覚えている。

「兄貴、早かったじゃないか」右手に持った細切れのパンを見せてきた。「食べる?」

鳩の鳴き声を真似てみたが、うまくいかない。

私がベンチの隣に座る。鳩がさっと去るが、そのうち、高をくくったかのように寄ってきた。目の前の鳩がどこかぎこちない動作で、よく見ると、片足が横に曲がっている。春はその鳩にパンを投げる。

「生まれた時からかな」と春が言う。

「何が」

「足」とその鳩の曲がった足を指差した。

「かもしれない」と私が答えると、春は、「だよな」と静かに答えた。「人間はさ、いつも自分が一番大変だ、と思うんだ」

「何のことだ」

「不幸だとか、病気だとか、仕事が忙しいだとか、とにかく、自分が他の誰よりも大変な人生を送っている。そういう顔をしている。それに比べれば、あの鳩のほうが偉い。自分が一番つらいとは思ってもいない」春は小さく笑う。「俺よりも、何倍も偉いよ」

春が一体、何をつらいと感じているのか、私は訊《たず》ねることはしなかった。

その後ですぐ私は、春の服装について話題にする。見たこともない、奇妙な出で立《い》《た》ちだったからだ。

上に着ているのは、青い長袖のシャツだ。ブランド名やロゴもなく、ポケットもついていない。シンプルなシャツだったが、襟元が変わっていた。学生服の詰襟と似た形だった。鮮やかな青色。そして、ボタンの数が異様に多い。二十個以上の小さなボタンが正面できっちりと留められている。下に穿《は》いているのはジャージ生地のもので、これも足の脇《わき》に小さなボタンがずらりとくっついていた。

「不思議な恰好《かっこう》だな」

「変かな。目立つかな」

「変と言えば変だ。目立ちはしないが、センスを疑われる。どこで買ったんだ?」

「未来で」春は真顔のままだった。

「は」

「未来の服に見えるかな」

「弟の喋っている言葉が理解できなくなったら、どの病院に行けばいいんだろう」

春の言うことは意味不明で、その意味不明さは確かに、未来のものに思えなくもなかった。

光の関係ではじめは気がつかなかったが、春は髪をグレーがかった色で染めていた。聞くと、薬局で売っていたヘアカラーを使ったと言う。

「この服さ、大学の知り合いに頼んで作ってもらったんだ。既製のシャツを直して」

あの時、春の頼みを聞いてシャツを作ったのは、裁縫上手の女の子だった。その時は大学の同級生として仲良くやっていたようだったが、それから半年もすると、彼女は春のストーカーとなり、つまりは、「夏子さん」へと進化し、私たち家族を困らせることになる。

「何のために、作ったんだよ」

「暇を潰《つぶ》すために」

私は眉《まゆ》をしかめて、自分が就職活動でどれほど忙しいのかを、若干の嘘《うそ》と幾分かの誇張を混ぜて、伝えた。

春は私の愚痴を聞き流した。「一度やってみたかったんだよ」

「何を?」

「人を騙《だま》すのを」

「騙す?」

「テレビでも、嘘を仕掛けて、人を驚かせる番組とかあるだろう? でも、ああいうのは大抵、無駄に喜ばせたり、無駄に怖がらせたりするだけだ。そういうのは嫌なんだ。ぬか喜びも恐怖も与えずに、ただ、驚かせたかった」

春の企《たくら》みは、非常に馬鹿馬鹿《ばかばか》しかった。未来から来た人間のフリをする、というのだ。私は呆《あき》れて、怒った。そんなことに、わざわざ巻き込むな、と。

「兄貴はそこのベンチに座っていてよ。ちょうど良さそうな誰かがやってきたら、はじめるから。兄貴は相手の反応を見ていてくれればいい」

楽しくて仕方がない、という様子だった。

姿をもう一度眺める。言われてみると、絶妙のバランスで作られている服装だ。見た途端に笑い出してしまうような服装でもないが、かと言ってありきたりの恰好にも見えない。どこかが少しずつずれていて、違和感がある、鼠色《ねずみいろ》の混じった髪の毛は派手ではないが、洒落《しやれ》ていた。狂人が着飾ったと言うよりは、数十年後のファッションの流行と言うほうが近い。

十分ほど経《た》ってから、女性が二人歩いてくるのを春は見つけた。

「あの人たちにやってみよう」

女性たちは会社の制服姿をしている。封筒を脇に抱えていた。二十代の後半というところだ。春はベンチから立ち上がると、潰れた不動産屋の陰に隠れた。私は仕方がなくてバス停のベンチに座ったまま、来ないバスを待つ客の真似をした。

ＯＬ二人が近寄ってきた。

春が横から姿を現わす。飛び出してくるわけでも、追いかけるわけでもなく、水溜《みずたま》りから昇る蒸気さながらの自然さがあった。

「すみません」

彼女たちは反射的に立ち止まり、はじめは警戒した顔で振り返ったが、春の整った顔立ちを見ると表情を緩め、けれど春の服装の奇妙さに気がついて最終的には曖昧《あいまい》な反応を示した。二人ともほぼ同じ反応だった。

「すみません」春の口調は非常に丁寧だった。「日付を教えて欲しいんですが」

女性は警戒と親切心の混じった様子で腕時計を見ると、「十時三十分ですよ」と答えた。

春は申し訳なさそうに、笑った。「いえ、日付です」

「五月十三日」もう一人の女性が微笑《ほほえ》んだ。

「いや」春は頭を掻《か》く。「今は西暦何年でしょうか」

その言葉に女性たち二人は顔を見合わせ、噴き出した。

ベンチに座った私も笑いを堪《こら》えていた。

「西暦何年でしょうか」

「──年ですけど」彼女たちは当惑を見せながらも答えた。

それを聞いた後の春は名演技を見せた。静かな驚きを顔に浮かべ、喜びを漂わせた。「よし」と右手で小さく拳《こぶし》を作った。思わず上げてしまったという調子で、「成功だ」と小声で言った。あれは、タイムスリップに成功した、という意味だったのだろうか。

女性たちの困惑は苦笑いに変わる。

「今の総理大臣は誰ですか」さらに慎重な口振りで、春が続けた。

「──さんですけど」

それを聞くと春は目をゆっくり閉じて、息を吐き、「間に合った」と言った。安堵《あんど》のあまり涙をうっすらと浮かべてしまう、という演技だった。

「急がないと」春は礼儀正しく礼を口にすると、回れ右をして道を曲がっていった。

私の前に取り残された女性たちは、しばらく黙って春の後ろ姿を見送り、その後で声を合わせて笑いはじめた。

「今の、何?」

「わかんない」

「未来の人?」女性が半信半疑ながら言った。「西暦訊《き》かれたんだけど」

「いたずらでしょ」

「変だったよね」

「何だったんだろう」

「総理大臣って言ってたよ」

「救いに来たんじゃないの」と可笑《おか》しそうに笑う。

「ニュースとかでやるかな」片方の女性が言った。

あの春の真剣さと奇妙さと呆気《あっけ》なさは、女性たちに非日常的な驚きを与えたはずだった。私はベンチから立ち上がると、女性たちに近づき、「今のすごいですね」と話に混じった。

その場を去り、国道の角を折れると、春が歩道橋の下に隠れていた。「彼女たち本気にしたかな」

「百パーセント本気にはしなかったけど、不思議がってたな」

「昼間に突然、夕日が見えるような、そんな不思議さかな」それ自体が不思議な表現だった。

「少なくとも変質者には見られなかったみたいだ」

「いや、あれは変質者に限りなく近い」春は自ら言った。

結局、その遊びを三度ほど繰り返し、次第に私は乗り気になった。

放火現場の張り込み　I

春の隣に並び、公園の柵《さく》に腰を下ろしている。夜の十時過ぎの公園に子供たちがいるわけもなく、かと言って、物騒な男たちが若い女性を引《ひ》き摺《ず》りこんで襲いかかることもなく、冷たい風がひゅうひゅうと通りすぎ、意味ありげにブランコを揺らすくらいだった。

「寒いな」

「冬だし」春が答えた。

「暗いな」

「夜だし」

寒さをしのぎたいがために、火を放ちたくなる人もいるかもしれないな、と私が言うと、春は、「世界最初の放火魔は誰か知ってる?」と言ってきた。

「さあ」

「百万年以上前に存在していたホモ・エレクトゥス、原人の誰かだ。火を発見して、次にやることは火を放つことだから」

「そういうのは、放火魔と呼ばない」

「原人に対して、クロマニョン人つまりはホモ・サピエンスのことを、『新人』と呼ぶのは知ってる?」春は好んで話題を逸《そ》らしていく。「何万年も生きているのに俺たちはいまだに、『新人』ってことだよ」

「三億年以上生き残っているゴキブリは、『ベテラン』かもな」

「そうだよ、兄貴。これからはあれをベテランと呼ぶべきだ」

しばらくそんな風に雑談を続けていたが、ひゅるっと風が鳴って私たちの顔を殴っていくのをきっかけに、「本当に放火魔は来るか」と私は囁《ささや》いてみた。

「来る」

「仙南ビルか東北ゼミナール」私はビルの名前を読んでみた。座っている場所からもその建物が見える。聳《そび》え立つと言うほど大袈裟《おおげさ》なものではないが、はっきりと看板は見えた。

「放火魔が火を放ったら、物凄《ものすご》い勢いで燃えるかもしれない」

「だと思う」

「そうだとしたら、こんな二リットルの水じゃ足りないだろ」

私の右手には、ミネラルウォーターのペットボトルがあった。春も同じものを持っている。彼自身が、来る前に購入してきたものらしい。半ば強制的に持たされた。二リットルの水はそれなりの重量で私を苛《いじ》めていた。「重いし、邪魔だ」

「もし火事が起きたら、黙って見ているわけにはいかないだろ。これを火にかける」

「これが本当の焼け石に水だ」

「ないよりマシ。気休めだよ」

「気休めねえ」ペットボトルを目の前に掲げてみた。無力の象徴にも思える。

母のことをちらりと思い出した。

母は、「気休め」が好きだった。「その場限りの安心感が人を救うこともある」とたびたび言っていたし、父が仕事で思い屈している時には、豪勢な手料理を用意し、「人を救うのは、言葉じゃなくて、美味《おい》しい食べ物なんだよね」と断言した。食べたとたんに消えてしまう食べ物は、彼女にしてみれば何よりも、「気休め」だったのだろう。春はよく、「気休めっていうのは大切なんだよ。気休めを馬鹿にするやつに限って、眉間《みけん》に皺《しわ》が寄っている」と言うが、それが母の影響だということには気がついていない。

ペットボトルを足元に置いて、立った。緊張していたつもりはなかったが、喉《のど》が渇いていた。「これ、飲んでもいいか？」

するると春は、自制の利《き》かない子供を見る顔になった。「今飲むと、火を消そうという時になって困る」

「それなら、おまえの水をくれよ」と私は、春が持っているペットボトルを奪い、キャップに手をかけた。

すると春が、この時だけは真剣な口調で、「兄貴、やめてくれ」と手を伸ばし、制止してきた。私をたしなめるのではなくて、叱責《しつせき》し、懇願する口調だった。

「頼むから、やめてくれ」

刺すような口調にぎょっとして、私はペットボトルを落としてしまう。

春がそれを慌《あわ》てて拾い上げる。

「水を奪ったくらいでおまえは大袈裟だ」

「止めなかったら、兄貴は死んでいたね」

「水で死ぬのか」

「昔から兄貴は他人の食べ物を口にしては、死にそうになった」

「腹をこわしただけだって。やっぱりおまえは大袈裟なんだよ」

人通りが少なかった。公園を横切る人もいない。この公園だけが時間の流れから取り残され、永遠に夜のままでいる覚悟を決めたかのような頑《かたく》なさも感じられる。

「二人で別々に張り込もう」春が言う。ビルが二つあるのだから、それは当然のことにも思えたが、私自身は正直なところ不安もあった。「張り込むと言ってもどうしたらいいんだ。張り込みにも作法があるんじゃないのか」

「ビルの近くをうろついて、怪しい人が近づいてこないか、隠れて見ているしかないだろうね」

「こっちのほうこそ、放火犯だと思われないか?」

「可能性はある」春はうなずいたが、表情は変わらなかった。「で、兄貴はどっちのビルがいい? 仙南ビルと東北ゼミナール」

どちらの建物を選んだからと言って、自分の人生が変わるとも思えなかったが、私は左手をじっと眺め、「仙南ビル」と言った。二択だったり三択だったり、選択に悩んだ場合には一番先頭のものを選ぶというのが私の子供の頃からのやり方だった。上下に並んでいるものであれば上から、左右に並んでいるものであれば左から選ぶのだ。

春もそれを知っているせいか、「そう来ると思ったよ」と笑った。見透かされているようで悔しい。

「犯行時間は何時くらいなんだろうか」

「今くらいの時間から深夜二時くらいの間」

「そんなに長いのか？」

「二時以降はないよ。今までの事件の状況からすると」春は立ち上がり、伸びをした。

「まるで、おまえがスケジュールを決めているみたいだな」

「俺は放火魔より、たちが悪いよ」春がどういうわけか、とても真面目《まじめ》な顔つきで言ってきたので、私は笑いそうになる。「そうか、たちが悪いか」

「最低だ」

「最低、と言えば、明日は朝から社長が職場に来るんだ。遅刻すると、最低だ。できれば早く帰りたい」

嘘《うそ》ではなかった。三ヶ月に一度、社長の、「仁リッチ」が朝礼に訪れて、大切な挨《あい》拶《さつ》をされる。遅刻はよろしくない。そして出勤前には、葛城の自宅へ検査用のＤＮＡを採取しにいかなくてはいけなかった。

「まあ、帰りたければ帰ってもいいけど、兄貴はきっと帰らないよ。兄貴は途中参加も嫌いなら、途中下車も我慢できない性格だ」

悔しいが、その通りだ、と私も知っていた。

仙南ビルは七階建ての白いビルだったが、真っ白とは言いがたく、夜の街灯で見ても汚れている個所は分かった。ビルの外周を歩いてみた。小さな神社がある。ビルの一階部分に食い込む形で、鳥居と狛犬《こまいぬ》、祠《ほこら》が揃《そろ》っていた。もともと神社のあった場所にビルを建築したのだろう。取り壊す度胸がなかったのか、信仰心の厚い社員の反対にでもあったのか、結局はビルが神社を抱きかかえる設計となったのに違いない。

正面の入り口は、公園から見て裏側の位置にあった。テナントの名前が記入されたプレートが立っている。一階部分は家電メーカーのサービスセンターだった。格子《こうし》状のシャッターが降り、電気も落ちていたが、室内の様子は覗《のぞ》けた。上の階には弁護士事務所が三軒も入っている。薬局チェーン店の支店、資格取得講座関連の業者、後は名前からは業種が想像できない会社がいくつかあった。何も考えずにビルの周囲を歩いてみる。

ペットボトル内の水が、たぷんたぷん、と揺れる。

ビルの周囲を三周ほどした私は、電信柱に寄りかかった。案の定、何事もない。考えてみれば、漫然と歩き回っている間に、放火魔が唐突に現われ、火が踊り狂わんばかりに広がっている、などという状況があるとは思いにくかった。

仙南ビルのごみ集積所が見えた。回収ルールの書かれた看板が立っていて、木で作られたごみ収集場所が設置されている。書類の束が一つ転がっていた。燃やされるとしたらあれだな、と私は決めた。仮に放火魔が現われるとしても、そして仮にこの仙南ビルを標的にしたとしても、あの紙束以外に火を放つわけがあるまい、だからあの紙の束を監視していれば良いのだ、と決定した。ようするに、ビルの周りをうろうろと歩くことが面倒くさくなって、山をかけたくなったのだ。

時計を見る。十一時少し前だった。無意識に、手に持ったペットボトルを開けて、ひとくち飲んでしまった。

その直後、背広姿の男性が前を通り過ぎた。とうとう来たか。背筋を伸ばす。鼓動が早くなる。じっと様子を窺《うかが》う。男は早足だった。頰が膨らんで見えたので、あれは、自分の不遇を憎んでいる顔だ、父によれば、「不満の発散」が放火の動機の一番人気らしいから、あの男が放火魔に違いない、と短絡的に思った。男が立ち止まり、転がっている書類の束を見つけて暗い笑みを浮かべ、世間を呪《のろ》う言葉の一つか二つを口にしながら火を放つのを、今か今かと待った。

ごみ集積所の前で男が立ち止まると、私の胸は俄然《がぜん》、高鳴る。会社員は手をポケットにやった。ああ、と私は思った。これはついに直面してしまったぞ。携帯電話を手に取り、春に電話をする準備をした。いよいよ俺は、放火魔を目撃するのだな、と覚悟を決める。

違った。

男はポケットからライターらしきものを引っ張り出しはしたが、口にくわえた煙草《たばこ》に火を点《つ》けただけだった。一服すると、腹に溜《た》めていた不平不満のたぐいは解消されたのか、すっきりとした表情になって歩きはじめた。ビルの裏にある駐輪場から自転車を引っ張り出し、去っていく。

落胆し、肩を落とした瞬間、つかんでいた携帯電話が震えた。動揺のためか、とてつもなく大きな振動に感じた。

「兄貴、こっちのビルが燃やされた」電話の向こう側で、春の声がする。

「本当かよ」

「公園から向かって右側の壁だ。兄貴のビルから一番遠い壁のところ」

「今行く」ペットボトルをつかんだまま、地面を蹴《け》った。

逃走者

広いバス通りに出てから、左折し、東北ゼミナールへ向かう。気持ちが先走るせいか足が絡まる。私の気持ちは、私の足のたえず数歩先を走っている、そんな感じで、追いつかない。

東北ゼミナールの入口に到着し、角を曲がろうとしたところで、見知った顔が目に飛び込んできたため、私は立ち止まる。正面に、突然女性が姿を現したのだ。

郷田順子だ。ゴダール事務所のあの、作り物めいた整った顔立ちの女が、マンションの陰から出てきた。背中を向けて、足早に遠ざかっていく。

偶然とは思いにくかった。深夜近くに、店もない道路をたまたま女性が一人でうろついていて、その女性に私がたまたま遭遇し、しかもそれが、たまたま私の知っている美人だとは、思えなかった。郷田順子の背中には緊張感があって、ただの帰宅途中とも見えない。ストーカーにでも追われているのだろうか、と私は安直に想像した。

夜、暗い道を、背筋を伸ばした郷田順子が足音も立てず、消えていくのは、うっかりすると幻でも目撃しているような気分になり、だからなのか私は無意識のうちに、持っているカメラを構え、シャッターを切っていた。フラッシュが焚《た》かれたが、彼女に気づかれた様子はない。

「兄貴」と春が大きな声を発するのが聞こえ、私ははっとして、建物の角を曲がった。脳裏に、職場に張られた垂れ幕の言葉が過ぎる。「作業は、優先順位をつけて、順番に」という、あれだ。

私の中では、放火事件のほうが、郷田順子の後ろ姿よりも優先度が高かった。

予想していたとはいえ、火を目撃すると足がすくんだ。炎は壁をよじ登るようだった。火の形は逆立つ髪にも見えた。まだ範囲は広くない。炎の一番高い先が私の身長くらいだった。葉が揺れるように、炎が動いている。ゆらゆらとした輪郭は、得体の知れない踊りに近い。春がその真正面に立っている。

「兄貴、水」春は比較的落ち着いていて、私が抱えているペットボトルを指差した。

焦《あせ》りながら、キャップを取り外し、炎の立ち上がっている壁に向かって、かけた。

「消防署には？」

「もう電話した」春が応《こた》える。

必死の思いでかけたミネラルウォーターは、火に呑《の》みこまれるようにして、一瞬にして消えた。音すらしない。それがどうかしたの、と炎に小馬鹿《こばか》にされたも同然だ。

ちょうどビルの反対側を歩いている時に放火されたらしい、と春はビルを指し示して、残念そうに顔を歪《ゆが》めた。「走ってきたら、男は逃げていくところだった」

「男？　女ではないんだな」意識する前に訊《たず》ねていた。自分では落ち着いてきたつもりでも、動揺と興奮は確かにあって、郷田順子が犯人だったのではないか、とその時になりようやく疑う始末だった。炎の熱が、顔面を照らす。

「男だって。どうして女だと思うんだよ」

私は言いよどんだ。現場近くにいた郷田順子はやはり、偶然、通りかかっただけなのだろうか。彼女を、男と見間違えることもあるまい。

「逃げよう」と春が口を開く。

「逃げる？」私は聞き返した。

「消防車が来たら面倒だ。きっと疑われるに決まっている。逃げたほうがいい」

「ちょっと待てよ。それなら、俺たちは何のためにここに来たんだ」

「放火事件のルールが正しいことを確認するため、それと、犯人を捕まえるため。でも犯人は逃げた。もうここにいる必要はない。それとも兄貴は消防隊や警察官に囲まれて、目撃者の役割をやりたいわけ？　意味がないよ。ここでのんびりしていても仕方がない」

承服しかねた。わざわざ寒い夜中に張り込んで、予想通り放火の瞬間を目撃したというのに立ち去るだけでは意味がない。これでは計画的な野次馬と変わらないではないか、と言ってみる。

「そんなことはないさ。兄貴も消火活動には参加した」春はにこりともせず、私の持っている、無力の結晶とでも言うべきペットボトルを指差した。「とにかく急ごう」

どこかから消防車のサイレンが聞こえた。焦燥感を煽《あお》るようなけたたましい音とその赤い灯りは、夜空を引っ搔《か》いて、暗幕を剝《は》がそうとする勢いがあった。

自転車が置いてある場所まで走る。放火現場からは五十メートル程度離れているが、消防車がビルに到着したのは分かった。威勢が良い消防隊員の声や、ホースを持って走り回るざわめきが、耳に、と言うよりも肌に伝わってくる。赤いサイレン灯が町中に照射され、犯人を罵倒《ばとう》するかのような忙《せわ》しなさで、建物を照らしていた。

「犯人は何に火を点けたんだろう」私は、春に訊ねた。

「さあ」

「まあ、火なんてのはマッチをこすって、ごみ袋につけただけでも、起こるからな」

「人生は一箱のマッチに似ている。重大に扱うのは莫迦々々《ばかばか》しい。重大に扱わなければ危険である」春がすらすらと口にした。はじめは何事かと思ったが、すぐに芥川龍之介の文章の引用だと気づいた。「そんなことを覚えているなんて、気持ち悪い奴《やつ》だな」と私が軽口を叩《たた》くと、「そうだよ、俺は気持ち悪いんだよ」と弟が笑った。

私はそこで、高校生の時の春が、やはりその文章を口にしたことがあったのを思い出した。「重大に扱うのは莫迦々々しい。重大に扱わなければ危険である。人の生き死には、まさにそれだよ」と彼は高校生のくせに、知った口を利《き》いた。笑いつつ、言った。そして、「俺の生まれたことなんて、その最たるものだよ」と続けた記憶があるのだが、それが、現実にあったことなのか、私の記憶が歪んで捏造《ねつぞう》されたものであるのかは、判然としなかった。

「放火なんて、酷《ひど》い奴だな」私は、その場にいない犯人を非難するつもりで言った。するど春が、「そうだね。最低だよ」と真面目《まじめ》な顔でうなずいた。「人の建物に火を放つなんて、最悪だ」

「そうだな」

「犯人は死ねばいい」春の言い方は真剣そのもので、奥歯を嚙《か》み締めながら、怒りに打ち震えるようでもあったから、私はそこでふと、弟は放火魔ではないな、と思った。つまり逆を言えば、私は心のどこかで、弟が犯人ではないか、という疑いと言うべきか予感と言うべきか、恐怖を感じていたことになる。ようやく、自覚した。

放火事件はまだ、続くのだろうか、と私が言うと、「きっと」と春は短く、囁《ささや》いた。

「で、俺たちはまた張り込むのか」

「兄貴、そうしない理由がないよ」

私はまた、郷田順子のことを思い出す。「春さんの精神状態は不安定です」という
あの忌々《いまいま》しい台詞が頭にへばりついている。

「また連絡するから」

「分かった」私の声にはあまり力がなかった。

自転車の向きを変えて、移動した。別れ際《ぎわ》、春はぽつりとこう言った。

「良心については、多数決の原理があてはまらないんだ」

驚いて、私は顔をしかめた。

弟はそれについては、何も説明を足さなかった。春は丈の短い赤色のジャケットを羽織り、細身のジーンズを穿《は》いていた。繊細さと勇ましさをまとった彼の姿は、私の知っているガンジーの物静かで老成したイメージとはずいぶん異なっていたが、彼の発したその言葉はおそらくガンジーの言葉なのだろう、とは見当がついた。春は心底、ガンジーのことが好きだった。彼が人生を送れているのは、もしかすると、ピカソと

ガンジーの存在のおかげではないか。ピカソとガンジーと、そして、父か。

「兄貴、たぶん、良心については、法律だってあてはまらないよ」

「何のことだ」

「多数決と法律は、重要なことに限って、役立たずなんだ」春は片眉《かたまゆ》を上げた。泣いているようにも、おどけるようにも見え、それはまるで、涙の描かれたピエロに似ていた。

印象派

放火事件の翌日、さほど苦労もなく、目を覚ました。時計が鳴るよりも早い時間に起きたのは、ちょっとした偉業にも感じられた。八畳のワンルームマンション内で起きた偉業は、誰にも誉《ほ》められない。残念だ。

玄関から抜き取ってきた新聞に目を通す。放火のことは記事になっていなかった。犯人は捕まっていない。目撃者もいない。張り込んでいた兄弟の情報も、夜に消えた美人のことも、きっと誰も知らないのだろう。拍子抜けしつつも、焼いた食パンを牛乳で押し込んだ。スーツに着替え、ネクタイを締めながら、机の上の小箱に目をやる。

大き目の筆箱ほどの大きさがあった。DNA検査用の採取道具が入っている。鞄《かばん》にしまい、時計を見る。七時を少しだけ過ぎていた。自転車で行けばちょうど良いくらいだな、と計算をする。計算通りの人生なんてまっぴらだ、と思いながらもどうして私は計算をしてしまうのだろう、と思った。

マンションのエントランスで、部屋番号を押した。自転車を漕《こ》いできたので、息が少し上がっている。オートロックのシステムで、外部から入る者は、訪問先の人間を呼び出し、鍵《かぎ》を開けてもらわなくてはならなかった。

インターフォンに出た葛城は愛想が悪く、あからさまに不機嫌《ふきげん》だった。時計を見る。約束の八時の五分前だから、早く来すぎたわけでもない。

「先日、お約束したジーン・コーポレーションの者ですが。検査の件で伺いました」

「ああ」と呻《うめ》く声がする。「何だよ、もう朝かよ」その後で、「最悪だよ」とも言った。

しばらくすると、かちゃりと鍵が外れた。何度来ても、立派なマンションだ。暗い鼠色《ねずみいろ》の壁は、冷たい石を思わせた。丁寧に壁塗りがされている。エレベーターは滑らかに動き、十九階にはすぐに到着する。各戸の玄関ドアの重量感が素晴らしかった。ニスが効いた厳かなドアは、侵入者を怯《ひる》ませるのには充分な重々しさを備えている。

葛城は、黒いシャツを着ていた。襟が広がって、胸元が見えている。年のいったホストを思わせ、鋭い目とくっきりとした眉、高い鼻と、もともと外国の俳優さながらの顔立ちであるためか、様になっていた。

部屋は片づいていて、テーブルの上にビールの缶や新聞や郵便物が置かれてはいるが、床にがらくたが転がっていることもない。電気器具のリモコンも、きっちりと大きさの順に揃《そろ》えられていた。サイドボードにはグラスが、綺麗《きれい》に並べられている。部屋に入ると、左手の空間はそのままベッドルームに繋《つな》がっていた。いつもは横開きの戸で仕切られているが、そこが開け放しになっている。

三人の人間が添い寝できるような、大きいダブルベッドが置かれていた。寝室のほうは、物が散乱している。脱ぎ捨てられたシャツや背広、バスタオル、女性用の下着、めくれ上がったベッドカバー、それから全裸で横になる女性がいた。真っ白い裸体は、黒いベッドの上に置かれた巨大な陶器にも思え、はじめはまじまじと見つめてしまう。全裸の女性だと気づき、慌《あわ》てて視線を逸《そ》らした。

マネの、「草上の昼食」という絵を、咄嗟《とっさ》に思い出した。印象派絵画の話になるとよく持ち出される、あの絵だ。ピクニック中の、紳士と裸の女性が描かれている。あの絵に描かれた裸婦の唐突さは、今、私の目の前で寝転がっている女性のそれと似ていた。十九世紀、展覧会ではじめてあの絵を観《み》た評論家たちは、今の私と同じ気持ちだったのかもしれない。違和感のある裸婦に怯み、目を逸らし、動揺し、居心地が悪くなる。取るべきスタンスは二つある。批判し、唾棄《だき》するか、もしくは、理解したふりをし、絶賛するか。マネは不本意にも反逆者のリーダーのように扱われた。

男はどぎまぎする私を見て、鼻に皺《しわ》を作った。人を見下しつつも肩に手を回してくるような、嫌な笑い方を彼はする。おまえも俺の仲間だろ、と言わんばかりの笑みだ。

裸の女性が寝返りを打つ。そりゃそうだな、と内心で思った。裸の女性だって寝返りくらいするだろう。

「どう、おまえも、やっていく?」男はベッドを親指で指差した。「女、貸すよ」

二枚目の葛城が言うと、どこか颯爽《さっそう》とした気配もあったが、私としては、苦笑いをしてみせるのが精一杯だった。「やる」というのが何を指すのかくらいは分かる。

「昨晩はお仕事ではなかったのですか」電話では、確か朝まで用事があると聞いた。

「ああ」男は不意をつかれた兵士のような顔になった。疲労と苛立《いらだ》ちと、それから不安の混じった顔だ。視線が揺れた。「いろいろ腹立たしいことがあったんだ」

「腹立たしいことですか」

「畜生」急に葛城は、発作的に、この場にいない何かを罵《ののし》った。「最悪だよ」

「何かあったんですか」と私が言うと、葛城は目の周りを引き攣《つ》らせた。「夜中にいろいろあったんだ」

なるほど、売春斡旋《あっせん》業に関わるごたごたのことだろうか、と私は納得しかけたが、念のため、「どこに行っていたんですか」と遠慮がちながら追及してみた。葛城は答えてはくれなかった。「しかもだ、帰ってきたら、空き巣に入られてた」と嘆くだけだった。

「空き巣ですか」慌てて部屋を見渡してみるが、荒らされている形跡はなかった。つまらない冗談かと思った。

「ベッドの下に入れてあった金がやられた」

「嘘《うそ》でしょ？」ついつい馴《な》れ馴《な》れしい口調になった。

「嘘じゃねえよ。空き巣が俺の、この部屋に入ったんだよ」

「お金を盗《と》られたんですか」

「うるせえな」ようやく、無関係の私に喋《しゃべ》りすぎたことに気がついたのか、乱暴に言った。そのかわり、机の上の紙を私にちらりと見せた。

「これ、何ですか？」

「知らねえよ。空き巣が残していきやがった」

私はその紙に、ざっと目を通した。泥棒の書き置きのようだった。読み進めてみる。あまりに現実味がない内容で、笑いを堪《こら》えるのが大変だった。部屋に忍び込んだ方法や、盗んだ額が記入されていた。オートロックのセキュリティをどうやって抜けたのか、だとか、ピッキング対策用の鍵の場合、カム送りという原始的な手法で開錠できる物がある、だとか、忠告とも報告ともつかないことまで書かれていた。しまいには、「誰にも危害は加えていないし、部屋も荒らしていない。あなたが生活を続けていく上での不安はどこにもない」と親切な台詞まで書かれている。

「妙な空き巣ですね」と私は言った。「ベッドの下から二十万円をいただきました」という記述もある。まるで領収書だ。

「馬鹿《ばか》にしやがって」

「誰かの悪戯《いたずら》とかではないですか？」

「誰のだよ」

「誰かの」

「こんなの、悪戯なんていう可愛《かわい》いもんじゃねえだろうが」

どうしていいか分からず、ベッドルームに視線を向けてしまう。裸の女性が目に入る。その白さは、柔らかさの象徴にも思え、私は自分の下半身に落ち着かないものを感じ、すぐに目を逸らした。葛城は、そういう私の態度を見て、嬉《うれ》しそうだった。

「あの女は関係ねえよ。家に帰ってきて、空き巣に気づいて、それから呼んだんだよ。苛々すると女を抱きたくなるだろ？ むしゃくしゃしてるとよ」急に活力を取り戻した顔になる。

葛城の顔には、ぎらぎらとした精力的な脂《あぶら》のようなものが浮かんでいる。決して尽きぬようなバイタリティが、彼にマンションを手に入れさせ、金を蓄えさせ、人生を反省する機会を与えなかったのに違いない。

やがて葛城は、若い頃の話をはじめた。彼にとっては怒りや苛立ちを鎮《しず》めるには、自慢話を喋るのが一番効果的なのだろうか。空き巣への怒りも、どこかへ放り投げてしまったようだった。若かった自分が、どれほど悪どいことをやっていたかという話を、とうとうとしはじめた。喋れば喋るほど気分が高揚するらしく、興奮を見せ、驚いたことには次のようなことも言った。「強姦《ごうかん》ってあるだろ」

いきなりだったので私は、返事がすぐにできなかった。

「強姦ってのは悪いことだと思うか？」

いったい何という問いかけなのだ、と恐れすら感じながら、私はそれでも、「そりゃ、悪いことですよね」と答えた。おそらくは私がこの世の中で最も、不快感を覚える質問の一つだろう。

「どうして、悪いことだと思う」

「そりゃ、強姦された人が可哀相《かわいそう》だし」

「それだよ」葛城は微笑《ほほえ》んだ。無知が罠《わな》にかかったのを、楽しむ顔だ。「いいか、そこが大事な点だ。可哀相なのは強姦された女で、俺ではない。そうだろ」

「はあ」

「俺は気持ちいいだけで、苦しいのは別の人間なんだ。犯罪の快楽は俺にあって、犯罪の被害は、俺の外部にある。ということは、強姦は、悪じゃない」

私が思い出したのは、批評家のモーリス・ブランショがマルキ・ド・サドについて語った言葉だった。まさに葛城の言った思想と同じものを、彼は、サドから読み取っていた。すなわち、「サドの哲学は、利益とそれから完璧《かんぺき》なエゴイズムのそれである」と。「各人はおのれの快楽以外の掟《おきて》を持たないのだ」

葛城はさらに、「よく、相手の気持ちを考えて、なんていう奴《やつ》がいるだろう？　優しさは想像力だ、とかな」とつづけた。

「ええ、優しさは想像力だと思います」

「違うんだよ」葛城は顔をしかめた。「俺は、想像力の塊だよ。想像力が服を着て歩いてるようなものだ。強姦される相手だとか、痛めつけられる相手が、どれくらい苦痛を感じるのか、想像することができる」

「それで？」

「俺はさらにその先を考える。その苦痛を受けている被害者は俺ではない、ということを、俺は知っているんだ。俺はそこまで想像できるわけだ。相手の気持ちを想像して、自分の苦しみに感じるなんて、それこそ想像力が足りないんだ。もっと想像力を働かせれば、その苦しんでいるのは自分ではない、ということまで理解できるはずだ。そうだろ」

私はこっそりと深く呼吸を繰り返した。油の塗られた鉄板の坂道を、這《は》いつくばって上りきるような、必死の努力の末、「鋭いですね」と言った。そして、本来の用件に戻すため、箱をテーブルに出した。

「検査のことですが」

「これが検査道具？」

箱を開けると、中に試験管のような透明の容器が三本入っている。キャップを取り外すとその内側に綿棒が付いているので、相手に渡す。

「これで口の中の、頬の内側を擦《こす》ってもらうだけです」自分の口を開けて、動作をやってみせた。

「そんなんでいいのかよ」

「十回くらい、やってもらえれば」

「唾《つば》から採るわけ？」

「いえ、内側の細胞なんですが」

細胞っていうのは何だか嫌だな、と葛城は顔をしかめたが、綿棒を受け取ると、口の中に入れた。半信半疑の表情をしながら、頬の内側に動かしている。

返してもらうと、綿棒を下に向けたまま、試験管の中に素早く挿し込んだ。キャップを回して閉める。残り二本についても同様の作業を繰り返す。

「終了ですよ」

「何だか、嘘くせえなあ。これで健康状態が分かっちゃうわけか」

「何せ遺伝子ですから」私は適当に言う。「DNAですよ」

「そんなものか。いつ頃、結果が出る」

「二週間ほどで結果が出ますので、郵送させていただきます。コンピューターから出力されたレポートがそのまま送られますので」

そうか、と葛城はうなずいた。

荷物を片付ける最中、葛城がテーブルの上の新聞を持ち上げた。その際、横にあった封筒がひっくり返り、中から、数枚の写真が飛び出した。私は反射的に目をやるが、するとそこには、ビルの壁が写っていて、はっとする。葛城がすぐにそれを拾い、封筒に押し込んだので、よくは見えなかったが、その写真は落書きが撮られたものにも思えた。私の視線が封筒に向かっているのに気づいたのか、葛城は取り繕うように、「下らねえ写真だよ」と短く言った。

「では、これで」私は挨拶《あいさつ》をしながら、意識していないにもかかわらずベッドを眺めてしまう。

弟の言葉を思い出していた。「人間が性的なのは分かるんだ。必要なことだからさ。俺はそれが嫌だっていうんじゃないんだよ、兄貴。ただ、世の中からセックスが消えた途端に、人生が終わってしまうような奴らが大嫌いなんだ。普段の生活を、次のセックスまでの穴埋めとしか考えていないような男は多いよ。多いし、醜い。作家や哲学者がね、セックスや暴力の話をして、さも自分は人の上にいるような顔をしているのも大嫌いだ。そんなのはアフリカの草原でガゼルの子供を食いちぎっているライオンに聞かせたら、鼻で笑われる。『セックスと暴力、ああ、あれね』ってさ。『そんなことは知ってるから、もっと面白い話を聞かせてくれ』俺が野生動物なら絶対にそう言う」

玄関で向かい合った葛城は、「でもさ、おまえの会社も太っ腹だな。無料で検査してくれるなんてよ」と笑った。

「PR活動のようなものです」礼儀正しくお辞儀をし、私は部屋を出た。重量感のあるドアを閉めた。空き巣が開けたという鍵穴をしげしげと眺める。どんなセキュリティも突破する人間は突破するものだ。

深呼吸をし、遺伝子を鞄《かばん》にしまう。重苦しくも、つらい気分だったが、視線を上にやれば空は雲がちらほら見えるだけの晴天で、それだけが唯一《ゆいいつ》の救いだった。

ヘップバーニング

マンションのエントランスから出ると、薄汚れた物が目に入った。場違いなものが置かれているなあ、と思ったら、十年も前から乗りつづけている私のマウンテンバイクだった。しゃがみ、車輪につけていた鍵《かぎ》を取り外していると、上から声がした。

「どういうことです？」

驚いて鍵を落としてしまった。拾って、すぐに立ち上がった。郷田順子がそこにい

ると は、予想もしていなかった。

「先日の」私は上擦った声で言う。昨晩見かけましたよ、と口に出しかける。放火現場に何の用だったんですか、と。

「このマンションに何をしに来たんですか」彼女は冷たい口調で、言った。

「そっちこそどうして」

「調査です、もちろん」

「こんな朝早くから？　ここは別に文化会館なんかじゃないし、落書きもない。JLGには関係がなさそうだけど」

「気になることがありまして」

美人の顔は鉄面皮に近かったが、ぎこちなさも窺《うかが》えた。私はそこで決断をし、「放火事件に関連すること？」とぶつけてみた。自分の手にあるボールの正体が、どのような性質のものなのかさっぱり分からなかったが、目の前に敵が出現したので、とりあえずそれを投げつけてしまえ、そういう乱暴なやり方だった。

美人の顔は歪《ゆが》んだ。息を呑《の》む顔になり、青褪《あおざ》め、その後で赤くなったが、やがて、元の無表情に戻った。「何がです？」

白を切るな、と私は思いつつ、「昨日の夜」と言ってみる。どこまで手の内を見せるべきなのか悩んだ。

先に切り出してきたのは、彼女のほうだ。「昨日の夜、放火事件があったのをご存知ですね」

「仙台駅の西口。東北ゼミナールのビル。で、君もそこにいただろ？」私は開き直った。持っている手札をすべて晒《さら》すことに決めた。出し惜しみをする余裕はない。美人は一瞬、耳たぶを引っ張るようにし、それから、駆け引きを企《たくら》むように髪を触った。

「わたしに気づいていたんですか？」

「君こそ、こっちに気づいていたわけ？」

「わたしは、春さんの後を追っていたんです。あなたは、はじめ、春さんと一緒にいましたね」

「その後で、春とは別行動を取ったんだ。別のビルのところにいたから」

「ああ、そういうことですか」

「君も放火事件の現場にいた」

「ええ」

「どうして、そこまで春にこだわるんだ」

「こだわる？」彼女はどうしてかそこで絶句した。自分自身に問い質《ただ》しているかのようだ。「理由は言えませんが、とにかく、わたしは、春さんのことを調査しなければいけないんですよ」

「理由もなく？」

「ないのではなくて、理由は言えないんです」

「君のところの団体は、そういう刑事みたいなことをやるんだ」

「わたしがやっているんです」

「つまり、そういう部署があるんだ？　君の働いているところには」

「そうなりますね」彼女は意固地になる雰囲気もあった。

「徹底しているんだ？」

「そうです。わたしは徹底しているんです」どういうわけか彼女は誇らしげだった。

それから私は、彼女が喋《しゃべ》っていた、「ノート」のことを頭に浮かべた。歴史上の有名人の名前が羅列してあるという春のノート、だ。あれは、実在するのだろうか。目の前の美人が捏造《ねつぞう》した作り話ではないか、と半ば疑っていた。

「昨晩、私は春さんの後を追って、あそこに行ったんです」

「あんな夜中に、君、一人で？」

「あんな夜中に、わたし一人で」

「ゴダール団体というのは、女性にそんな危険なことまでさせるのかい」

「日本文化会館管理団体です」

「そこまで、春を追いまわす意味があるとは思えないな。毎日尾行している意味が。あなたは年がら年中、春を追っているわけ」

「ええ」当然のようにうなずいた。少なからずぞっとするものを感じた。「でも、いつも完璧に追えるわけではありません。わたしは車を持っていないので、タクシーが捕まらなければそれまでですし」

「そんなのは、徹底的とは言えないじゃないか」茶番を聞かされている気にもなった。そんな中途半端な調査があるのだろうか。車もなく行き当たりばったりで、杜撰《ずさん》なやり方ではないか。反射的に、探偵の黒澤を思い出す。彼は手際《てぎわ》が良かった。おそらくあの探偵であれば、美人の郷田順子が一ヶ月で手に入れる情報の、数倍は有益な内容を、ほんの数日で得ることができる。

「後を追っていったら、放火が発生したってこと?」話の先を急いだ。腕時計を確認する。会社に遅刻するわけにも行かない。

「そうです」

「君が放火魔ではないか」そこでまた、強引にボールを投げつけてみた。

彼女の顔をじっと見る。二重の目が目立ち、鼻筋が通っている。若い頃のオードリー・ヘップバーンを思い出した。本当によく似ていた。映画のポスターに写っていたヘップバーンだ。反射的に、「Hepburn」というスペルが浮かび、ヘップバーンの「バーン」は「焼ける」という意味だなと気がついた。世の中は、火や火事に関わるもので溢《あふ》れている。そんな感覚にも囚《とら》われる。

「わたしは犯人ではありません」

彼女は、濡《ぬ》れ衣《ぎぬ》を着せられたことを激怒することもなければ、当てずっぽうを口にする大馬鹿者《おおばか》め、と嘲笑《あざわら》ってくることもなかった。冷静な答え方だった。

「春さんに聞けば分かりますよ」

「春に？」

「わたしが犯人かどうか、春さんは判断できるはずです」

「確かに春は、犯人が男だったと言っていた」

腕時計に目をやる。そろそろ時間切れだ。私の職業は、美人と駆け引きをすることではなくて、サラリーマンだ。「教えてくれ。君は放火が行われた後、あの現場を去った。そうだろう？　でも、君の目的は春を調査することだった。理由は言えない。そうだ、言えない理由で調査をしていた。それなら、まだ残っているべきだったんじゃないのか？　春はまだあそこにいた。どうしてあの時、立ち去ったんだ。おかしいじゃないか」

興奮したわけではないが、時間がないため、自然と早口になった。

「あの現場から、逃げた男の人がいたんです」

「え？」

「だから、わたしはその人を追うことにしたんです」淡々としていた。

「そいつが犯人だから？」

「あの男が放火魔だと思ったから、尾行してみたんです」

「君は放火魔を見たのか」

「火を放ったところは見ていません」彼女に嘘《うそ》をついている様子はない。「男を追っていったら、そのマンションに辿《たど》り着いたんです」

私が出て来たばかりのマンションを指差した。

「ちょっ」口がうまく回らなかった。「ちょっと待ってくれ。このマンション？」

彼女はほんのわずかに顎《あご》を引いた。「気になったので今朝も来てみたんです。そうしたらお兄さんがいたのでびっくりしました」

まったく驚いていない口調だ。美人が驚くのは、おそらく自分が老いていく事実に気づいた時なのだろう。

「空き巣?」私は咄嗟《とっさ》に、そんな訊《たず》ね方をした。

「何がです」

「昨晩、このマンションに空き巣が入ったんだ。君が見たのはそいつかもしれない」

「どうでしょう。自宅に戻ってきたようにしか見えませんでしたけど」

「君が空き巣だったりして」

「だったりしないんですよ」

近いうちに連絡をするから、絶対に連絡するから、詳しい話を聞かせてくれないか、と私は強引に約束をして自転車に乗った。口説いているのと紙一重に思えたが、気にしている余裕はない。かなり飛ばさなくては遅刻だ。マンションをもう一度、見た。

葛城の姿が思い浮かび、ダブルベッドに横たわる裸婦の艶《なまめ》かしい動作が頭を過《よ》ぎる。混乱する。頭を振る。ペダルを漕《こ》ぐ。

仁リッチ

会社の席に到着した直後、社長がフロアに入ってきた。間一髪、間に合った。五階フロアの西側が私の所属している部署、営業局の第二営業部だった。五十人近い部員が起立し、社長に挨拶をする。私は位《くらい》の高い上司たちの座席からは、もっとも遠いところに机があるため、一番後ろから社長の姿を見ていた。

「遅刻の者はいるか」社長の声は大きく、マイクなしでも充分に届く。彼が研究者だった時には、別の階に電話を回す際、内線を使わずに窓を開けて大声で呼び出していたと聞いたことがあるが、さもありなん、と思えた。

遅刻者はいなかったが、病気で休んでいる者が一人いて、部長がその事情を必死に説明している。急性の虫垂炎で入院中だと聞くと、仁リッチは、「もっとマシな嘘をつくように言っておけ」と一喝した。社員の苦笑がじわっと部屋に滲《にじ》む。仮病を使ってまで会社を休む者がいるとは思えなかった。有給休暇を消化する権利は誰もが持っているのだし、仮に嘘をつくにしても、盲腸とは大袈裟《おおげさ》に過ぎる。

社長はとりあえず、怒る。不手際があると怒る。不手際がなくとも怒る。手際が良すぎても怒る。社員の気を引き締めるためだ。

私は、社長が嫌いではなかった。彼は会社としての一体感を望んでいるのだろう。現実にそれが、現代社会に必要なものなのか、有益なものなのかはさておき、社長自身が会社の、「仲間意識」を好んでいた。社員の給料のことを、「小遣い」と呼んでいるところから推測するに、社長は会社をある種の大家族と思っているのだろう。そして自分自身も、家長としての尊厳を保つことを意識している。だから、怒る。「家族」というコンセプトは、遺伝子の会社には相応《ふさわ》しい気がするので、私は社長のやり方には好感を持っていた。

「会社は会社、家族は家族、プライベートはプライベートだよな」と言う同僚もいる。「会社なんてさ、給料を貰《もら》うためだけに来てるんだからさ」と社長を煙たがる。

そういう彼らに限って、会社に多くを望み、愚痴を垂れ、リストラクチャリングがはじまると親に裏切られたような形相で怒り出すのは、不可解でもあった。

「遺伝子の読み取りが、必死に行われているがな」と仁リッチは高らかに言った。

ヒトゲノムプロジェクトは、人間の塩基配列をすべて決定しよう、という国際的な、つまりはそれなりに壮大な計画だ。染色体二十三本の中に書かれている、三十億の文字列を全《すべ》て読み取ろう、というのだ。

「この間は、どこかのテレビ局の馬鹿が、『これで生物の秘密が全て分かる』などとぬかしていた。ふざけるなという感じだな」仁リッチが声を張り上げた。

社長の言い方に、私たちは笑い声を上げる。

「生物や生命のことがそう簡単に分かってたまるかって言うんだ。遺伝子についても何も分かっちゃいない。配列を読み終わったくらいで何だと言う。これはあくまでもスタート地点に過ぎない。だろ? 遺伝子の並びが解読できたからって、材料を試験管に入れて搔《か》き混ぜたら、ヒトができあがるか?」

仁リッチは、部長を指差した。小心者の部長は困った顔をしながら、「い、いえ」と答えた。「無理です」と。

「そうだとも、無理なんだ。ゼロから生物は作れない。だから、すでに存在する生物に遺伝子を組み込む、というやり方しかできないんだ。私はな、遺伝子というのは会社の社員だと思っているんだ」

それは、私が聞いたことのない喩《たと》え話だった。

「生き物を会社だと仮定しよう。そうなると遺伝子は社員に当たる。遺伝子の役割は、必要に応じて、必要なタンパク質を作り出すことだ。社員も一緒だ、必要な時に、必要な仕事をする。経理を担当する社員、営業活動を行う社員、客と応対する社員、新しい技術を考案する社員、それぞれが対応する仕事を持っているわけだ。それぞれが遺伝子だ。そこでだ、ある優良企業を想像する。食料品メーカーとでもするか。経営状態の安定した食料品の企業があるわけだ」

社長は一度、咳払《せきばら》いをし、続ける。

「他の会社が、秘密を探ろうと企《たくら》んだとしよう。どうして、その企業が成功したのか、それを知りたがった。そして、社員を一人ずつ調べ上げた。それぞれの能力や役割を調査する。つまり遺伝子を調べるというのは、これと同じことだ。全社員の能力調査だ。これも間違った方法じゃない。優秀な技術者がいる、事務処理の得意な女性社員がいる、人望の厚い管理者がいる、苦情処理の得意な担当者がいる、こういう要素を取り出して、『だからあの企業は成功した』というのは、それほど的外れじゃない。その証拠に、別の食料品メーカーに、その優れた技術者を割り当てれば、もしかしたら、そっちの会社の業績も上がるかもしれない。不良社員を辞めさせ、まともな者を配置させれば、会社の不利益はなくなるかもしれない。これはまさに、遺伝子操作と同じ考え方だな。社員の入れ替え、遺伝子の入れ替え、だ。有効ではあるわけだ。ところが、それで企業の秘密が全て分かったと言えるか？」

今度は課長のことを指差した。課長はこれは、いつも冷静で真面目《まじめ》な男であるから、落ち着いたもので、「いえ、言えないでしょうね」とはっきりと返事をした。

「そうだとも。言えない。その企業の社員を全員集めてきて、体育館のようなところで『さあ、会社をはじめなさい』などと言っても、食料品メーカーとして機能はしない。そうだろう？　試験管に材料を入れてもヒトが生まれないのと一緒だ。企業は社員で構成されているが、別のもっと大きな要素も必要なんだ。つまり箱というか、仕組みだな。企業の方針であったり、本社の場所であったり、工場の仕組み、それ以外のさまざまなルールやシステムが必要だ。遺伝子を調べ上げても、ヒトの秘密は完全には分からないのもそれと一緒だ。昔の科学者は勘違いをしていた。DNAをいじれば生物は変化する、と思っていたんだな。進化は、DNAの突然変異で起きるなどというやつがいるからだ。だから大腸菌のDNAをいじれば、そこから違う生物ができあがると信じていたわけだ。その気になればチンパンジーの遺伝子に変化を加えて、ヒトにすることもできると思っていた。けれどヒトの細胞はヒトにしかならないし、チンパンジーはチンパンジーにしかならない。大腸菌は大腸菌のままだ。千年待っても、たぶん、大腸菌だ。遺伝子の操作をしても別の動物にはならない。そりゃそうだろうよ。保険会社の社員をごっそり食料品メーカーの社員と入れ替えたら、食料品メーカーになるか？　ならんだろ。優秀な会社にはなるかもしれんが、そこは絶対に保険会社のままだ。外側の箱は、システムが、保険会社なんだからな」

仁リッチはその後も大声で好きなことを喋っていた。退屈しないから不思議だ。

「ただ」仁リッチは最後に言った。「ただ、遺伝子は重要だ。これは勘違いするな。私たちは遺伝子には逆らえないんだからな」

何だかんだと言いながらも、仁リッチは遺伝子至上主義だった。だからこそジーン・コーポレーションという企業を起こしたのだろう。

数年前、仁リッチに、「子供を残さないことを選択すれば、遺伝子に抵抗できるのではないか」と発言をした、恐れ多い社員がいた。私だ。平社員が社長と議論をするという社内イベントの時で、つい感情的になってしまったのだ。

仁リッチはあくまでも、社員のことを可愛《かわい》い息子としか思っていない。だから、私の意見も反抗期の息子の暴言程度にしか受け止めてなかったのだろう。

「それは、巨大な船の上で逆方向に歩くのと一緒だ」と憎々しいくらいの余裕を見せた。「甲板上で乗客の一人が逆方向に歩いたところで、影響はないだろうが。そんな一人の行動とは無関係に、船は進む。沈む時は沈む。遺伝子の大きな力の前では、個人の反抗なんて何の影響もない。しょせんは船の上だ」

私はその後も、どうにか反論を試みようとしたが、結局は諦《あきら》めた。

私たちは遺伝子を扱う仕事をしているため、遺伝子の持つ情報量や、単純さと複雑さを兼ね備えた巧妙な戦略について、普通の人間以上によく知っている。知れば知るほど、そのよく出来た仕掛けに驚き、感嘆したくなるのも事実だった。

けれど私にとって、遺伝子の力を全面的に認めてしまうことは、許しがたいことだった。認めたら、私の父や弟はどうなってしまうのか。遺伝子の繋《つな》がりが皆無の、父と春はまったくの赤の他人ということになり、春は強姦魔《ごうかんま》の設計図を身体《からだ》に巻きつけているということにはならないだろうか。

ドストエフスキーの描いた、カラマーゾフの兄弟たちのことをよく思い出す。彼らは、父親との血のつながりにいつも怯《おび》えていた。兄弟のうちで一番知的に見える次男が、確かこう言う。

「カラマーゾフの力さ。カラマーゾフ的な低俗の力だよ」

あれはまさに、自分に流れる父親の血を、つまりは遺伝子を自嘲《じちょう》する言葉に違いなかった。三男が、「君だって、カラマーゾフなんだぜ。なにしろ君の家庭じゃ情欲が炎症を起こすほどになってるんだからな」と非難される場面も、私はよく覚えている。まさにそれは、春に対する批判に近いと感じたからだ。同じ理屈で言えば、私の弟には、「強姦魔の低俗な力」が作用している可能性があったし、「君だって強姦魔なんだ」と指摘されることも大いにありえた。君の父親は情欲が炎症を起こすほどだ、と。

だから私は、遺伝子が絶対的だとは思いたくなかった。世の中には、「カラマーゾフ的な力」なるものも、「強姦魔の血」も存在しないはずなのだ、と勝算がなくとも、主張したかった。

ぼんやりと考え事をしている間に、仁リッチの話は終わっている。私たちは椅子《いす》に腰を降ろし、平常作業に戻る。

鞄《かばん》から取り出した書類を持って、承認印をもらうために課長席に向かった。

仁リッチが、「で、先ほどの盲腸で入院しているという、その病院を教えてくれないか」と部長に質問をしているのが耳に入った。見舞いに行きたい、と照れくさそうに言っている。仁リッチは憎めない家長だ。私は嫌いじゃない。

テレパシー

課長は書類の内容をろくろく確認もしないで、承認印を押す。まことに素晴らしい。私の所属する第二営業部は、官公庁を相手とする部署で、各営業社員はそれぞれ担当の省庁を受け持っている。上場している企業を担当するのは第一営業部、普通の一般個人は第五営業部と、棲《す》み分けがされている。では、私たち第二営業部の人間が、一般個人からの仕事を請け負ってきた場合にはどうするか。

二通りの方法がある。一つ目、その顧客を本来の担当部署である第五営業部に回す。同期や知り合いが散らばって配属されているので、電話一本で簡単に連絡はつく。二つ目、自分で顧客対応を行う。もちろん部の担当範囲を飛び越しての仕事になるので、手続きが必要となる。けれど、手続きさえすれば、問題はない。

だから、課長の承認印が必要だった。

課長は、私の持ってきた書類をぱらぱらとめくると、「個人の検査?」と質問をし、私が、「はい」と答えると、何も言わずに印を押した。おそらくそこで、私が、「いいえ」と返事をしたところで、中指を立てて、「駄目上司」と罵《のの》ったところで、押しただろう。

朝、葛城から採取したものと、引き出しにしまったままだった別の検査用試験管を合わせて、検査課に提出した。

検査の申込書には様々な記入項目があり、本来であれば検査依頼者本人が記入するのだが、私はそれを自分で書いた。駅前の文房具屋で購入した三文判の印を押す。

検査課の窓口に座っていたのは、同期の友人だった。ヒデオだ。

時代が時代であれば、名前の通り、民衆を先導する、「英雄」となりえたのではないか、と思えるほど優秀な男だ。

それ以上は望めない学歴を持ちながらも威張り散らさず、会社の創設以来の好成績で入社したが、そのことを鼻にかけていない。遺伝子や化学の知識が豊富なのはもちろんのこと、無類の読書家で、ユーモアの感覚も優れていた。

私たち同期の間では、彼がどうしてジーン・コーポレーションに入ってきたのかが謎《なぞ》だった。仁リッチがかなり強引に入社させたという噂《うわさ》があったが、英雄は否定する。

「未来を選びそこなった」と彼はよく冗談で言うが、私たちからすれば笑えなかった。

「まさにおまえは選びそこなったのだ」

英雄は、私に気がつくと、「よお」と歯を見せた。書類の不備がないかを彼が確認する間、私は落ち着かなかった。

「泉水、これ、おまえの苗字《みょうじ》と同じだな」と春の検査申込書を指差してきた。

「弟だよ」と苦笑いをする。「前に頼まれたのにずっと検査に出していなかったんだ」

「ふうん」友人はそれ以上は何も質問をしてこなかった。

「この検査結果は急ぎでほしいんだよ」

「分かった。優先度を上げておくから」

「結果は、俺の携帯電話にかけてくれ」

自分の部署に戻る前に、私はビルの一階へエレベーターで降り、角にある売店に使い捨てカメラの現像を頼んだ。三十分ほどでできあがる、と店員は自慢げに言ったが、その一方で、世の中はデジタルカメラ一色だから、フィルムのカメラはそのうちなくなるよ、そろそろ、使い捨てのデジタルカメラが出るかもしれないな、と自信満々に予言した。

自分の机に戻ると、私の頭の中は途端に混乱した。仕事中は考えまいとしていたのだが、気を抜いてしまったのだろう。作業用の端末を起動させている間、欠伸《あくび》混じりに伸びをすると、その隙《すき》を待っていたかのように疑問が次々と湧《わ》き上がってきた。

原因はいくつかあるが、基本的には、郷田順子のことだ。昨晩の火事現場に、彼女はいた。春の後を追っていたのだ、と言うが、あんな深夜に、どうして追いまわす必要があったのか。文化会館など近くにはなかったし、そこまで熱心に調査を行うのは理解しにくい。

彼女は、春を尾行し、火事現場に遭遇した。そこから逃げ出す不審な男を目撃した。そう言った。男の後をつけ、その結果、あのマンションに辿《たど》り着き、そこが私の訪れたあの高級なマンションだった。何だこのつながりかたは、と頭を抱えたくなる。

無意識のうちに私は、机の上のメモ用紙にボールペンで落書きをしている。何重にもなった円や、直線を書いていたが、その隅に、「葛城」とあった。いつの間に、自分が書いたのかはっきり分からないが、確かに私が書いたものだ。

あのマンションにいるのは、葛城だった。郷田順子が追ってきたのも、あの男ではないのか？　私は自分の落書きから、メッセージを受け取った気分にもなる。「葛城」の文字から斜めに線を引っ張り、その先に、「犯人？」と書いたが、すぐに、その文字を黒く塗り潰《つぶ》した。

端末にパスワードを打ち込む。しばらくすると、エラーメッセージが表示される。打ち損じたらしい。再度、キーボードを叩《たた》きながら私は思い立って、隣の女性に訊《たず》ねた。

「教えてほしいんだけど。住所も電話番号も不明の女性と連絡を取るにはどうしたらいいのかな？」

二十代前半で、電話取り次ぎでミスをしても決して怒られない、事務職の女性は、「ショートカットですね？」と言った。

「え？」近道のことかと思った。

「泉水さんって絶対ショートカットの女性が好きそうだから。前に好きな芸能人を聞いた時も、みんなそういうタイプでしたよ。どこか街中で、いい女性を見かけたんですか」

「いや、そういうんじゃないんだよ」

「長髪が好みですか」

「そういうのではないんだ」

「長髪でもないんですか？」

「一般論としてなんだけど、女性に連絡を取る方法ってあるかな。知恵を貸してほしいんだ」

「一般論」彼女は笑いを噛《か》み殺していた。「メールアドレスとかは」

「それを知っていれば、苦労しないよ」

「ある程度の住所が分かれば、番号案内で教えてもらえるんじゃないですか」

「なるほど」答えるとすぐに受話器を取った。番号案内を呼び出し、問い合わせてみた。けれど、仙台市内に、「郷田順子」という女性はいなかった。おそらく電話帳には番号を載せていないのだろう、と判断した。女性の場合、その可能性のほうが高いだろうし、と電話を切る。

「あくまでも、一般論ですよね」隣の彼女は笑いを堪《こら》えることをやめて、完全に顔を崩していた。意地悪そうに、「行動早すぎるんですけど」と指摘してくる。

私は取り繕う必要も感じなかった。「他に方法はないかな。一般論として」

「会社に連絡というのはどうです」

「会社の番号も知らない」名刺が見当たらなかったのだ。

けれど、すぐに思いついた。起動した端末からメニュー画面を呼び出した。仙台市内に存在する企業や役所、法人の情報は、会社のデーターベースに登録がされている。「日本文化会館管理団体」と入力してみる。検索をするが、該当情報はない。「ジャパンライシーアムグループ」「Japan Lyceum Group」ついでに「JLG」と検索条件を変えてみるが、有用な情報は何一つ出てこなかった。

「一般論の会社はありましたか？」

「ないなあ」

「データーベースに登録されていない団体かもしれませんね」

今度は、インターネット用のブラウザを立ち上げることにした。検索用ページを開く。私の会社は、社外へのネット利用がかなり制限されている。閲覧が許可されていないページが大半だし、仮に閲覧できたとしてもそのログはすべて記録されている。使い物にならないと言ってしまえばそれまでだが、セキュリティ上、仕方がなかった。世の中はどこへ行ってもセキュリティだ。

ただ、簡単な検索程度であれば問題がないはずで、「日本文化会館管理団体」とやってみた。検索結果はゼロ件だった。うーん、と私は唸《うな》る。

「どうです？」

「検索は無力だ。そんな会社は出てこない」

「会社名、間違っているんじゃないですか」

「もしくは」と私は言って、別のことを考える。郷田順子は嘘《うそ》をついているのかもしれない、と。

「後はもう以心伝心で連絡ですよ。テレパシーみたいに」

隣の彼女は楽しげで、私の頭は疑問だらけだった。「まあ、一般論として、意見が聞きたかっただけだから、問題はないんだけど」

53

仕事がはかどらない日は、早く帰るに越したことはない。たとえば、気もそぞろで、そわそわと落ち着きのない兵士は、銃を握ったところでどこに狙《ねら》いを定めるか分かったものでもないから、戦場から退くほうが周りの兵隊にも迷惑をかけないはずだ。会社でも、それは同じだろう。私は、定時の六時が来ると机の上の書類を束ねて、すぐに席を立った。

「早いな」向かいの席に座っている眼鏡をかけた先輩が不愉快を隠そうともせずに言

ってきた。彼の仕事が山積みなのは、私の早い帰宅と関係がないはずなのに、機嫌《きげん》が悪い。反射的に「父を見舞いに行くんです」と嘘をついた。

嘘をつくことがあまり得意でない私は、仕方がなく、父を見舞うことにした。預言的中というのは、このような居心地の悪さから生まれるのではないか、とも思った。

自転車を漕《こ》ぎつつ、徐々に近づいてくる大病院は、無愛想で冷酷な巨人に見えた。あの巨人の身体《からだ》の中で父はいったい何をしているのか、と思うと胸が痛くなる。また父のジーンズ姿を思い出した。だから病院には来たくないのだ。

病室の父はジーンズこそ穿《は》いていなかったが、「53」とゼッケンの入ったカジュアルなトレーナーを着ていた。これは春がくれたのだ、と父は服を引っ張った。いまだかつて、親へプレゼントというものをしたことがない私は、少しばかり決まりが悪かった。弟に出し抜かれるのは、心地よくない。

「あれ、春は来ていないんだ?」

「今日は来てないな」

「いつもは来る?」

「次男は大抵やってくるが、長男はやってこない。それが、今日は逆だ」

「昨日また火事が起きたんだ」と私が言うと、父は、よし来た、という具合に身を乗り出した。勢いの良さに圧倒されながら、一日前の放火事件について簡単な説明をする。その場にあなたの息子たちがいたのですよ、とは言わなかった。苦労して育てた二人の息子が、間の抜けた野次馬になったなんて、わざわざ報告することもあるまい。

「落書きはあったのか？」

「正解だよ」

「正解？」

「見事に、『ago』と描かれていた」

父の顔が、照明でも当てられたかのように輝く。「そうか。やっぱりそうか」

「280 century ago だよ」

「二万八千年前だ。ネアンデルタール人だな」

「でも、意味が分からない」

「あれから本を読んでみるとな、ネアンデルタール人というのは面白い」

「今の人類の祖先ではないらしいね」

「今のところはそう言われている。クロマニョン人、つまりホモ・サピエンスがネアンデルタール人に取って代わったというのが今のところ有力な説らしいからな。ただ、そうなると、どういうことになるか」

「どういうことになるか、と言われましても」

「俺たちの祖先は、別の生き物であるネアンデルタール人を、大虐殺《ぎゃくさつ》したってことになるんだよ」

私は、あまりにも乱暴な言葉が父の口から出てきたので、少なからず驚いた。父よ、ダイギャクサツとは物騒すぎるではないですか。

「でも、そうとは限らないじゃないか。もっと平和的に、暴力を振るわずに、勢力の交代があったのかもしれない」

「そういう意見もある。ネアンデルタール人とクロマニョン人には接点はなくて、ただどういうわけか、ネアンデルタール人が生き残ることができなかっただけだ、とな。ネアンデルタール人と違い、クロマニョン人は農業をはじめたから、生き残ったのではないか、という人もいる」

「きっと、そうだ」

「それは綺麗事《きれいごと》だよ。自分たちの先祖が、虐殺者だと認めたくないだけだ。自然に考えれば、そこで生き残りをかけた戦いがあったはずなんだ」

「父さんは、大虐殺があった、と信じているんだ」

「信じたいわけじゃない。ただ」

「ただ?」

「綺麗事を言っているうちは、何も変わらないんだ」

「どういうこと」

「自分たちが、過去に虐殺を行なった生き残りだ、と認めるのは大きな第一歩だ」

「大きな一歩ねえ」

「ネアンデルタール人のほうが、今の俺たちよりもよっぽどいい奴《やつ》だったのかもしれない」

「いい奴?」

「この間読んだ本に書いてあったが、人間というのは虐殺自体を目的に、敵を攻撃できる珍しい霊長類らしい。それに比べれば、ネアンデルタール人はのんびりとした平和的な動物だったかもしれない。ようするに進化の過程で生き残るのは、いい奴とは限らないってことだ。むしろ悪い奴だろう」

父は、私に話していると言うよりは、自分自身と会話をしているようでもあった。

「どうりで、生き辛《づら》い世の中だと思った」私が冗談めかして言うと、父は大きくうなずく。「人間の進化の目的は、いい社会を作ることじゃなくて、単に生き残ることかもしれないな」

「で、ルールは見つかった?」しばらくしてから、私は言った。放火事件とグラフィティアートの関連性は、何か見つかったのか、と窓脇《わき》のボードに載ったポットで、お茶を注ぎつつ、言う。

「ずっと頭を悩ませているんだがな。難しいもんだな」

「これは推理小説とは違うからね」

「材料が少なすぎるんだよ」父はむきになった。「せいぜい言えば、落書きは三つの単語でできているということくらいは分かったが」

「三つの単語?」

「『God can talk』『Ants goto America』『280 century ago』とどれも意味は不明な文章だがな、三単語で一文ができあがっている」メモ帳を見せながら言ってくる。

なるほどね、と答えた後で私は、鞄《かばん》から袋を取り出した。現像したばかりの写真を、父の布団《ふとん》の上に置いた。あちこちで撮影した写真だ。

「放火現場とか落書き現場の写真だよ」

「いいぞ」父は嬉《うれ》しそうにうなずき、写真を並べはじめる。地図も引っ張り出し、交互に見比べていた。パチンコ屋の店内やビルの壁が写るだけの写真を一枚ずつ眺めながら、父は、うむ、であるとか、ふむ、であるとか声を発した。

「おい、これは何だ？」途中で父が写真を、私に寄越した。暗い夜道に、女性の背中が写っている。「あ」と言って私は、それを素早く、奪い取った。放火現場近くで目撃した、郷田順子の後ろ姿だった。

「何だそれは」

「何でもない」わざわざ、面倒なことを父に伝える必要はない、と私は判断した。

「女の子が写ってたぞ」

「まあね」

「恋人か？」

「そうだよ」私は嘘をつく。「別れて立ち去る恋人の背中を、激写してみたんだ」

「酷《ひど》い趣味だな」父は笑う。

「もしくは、彼女をつけ回して、盗撮してるんだ」私はでたらめで言ってみた。「そう俺が告白したら、父さんはどうする？」

「癌《がん》で死ぬよ」父は趣味の悪い冗談を口にし、私の顔をしかめさせたが、すぐに、「おまえが仮に法を犯しても、そこには何か理由があるんだ、と俺は信じるよ」と言った。

「過信だ」

「妄信だな」父は平然と応じる。

「社会的に誤った父親だ」私は告発するように、彼を指で突く真似《まね》をする。

「俺は社会よりも、俺の家族が大事なんだ」

「酷い人間だ」

「その通りだ」

はあ、と私は納得できるようなできないようなそんな気分だった。

「ところで」と父がそのうちに話題を変えた。「このトレーナーの『53』という数字には、意味があるそうだ」と春からもらったその服を引っ張った。

私は目を凝らし、一瞬ではあるが思案し、「もしかして」と言った。「もしかして、p53遺伝子？」

「おお、さすが。遺伝子の会社に勤めているだけあるな」

「本当に？」

「本当に、って何がだ」

「本当にそんな理由で、そのトレーナーを？」

ｐ53遺伝子は、癌患者の半分ほどに異常が見られる遺伝子だ。細胞の分裂、修復をコントロールする機能を持っている。ｐ53遺伝子が正常なうちは、癌もなかなか自由には活動できない。細胞の増殖や異常を防ぐのがｐ53だからだ。警備員というか、警備室のような役割だと私は想像している。先天的に癌ができやすい患者を調べると、ｐ53に突然変異があるケースが多い。そして、ｐ53の面白いのは、細胞の自殺を促すこともできるところだ。細胞が癌化して、修復もできなくなった時に細胞自体の自殺を指示するのだ。他の細胞に被害が及ぶ前に、癌化した細胞を殺してしまう。全体の利益のために個々の死をやむなしとするのは、政治やテロとも似ている。

ｐ53の機能を利用した治療も行われはじめている。細胞の自殺はアポトーシスと呼ばれるが、肺癌患者の癌細胞にｐ53遺伝子を注入し、癌細胞のアポトーシスを起こさせている映像を、私も見たことがあった。

だからと言って、当然のことではあるが、53とプリントされたトレーナーを着れば効果があるわけでは決してない。

「あいつは縁起《えんぎ》を担《かつ》ぐだろ、で、これを着てろって言うんだ。そうすればｐ53遺伝子が俺の癌をやっつけてくれるってな」父は笑いながら言う。

「縁起というか、まじないだよ、それは」

「俺もそう言ったよ。子供だましにもならないとな」

「春は昔からそうだった」それから、ふと疑問に思った。「どうして春がp53遺伝子のことなんか知っているんだろう」

「勉強してるらしいぞ」

「何を？」

「遺伝子だよ。昔からそうじゃないか。あいつはおまえの真似《まね》をいつもしていた。きっと遺伝子にも興味を持ったんだろうな」

相槌《あいづち》を打ちながらも、私の頭の片隅にはもやもやとしたものが残る。つい先日、私は春に遺伝子の仕組みを解説したばかりだ。あの時の春は、はじめて遺伝子のことを聞くような素振りをしていた。あれは何だったのだ。

「あいつはいつでもおまえの後をついていってるんだ」

父の笑い声が病室内に響く。父の体内で分裂しつづける癌は、果たして一緒に笑っていただろうか。

銘柄

以心伝心がうまくいったわけではないだろうが、私は、郷田順子と再会を果たすことに成功した。感動的なものではなく。むしろ、無表情で立っている美人には、殺伐さが漂っていた。

私の住むマンションの入り口に、郷田順子は立っていた。

通行人の視線が、まるで舌で舐《な》めまわすかのように、彼女に絡まっているのが分かった。私の住んでいるマンションは古くさく、招待された客が、「汚い」とはさすがに言えず、「歴史がありそうですね」と苦肉のコメントを発したくなるような、築二十年以上の建物で、そんな古臭いマンションの前にオードリー・ヘップバーン似の女性が突っ立っていれば、誰だって気にはなる。私自身、こんなに不釣合いなのだから、何かの法律に抵触しているのではないか、と不安を感じるほどだった。

乗っていた自転車を降りて、向かい合った。

「話をしましょう」と彼女は言った。

「こっちも連絡を取りたかったところなんだ。でも、ずっと待っていたんだ?」

「ええ」

私が早く帰ってきたからいいようなものの、もし残業で深夜近くになっていたら、この場所に立ち尽くしているつもりだったのだろうか。訊《たず》ねると、「来るまで待っていましたよ」と平然と答える。

どこまでが本気か分からなかった。冗談だとは思ったが、彼女の目には真剣な色が滲《にじ》んでいて、私は気圧《けお》される。「当然、朝になっても、待ってますよ」と言わんばかりだった。

駐輪場に自転車を置き、家の近くにあるファミリーレストランに向かう。道すがら、通り過ぎる人の目がこちらに向けられるのは、隣にいる郷田順子のせいだろう。

人は外見で決まるのか、と私は考えてみる。外見が整った身体は頑丈だ、と聞いたことはあった。顔や肉体が左右対称のシンメトリであれば、それだけ丈夫だということらしく、その意味では、男が美人を追いまわすのは理屈に合っていた。より丈夫で、整った遺伝子と自分の遺伝子をかけ合わせたいという本能は、遺伝子の考えそうなことだからだ。

「人の外見は、ファッションの銘柄と同じだ」春はよく言う。「ブランド品は高いけれど、その分、品質が良い。その逆もある。とんでもない品物にブランド名をくっつけて、客を騙《だま》すこともできる。人の外見も一緒でさ、人は目に見えるもので簡単に騙される。一番大事なものは目に見えない、という基本を忘れているんだ」

そのたび私は、外見が人より秀《ひい》でているおまえが言っても説得力がない、と茶化す。父の病室で聴いたローランド・カークの曲を思い出した。あの、盲目のサックス奏者は、目に見えるものを軽々と超越していた。春に後で聞いたところ、ローランド・カークは鼻でフルートを演奏するらしい。楽器を何本も一度に口に入れて、吹く。

「見た目の不恰好《ぶかっこう》さだとか、奇を衒《てら》うだとか、そういうのは飛び越えてるんだよ。音が良ければ、見た目は関係がない。当たり前のことだよ。本当に大切なことを知っている人が俺は好きなんだ」春が言った台詞には、私も同感だった。「見かけで物事を信じるのは大事なことではあるけれど、恥ずかしいことでもある」とも彼はよく言った。

「情報を交換しましょう」と目の前の彼女は言う。うなずきながら、どこまでの情報を相手に与えるべきか計算をした。彼女も同じことをしているはずだ。

「今朝、あなたはあのマンションにいました」

「高級で、高層の、あのマンションだ」

「どこに用事があったんです?」

「十九階の五号室。葛城という名前の男の家だ。仕事の用事があったんだ。一九〇五号室だよ。で、君が尾行した放火魔はどこの部屋の住人だった？」

彼女は首を振った。「分からないんです。あの建物はオートロックで、だから、中まで入れなくて」

運ばれてきた安っぽいポテトをつまみながら、コーヒーを口にする。妙な組み合わせの食事だった。

「君が見たのはどんな男だった？」

「後ろ姿しか見ていないので」と、細かい容貌《ようぼう》は口にしなかったが、それでも聞いた範囲では、葛城と矛盾する点はなかった。

「そいつが火を点《つ》けたのか？　君はその瞬間を見た？」

私はその時、自分で意識している以上に神経が高ぶっていたのかもしれない。前のめりになってしまい、郷田順子は当惑を浮かべた。自分の耳たぶを引っ張るようにして触りながら、「いえ」と首を横に振る。

「見ていないんだ？」

「春さんは何と言っていましたか」

「あいつはビルの反対側を歩いていたらしい。で、角を曲がったところで燃えているのに気づいた」

「そうですか」彼女はゆっくりと瞼《まぶた》を閉じてから、「では、そうなのだと思います」ときっぱりと言った。

「いいかげんな答え方だ」

「わたしも、春さんの後を歩いていたので放火の瞬間は見ていないんですよ」

「ただ、現場から逃げる男を目撃した」

「だから、追いました」

「あまり有意義な情報が交換できないな」私はカップに口をつける。

「お兄さんはどうして今朝、マンションに行ったんですか？　一九〇五号室の男はどういう人なんですか」

「うちは遺伝子に関係する仕事をしているんだ。当然、DNAの検査もする。一九〇五号室の男がDNA検査をしたいと言ってきたんだ。だから、DNAを採取しに行った」立て板に水とはこのことだ。私は警察に向かって事情を説明するかの如《ごと》く、滑らかに言った。

「DNAって簡単に取れるんですか？」

「簡単な親子鑑定とかであれば、頬の裏側を綿棒でなぞるだけでいい」

「名前は?」

「葛城将一。四十四歳。自営業。未婚」

「自営業って何です?」

「さあ」しらばくれた。売春斡旋《あっせん》だと思う、と答えても仕方がない。

「何者なんですか?」

「今、説明をしたじゃないか」

彼女は意味ありげに首を傾《かし》げた。「お兄さん、さっきは、その葛城という人が放火犯であってほしいような迫力でしたよ。何かあるんですか?」

「どんな仕事をしていても、嫌な客というのは、きっと尽きないと思うんだ」

「放火犯に相応《ふさわ》しいほどの嫌な客、というのは珍しいですよ」

「珍しくても、存在しているんだよ。ヤエヤマサナエだっているんだから」

「グロリオサナエというのもあります」

「それも、どうせ、トンボの種類なんだろ。グロリオという場所にいるトンボだ」私だって、知識を応用することはできた。

「グロリオサという花の苗ですよ」

「は?」

「グロリオサ苗です」

「ひっかけ問題?」

彼女は笑いもしなかった。

「もしその人が放火魔だとしても、お兄さんがその人の検査をしたのは、ただの偶然ですよね」

「となるね」放火魔と検査は関係ない。

「そんな偶然ってありますか」

「ありますかね。こっちが聞き返したいくらいだ」

「写真とか持ってないですか?」

「その男の?」ないわけではなかった。ただ、持ち歩いてはいない。そう告げると彼女は、「では、それを見せてください。後ろ姿しか見ていませんが、写真を見れば同一人物かどうかは判断できるかもしれないです」と言った。

私はためらった。彼女を家に招くことを警戒したわけではない、いや本当のところは美人を招待するのに臆《おく》していたことも事実だったが、それ以上に不可解な点が多すぎた。

「その前にいくつか確認をしたいんだ」

うにも見える。

「どうぞ」彼女の目が一瞬泳ぐように揺れた。耳を触りながら、平静を装っているよ

「まず、どうして放火事件の犯人にそこまでこだわっているのか？　君は文化会館の落書きを調査していると言った。放火魔を熱心に追う必要はないはずじゃないか。放火も文化の一環ですから、とかは言わないよね？　春の様子が変だ、とも言った。春が書いたという奇妙なノートがある、とも。それが何の関係があるんだ」

彼女は口ごもった。私の質問は届いているようだったが、答えを探している。答えを探すということは、すなわち、答えを作り上げようとしているのに違いなく、私はもっと単刀直入なやり方を取ることにした。

「日本文化会館管理団体なんていうグループはない。君は何をしているんだ」

鎌《かま》をかけた。じっと郷田順子を観察した。もしかしたら郷田順子という名前自体が偽名かもしれないぞ、とその頃になってようやく、頭に危険信号が点《とも》る。

「そんなことはありませんよ」

彼女は頭の整理を行なっているようで、下を向いてぶつぶつと呟《つぶや》いていた。狂人の仕草とまでは見えなかったが、清楚《せいそ》なオードリー・ヘップバーンには似つかわしくなかった。両手で耳たぶを引っ張り、「そんなことはないんです」と消え入るような声

で繰り返した。

そこではたと私は、妙な感覚に囚《とら》われた。以前に経験した状況を追体験している感覚があったのだ。彼女を再度、見る。春の言葉が頭を駆ける。「人はブランド名だけを見ることが多い。それは人の外見も一緒で、人は目に見えるもので簡単に騙されるんだ」

「あなたは春をつけまわしているが、文化会館と関係しているとは到底思えない。いったいどういうことなんだ？　説明をしてほしい」

「そんなことは」

両耳を触りながら、落ち着きを失っている。彼女の仕草を見つめ、そこでようやく私は、「ああ」と合点がいった。目の前で耳を触る女性を、私は知っている。

「前は、『節足動物研究会』に所属していたよね」

彼女が目を丸くした。頬を赤くしている。

私は自然と、微笑《ほほえ》んだ。「夏子さん」

「え」

「春の同級生だった子だよね。うちにも何度か来たじゃないか」

彼女は顔を赤らめたまま、俯《うつむ》いた。自分のどこに落ち度があったのか、と反省する様子にも見えた。美人に目を奪われて、肝心のことを見失ってはいけなかった。春を追いまわし、我が家を執拗《しつよう》に訪れ、私たち家族を困らせた、「夏子さん」は、また姿を現し、そして相変わらず、私を悩ませる。

「よく」彼女は嬉《うれ》しそうでもあり、悔しそうでもあった。「分かりましたね」

「顔が全然違うから、かなり難問だったけど」

「整形したんです」

「見かけで物事を信じるのは大事なことではあるけれど、恥ずかしいことでもある」

「それ、春さんがよく言ってました」

さすが、と言うべきか彼女は、春については詳しかった。

「弟の言葉をパクってみました」

冒頭の文

彼女は自分の正体を認め、私も、実は我が家ではあなたのことを、「夏子さん」と呼んでいたのだ、と打ち明けた。「春の後を追うのは夏だから」と説明すると、彼女は喜んだ。「ええ、まさに、わたしは春を追う夏のようなものです」と胸を張った。

弟のストーカーと向かい合って、和やかに思い出話をするというのは奇妙な体験だった。

「あの頃のわたしは、お兄さんが憎らしくて仕方がありませんでした」彼女の言葉には悪意こそなかったが、私を気遣う雰囲気もなく、私は肩をすぼめるほかない。「春さんの近くで生活をしていて、わたしよりも春さんのことを詳しく知っている」

「いや、たぶん君には敵《かな》わないと思う」私は鼻の頭を掻《か》く。「まあ、恨まれて刺されたりしなかっただけ良かったよ」

「刺そうと思ったことはありますよ」

「え」

「包丁を持って家に伺ったこともあります」

「あ、そうなんだ」平然と言うので、聞き流しそうになった。「それはそれは」

「わたしは、春さんの全部が知りたかったんですよ」

「だろうね」それはストーカーとしてはとても正しい目的だ、と思った。

「春さんは、わたしを相手にもしてくれませんでした」

「で、うちに来て、嫌がらせをしようとしたわけ？」

「嫌がらせをしたかったわけじゃありません」その時だけ、彼女は怒った表情を見せた。「普通に会おうとしても、春さんには避けられたので」

「ミッキーマウスに会えなくても、ディズニーランドには行ってしまう感覚かなあ」

「全然違います」

「やっぱり、そうだよね」と私は認める。「春は、君のことを嫌っていたのではないと思う。そういうのが苦手なんだ」

「そういうの、とは」

「そういうのとは」と私はそれから言葉を探す。「例えば、女性とか恋愛とか、そういうの」

「ホモセクシャル」彼女は、不要なカードを場に捨てるような言い方をした。

もしかしたら彼女は、春が男色ではないかと疑ったこともあるのかもしれない。

「そうだったら、話は早いんだろうけど」私は否定した。

どういうわけか、私の頭にある映画の台詞が蘇《よみがえ》った。ギャスパー・ノエという監督の、ひどく挑発的な映画だった。主人公がこう言う。「ペニスの味わう、たった九秒間の絶頂感が、子に六十年の苦痛を強いる」

春はまさしく、それだった。しかも、父親のペニスではない。傲慢《ごうまん》で抜け目ない、ある若者のペニスの、瞬間的な痙攣《けいれん》のために、がんじがらめにされている。

「君がうちに来ていたのは、今から七、八年前だ。いつの間にか、姿を現わさなくなったから、てっきり春のことは忘れているのだと思っていた」

気を抜くと彼女の外見の美しさに見惚《みと》れ、私は郷田順子が夏子さんであることをすっかり忘れてしまいそうになる。フライドポテトに手を伸ばす。

「お兄さんは、わたしのことに気がつきませんでしたね」彼女は歯を見せた。「最初に後を追って、話しかけた時、ばれるかと思ったんですけれど」

「全然分からなかった」

「勝った気がしました」

「だろうね。勝ちだよ」

「春さんにはすぐに見破られましたけど」

「嘘《うそ》だろ」私は驚きのあまり、乱暴に聞き返す。もう一度、彼女の顔をじっくりと眺めた。七、八年前の夏子さんの顔は、ぼんやりとしか思い出せなかったが、それでもオードリー・ヘップバーンの片鱗《へんりん》はなかった。どうしたら、同一人物と見抜くことができるのか。

「人には」彼女はそうつづけた。「人には、外見を変えたくらいじゃ、びくともしない、根っこみたいなものがあるのかもしれませんね。背骨みたいに。春さんにはきっと、その根っこが見えるんですよ。だから、わたしのことも見分けられた」

「もしかすると」私は、彼女の言葉にうなずきつつ、ふと思った。「春は、そういう根っこしか見えないのかもしれない」

「根っこしか？」

「外見に騙《だま》されないんじゃなくて、外見が見えないのかもしれない」だから弟は、どんな女性に対しても首尾一貫して、冷淡な態度を取るのではないか、と思ったのだ。

しばらくして、お互いの話が止まった。私は、「どうして顔を変えたわけ」と質問をぶつけた。最初にすべき質問だったのかもしれないが、しないで済ますよりはましに思えた。

「春さんに気に入ってもらえると思ったんですよ」

「さっきも言ったけれど、春は外見で人を判断しない」判断できない、と言ってもいいかもしれない。

「ええ、それが、はっきり分かりました」彼女は清々《すがすが》しい顔をする。「ずっと勘違いをしていたんです」

勘違いを誘発するようなことがあったのか、と訊《たず》ねると、ありました、と彼女は言い、「母の日」とぼそっと呟いた。

学生時代の彼女は、春をつけまわし、いつか振り向いてもらえることを望んでいた。ずっとしがみついていれば、いずれは分かり合えるものだ、と信じていたからしい。

「『山椒魚《さんしょううお》』という話がありますよね」

私はその話が好きだったので、すぐにうなずいた。そして、春と二人で、その冒頭を流用し、「春は悲しんだ」「俺は悲しんだ」と言い合ったのを思い出す。

「わたしが生まれてはじめて読んだ、大人向けの小説が、あれなんです」

「変わってるね。うちは、『走れメロス』だった」

「変わってますね」

なぜ、それが最初に読んだ本だったのか、はっきりと覚えてはいなかったが、私はそれを小学生の時に、春と読んだのを覚えている。例のように最初の十数行を暗記し、繰り返し、唱えもした。

「山椒魚は悲しんだ」と彼女が冒頭の文を読む。

「メロスは激怒した」と私も最初の一行を言う。

「だから、きっとあれが、わたしの人格形成に影響しているんですよ。山椒魚と蛙《かえる》は互いに反目し合っているようだったけど、最後には和解が生まれるじゃないですか。

と言うよりも、はじめから反目なんてしてしていなかったじゃないですか」

「世の中はみんなそうだ、と君は思っているんだ？」

「春さんは私を敬遠していたけれど、それは本心からではないんだって信じていたんです。あの山椒魚と蛙も実際には、仲が良さそうでしたし」

「『山椒魚』のせいで」それを言うならば私は、『走れメロス』のせいで、友人との待ち合わせに神経質になった時期があった。

「それにわたし、自信があったんだと思います」と彼女は恥ずかしそうに笑う。「春さんのことはわたしが一番よく知っていて、一番分かり合える、と思い込んでいたんです」

「根拠もないのに？」

「自信に根拠があるのって卑怯《ひきょう》な気がしませんか？」彼女は妙なことを言ってから、笑う。

「それが母の日に変わったわけ？」

「決定的で」彼女は他人の失敗を話すようだった。「あの母の日、わたしは、春さんのお母さんを見かけたんです」

当時、母は体調がかんばしくなくて、定期的に入院することを繰り返していたから、家にはあまりいなかった。

「とても綺麗《きれい》でした」郷田順子は下を向いて、静かに言った。そして、美人と言うよりは、花みたいでした、と付け加えた。「急に敵《かな》わない気がして。何より、春さんがいつもとはまるで違う表情をしていたんですよ」

「それで」

「逃げ出しました」

「逃げた？」

「海外に留学して、生活していました」

日本を離れても、春のことを忘れることはできなかった、と彼女は言った。分からないでもなかった。距離を開ければ情熱が薄れることもあるが、その逆のケースもきっと多いはずだ。彼女は、遠い別の国に住みながらも春のことばかりを考え、思い詰め、悶々《もんもん》と考え込み、そして誤った結論に到達した。「春さんはきっと美しい女性が好きだ。うまくいかなかったのは、わたしの外見のせいだ。そう結論づけたんです」

「ひどい勘違いだ」

「可愛《かわい》らしい勘違いですよ」彼女は訂正する。

「世の中の悲劇は、一般人の勘違いと政治家の自信から起きるんだ」

整形をするのにためらいは全くなかった、と彼女は言った。「どうしてそんな簡単なことに気がつかなかったのか、と後悔したくらいですよ」

日本に戻ってきて、手術をした。「驚くくらいに、まわりの男の人たちの反応が変わりました」と彼女は言い、両手で架空のボールでもこねるような恰好《かっこう》をして、「手玉に取っちゃいました」と悪戯《いたずら》めいた表情を浮かべた。

「それで、春に会ったのか」

「『ああ、君か』」

「え」

「すぐにそう言われちゃいましたよ」恥ずかしそうに彼女は舌を出した。「ばればれでした」

「恐ろしい奴《やつ》だな」

「もう少し興味を持ってくれても良かったような気がします」彼女は笑った。「礼儀として」

私は小さく笑い、溜《た》め息《いき》を吐《つ》く。彼女の情熱、もしくは執念に驚き、呆《あき》れて、じんわりと胸を痛めた。

「春はゴダールが好きだっけ?」

彼女が私を見る。

「君はジャパンライシーアムグループなんていう、変な肩書きを名乗ったじゃないか。頭文字がJLGになるようにしたんだろ？　学生の時は節足動物研究会だった。あれは春が昆虫に興味を持っていたからだ。いつも春の興味があるものが反映されている」

「ストーカーというのは」と彼女は自ら、噴き出しそうだった。「少しでも、相手の興味を惹《ひ》きたいんですよ。春さんは最近、ゴダールの映画ばかり観《み》ていたので、関心があるかと思ったんです。でも、せっかく作った名刺を受け取ってもらう前に、ばれました」

彼女の寂しそうな表情に心苦しくなって、私は「いや」と言った。「いや、春は君の名刺を見て、喜んでいたよ。JLGにもすぐに気づいたし、とても感心していた」

「本当ですか」

「見直した、とまで言っていたよ」

郷田順子の顔に明かりが射し込むのが分かった。そしてその明かりをふっと掻き消すように、「ただ」と言った。「わたし、春さんのことを追いまわすのを、もうやめたんです」

私は返す言葉を探してしまう。

「信じてもらえないかもしれませんけど、わたし自身が信じられないから当然ですけど、本当にやめたんです」

「信じるよ」と私が答えたのは決して、思いやりからではなかった。彼女には、他人を追い回す負の気迫、とでも言うべき粘りのある執着心が微塵《みじん》もなくて、弁解ではないけれど、私が、彼女を夏子さんと見抜けなかった理由はそのあたりにもあるのではないか、とも思えた。

「春は特殊なんだ」私はあまり慰めにもならない言葉をかけた。「世の中、山椒魚と蛙の話のようにはいかない」

「山椒魚は激怒しない」

「メロスは悲しまない」

「メロスには政治がわからぬ。けれども邪悪に対しては、人一倍に敏感であった」郷田順子が唐突にそらんじた。

「君も暗記しているんだ？」

「春さんのことに関しては、詳しいんです」彼女は真面目《まじめ》な顔で言い、「このメロスのことって、春さんに似てると思いませんか？」と首を傾《かし》げた。

政治がわからぬ。けれども邪悪に対しては、人一倍に敏感であった。と私も、あの小説の文章を内心で唱えた。なるほど、確かに似ているかもしれない。

「でも、君は昨日も、春の後を追っていた」

「あれは、少し違うんです」彼女は目を伏せ、困った顔をした。「この間、春さんの様子がおかしいとわたし、言いましたよね」

「ああ」

「気になっているんです」

「どうして？」

「変なんです」曖昧《あいまい》な言い方ではあったが、つけまわしの熟練者と呼んでもよいストーカーの彼女にはそれなりの説得力もあった。

「春はいつも言動が変だ」

「わたしは、春さんと分かり合うことは諦《あきら》めました。でも、春さんの身に何かがあるのは黙って見ていられません」

「身に何かが？」

「春さんは精神的に不安定な状態にあります」

「その言葉はうんざりなんだけど」

「あのノートを見て、本当に怖くなってしまったんです」

どこで春のノートを盗み見たのかは、問いただささなかった。隙《すき》を見て春の鞄《かばん》を探ったのかもしれないし、部屋に上がりこんだのかもしれない。方法はいくつもあったが、理由はひとつしかない。

「わたし、怖くなったんです。人名がずらずら書き込まれたノートなんてはじめて見たし。さっきのゴダールも」

「ゴダールも？」

「単にゴダールが好きなだけかと思ってたんですが、この間調べたら、同じビデオを何回も借りてるんですよ」

「何という映画？」

「一本ではありません。何作か」そう言って彼女は自分のバッグの中をごそごそとやって、手帳を取り出した。

「それは、もしかすると」私は控えめにだが、訊ねた。「春のことに関する手帳なのかな？」

「ええ」彼女は照れ臭そうだった。「春さんの情報が満載ですよ」

「春の辞典みたいなものか」ちらっと覗《のぞ》くと、文字がぎっしりと詰まっていた。「結構、厚い手帳だ」

「何冊目かって聞かなくていいですか?」彼女は笑った。

レンタルビデオの貸し出し情報を、どうやって入手したのか、とも私は訊《き》かなかった。店員と親しくなり、情報を検索してもらったのかもしれない。ヘップバーン似の女性が身体《からだ》を近づけてきたら、ビデオ屋の店員は喜んで情報を教えてくれるだろう。

「『小さな兵隊』『中国女』『アルファヴィル』それと『ゴダールのリア王』とか、それから『ゴダールの探偵』『ゴダールの決別』」彼女は題名を列挙した。「関係ないですけど、これって何でタイトルの頭に、『ゴダールの』って、いちいち、ついているんでしょうね」

「警告だよ。これはゴダールの映画ですよ、それを承知で観にきてくださいね。文句を言っても知りませんよ。そういうことじゃないかな」

「その人の映画って、面白くないんですか」

「恰好《かっこ》良《い》いよ。で、笑える。で、退屈」

「退屈なんですか」

「いい意味でね」私が付け加えると彼女は訝《いぶか》る。「最高の映画監督だよ」とさらに私は言ったが、彼女は理解できないようだった。

「とにかく、春さんは、何度もレンタル店から借りて、繰り返し観てるんですよ」

「何度も?」

「ええ。十回も二十回も借りて。わたし、精神科医の知り合いがいるんです」彼女は言いづらそうに続けた。「相談してみたんですけど、こういうのって強迫観念というか、妙な兆《きざ》しかもしれないって言われました。偏執狂の傾向があるんじゃないでしょうか」

　まさか、と否定しようとするが、反論が出てこない。

「単にゴダールの論文でも書くつもりなのかもしれない」

　そう答えながらも、私は混乱していた。いくら好きな監督の映画と言っても、何度も繰り返し、鑑賞するのは普通とは思えない。

「異常だ。いや、少なくとも、病的だ」

「ですよね」彼女はすんなりと返事をした。「今度、春さんに訊《たず》ねてくれませんか」

「ノートのことを?」

「ゴダールのことも」

「そうだね」安請け合いしたが、質問できるかどうかは自信がない。

彼女は、ストーカーをやめようと決意したちょうどその時期に、春の様子が変であることに気づいたらしい。

「この心配がなくなれば、今度こそ、本当に春さんのことから離れられる気がするんです」

彼女は下を向き、ほとんど泣き出しそうだった。何も泣かなくても、と私は白けそうになるが、一方で隣のテーブルの学生たちが美人を泣かせた重罪人を非難するような目で、私を睨《にら》んできた。濡《ぬ》れ衣《ぎぬ》だ、と嘆く一方で、もしかすると彼女は、ノートとゴダール以外の何かを隠していて、それに怯《おび》えているのではないかとも思った。

郷田順子、すなわち夏子さんとは、そのレストランを出たところで、別れた。山椒魚《さんしょううお》は悲しんだ。メロスは激怒した。じゃあ、春は、と私は彼女に訊ねた。春はどうなるんだ、と。

「春は曙《あけぼの》。ようよう白くなりゆく山際《やまぎわ》、少し明かりて」彼女はどこか朦朧《もうろう》とした面持ちで、呪文《じゅもん》を唱えるかのように、枕草子《まくらのそうし》の冒頭を読む。その姿に私は、恐怖を感じたとまでは言わないが、怯《ひる》んだ。結局、マンションに来てもらって、葛城氏の写真が放火魔と似ているかどうか、確認してもらう、という本来の目的は達成することなく、その店で解散した。

放火事件のルール　Ⅱ

部屋に戻った私は、書棚に突っ込んでいた封筒を、引っ張り出した。中には、葛城の身元調査結果が入っていた。黒澤に提出してもらった報告書だ。葛城の写真を中から抜き出す。日にちや場所の異なる写真が、十枚ほど綺麗に撮影されている。ホテルから出てくる写真があった。私は別に、男と女が派手なホテルに出入りすることを嫌ってはいない。性欲は誰にでもあることだし、それを蔑《さげす》んだりするのは、食事をすることを恥じるようなものだ、と思う。けれど、その写真には、むかむかした。写真に写っている女性は、まだ二十代というところだろうが、下を向き、なぜか泣き顔だった。「何で泣いてるんだろう」写真を見た時、私がそう言うと、黒澤は、「ホテルに入る時は楽しそうだったんだが」と説明をしてくれた。

「葛城は満足げな顔をしていますね」

「この女はたぶんパートナーではなくて、犠牲者なんだよ」

「え？」

「パートナーを否定することで、エロティシズムの窮極的な領域が開けるんだ」黒澤は嫌悪《けんお》を顔に浮かべていた。「と、どこかのおやじが言っている」

「誰ですか」

「バタイユ」黒澤は忌々《いまいま》しい親戚の名を口にするかのようだった。

「ああ」私はうなずく。「弟がよく読んでましたよ」

高校生の頃の春は、バタイユの、「エロティシズム」を何度も読み返していた。この世を代表する「性の理屈」と戦うような真剣さで、頁《ページ》をめくっていた。本を閉じては、納得のいかない顔をしていたものだ。

「バタイユ、俺は、あのおやじが嫌いでね」と黒澤が言ったので、私は噴き出す。

「どうかしたか」

「うちの弟も嫌いなんですよ。初めてあの本を読み終わった時、あいつは、『何とも、まあ』と言って呆《あき》れていました。『ここに書いてあるのは、フィクションだ』と言って、笑っていました。考えすぎだよ、と」

人間の性は、バタイユとは関係がないところにある、とも言っていた。

「同感だな」

私はもう一度、写真を見た。放火現場で私自身が撮影した写真のことを思い返し、鞄から取り出した。一枚ずつ眺めたが、例の、郷田順子の後ろ姿を撮ったものを見て、はっとした。中央に写った彼女の背とは別に、右隅に、建物の裏手に姿を消す男が小さくあった。街路灯の位置のおかげなのか、その男の影が比較的、はっきりと見える。目を近づける。脇《わき》に置いた、葛城の写真と見比べる。ホテルから出てきたその体格は、私の撮影した写真に写る、小さな後ろ姿と似ているように見えた。もちろん、似ていないようにも見える。

それからの二日間、私は日常の仕事をこなし、同時に頭を悩ませてもいたが、特に大きな変化は起きなかった。仙台の市街地図を取り出して、放火現場を赤色で、グラフィティアートの現場を青色で、丁寧に囲んだだけだった。

二日経《た》った夜に、電話が鳴った。

「俺だ」と相手が意気揚々とした声を出した。

「病人がそんなに元気な声で電話してきていいわけ?」

「俺の身体を統率しているのは俺なんだよ。癌《がん》であろうと勝手は許すものか」

父は冗談で言ったのだろうが、私は心強く感じた。

「例の放火事件のやつだが、おまえは何か分かったか?」

「何も思いつかないよ。大体、ついこの間、病院で喋《しゃべ》ったばかりじゃないか」

「そういうことを言うな。入院患者というのは暇なんだ。おまえにとってはほんの数日でも、俺にとっては何週間も経っているかのような気がするものなんだよ」

「そういえば」と私は言うことにした。「父さんはあの女の子を覚えている？　春が学生の頃に、うちにもよくやってきた」

「夏子ちゃんか！」父の声が、元気良く跳ねた。

「覚えている？」

「覚えているも何も、強烈だった」父の笑い声は、私の内側の緊張をほぐしてくれる。

「強烈だったね」

「恐るべき執念の子だ。春もすげないことはすげなかったが、しかし、あれはひどかった。でも、あれは今で言うところのストーカーだろう？　彼女は十年も前に時代を先取りしていたわけだ」

反射的に私は、メンデルを思い出す。エンドウ豆の実験で、「親から伝わる何か」つまりは、遺伝子を見つけたメンデルだ。彼は論文を発表した当時、誰にも相手にされなかった。認められたのは、死後十六年もしてからだ。

「そうだね、あの時の彼女はどこに出品しても恥ずかしくない、正真正銘のストーカーだったよ」私は言った。「それでね、実はその夏子さんに、この間、会ったんだ」

何と、と父は驚きの声を上げた。それから大笑いをした。何がそれほど可笑《おか》しいのかその時は分からなかったが、きっと父は、夏子さんと会っていた頃の自分を思い出していたのだろう。

つづけて、彼女がジャン・リュック・ゴダールの頭文字を使った偽《にせ》の団体を名乗った話をしてみせた。

父は、「奇妙なことに凝るんだなあ」と愉快げに言ってから、「あ」と何かを発見したかのような声を発した。

「どうかした?」

「頭文字というのはどうだ」父が紙切れを取り出しているのが、音で分かる。

「頭文字って誰の」

「落書きの文章だ。あの文章自体には意味がなさそうだが、頭文字を繋《つな》げていくと意味が浮かび上がってくるんじゃないか? 推理小説でそういうのがよくあるだろう」

「推理小説はあまり読まないんだ」

「そんなことだから駄目なんだ」

そんなことで息子を叱《しか》る、親のほうが駄目に思えた。

「頭文字をつなげると意味があるなんて、陳腐だし、下らないよ」

「大事なのは陳腐でありふれたものなんだよ。カルシウムとか、ビタミンとか、そういうつまらないものが人生には必要なんだ」

「放火事件のルールとカルシウムは関係がない」

「いいんだよ。とにかく頭文字を繋げてみろ。『God can talk』『Ants goto America』『280 century ago』だろ」父は構わずに読み上げる。「全部の頭文字を取り出すと、GCTAGA2CAだな」とそこまで言うと、急に塞《ふさ》いだような声になり、「意味があると思ったが、特にないな」と呟《つぶや》いた。

私はそこで目の前に白い光を感じた。周囲が明るくなり、直後に暗くなる。そして再び、視界が戻る。心臓が早鐘を打つ。「なるほど」と思わず、言っている。

「どうした?」父が訊き返してくる。

「父さん、280は英語にすればいいんだ。Two hundred and eighty だから頭文字はTだ。つまり、GCTAGATCAだ」

「何の文章にもなっていないじゃないか」

「どうして気がつかなかったんだろう」私は、私を責め立てたい気分に駆られていた。これはおまえが気づくべき事柄ではないか、と非難したくなる。

「どうしたんだ」

「GとかCとかいうのは遺伝子の文字列だ」

興奮する私とは反対に、父の反応は冷めたものだった。「泉水、大丈夫か？　仕事が辛《つら》ければ相談に乗るぞ」と精神を病んだ息子を、労《いた》わるようなことを言う。

「父さん、人間の遺伝子は設計図みたいなものなんだよ。そこに書かれている文字は四種類しかない。G、C、T、Aの四つ。で、今言った落書きの頭文字も全部、G、C、T、Aのどれかだ。遺伝子で使われている文字だ」と説明をした後に、はっとする。「だから三単語ずつなのか」と。「遺伝子の文字は三つずつ読んでいく。だから落書きも三つで一セットになっている」

「でも、文章ではない」

「そうだけど、ルールは分かった。あれはGCTAの四文字だ」

「無理やりなこじつけじゃないか」

「こじつけじゃないよ。落書きは、遺伝子を意識して書かれている」

「頭文字が一致しただけだぞ」

「偶然ではないね」

「頭文字をつなげるなんて、陳腐だろうが」父は、つい先ほど私が口にした台詞と同じことを言ってきた。「下らない」

「陳腐なものほど大事なんだよ。最近の若い女の子がカルシウム不足なのは聞いたことがある？　地味でありきたりなカルシウムとかビタミンとか、そういうやつこそ人生には必要なんだ」

「これは人生の問題じゃない。たかが放火事件と落書きの問題だ」

「頑固親父《おやじ》め」

「頑固親父の長男め」

何をふざけたことを言ってるんだ、そんな暇があるのなら早く眠ったほうがいい、と私は言い返そうとしたが、そこでまた小さな閃《ひらめ》きを感じた。電話を肩と耳の間に挟んだまま、自分の机の上を探り出す。メモ帳を見つけ、書いてあったリストに目をやる。手が震えて、近くのペン立てが倒れたが、構いはしなかった。

「おい、どうしたんだ」私の声が途絶えたことを心配したのか、父が訊ねてくる。

私は、自分で作成した放火現場の一覧を見た。「放火現場を覚えている？　一件目は、『シー・エス・エス』というソフトウェア会社。次は、『ゴールドコースト』だ」

「パチンコ屋だな」

「三件目は、『朝日不動産』」

「四件目は、『ＴＥＡＭ』という古着屋で、次は生協だな」

「父さん、生協はCOOPだよ」

「それがどうした?」

「そっちも頭文字なんだよ。その後は、『武田堂』『アフタヌーン』と続いて、我らが、『ジーン・コーポレーション』となるんだ。うちの会社のビルの上には、『G』のロゴマークがあるくらいだ」

「それがどうした?」

「三日前の火事は、『東北ゼミナール』で起きた。つまり、現場の頭文字を並べると、CGATCTAGTとなるんだ。これも全部、遺伝子の文字列だ」

DNAは二重螺旋《らせん》状で、それぞれが繋がっている。AはTと結びつき、CはGと結びつく。もたつきながらも、机の上のボールペンを拾うとメモ帳の余白に、「CGATCTAGT」と書いた。これは、放火現場の頭文字だ。その下に遺伝子のルールに基づいて、対応する文字を書き留めた。「GCTAGATCA」となる。「やっぱりだ」と私は小声で唸《うな》る。これはグラフィティアートの頭文字と同じだった。分かりました! 一番乗りの賞品が用意されていたら、手を上げて叫んでも良かった。

「二重螺旋だ」受話器の向こう側にいる父に理解してもらえるわけがなかったが、とにかく言わずにはいられなかった。「放火現場とグラフィティアートの現場は、二重螺旋になっているんだ」

「何だよ、それは」父が不服そうに膨れているのが、目に浮かぶ。

「規則性は分かった。これは遺伝子をモデルにしているんだよ」

私は浮かれていた。これは郷田順子あるいは夏子さんの手柄でもあるかもしれないぞ、とも思った。JLGの話がなければ頭文字のアイディアは出現しなかったからだ。

「でも、何のためにだ」父は冷静だった。私の興奮は、その指摘で少なからず削《そ》がれてしまったが、それでも上機嫌《じょうきげん》ではあった。上機嫌ついでに、近いうちにまた見舞いにいくことを約束する。

叡智《えいち》

次の日起きると、さっそくとばかりに春に電話をかけた。自分の発見した放火事件のルールを伝えたかったのだ。けれど、マンションの電話は留守番電話にも繋がらず、携帯電話は、電波が届かない、などとのたまってくる。春に連絡がつかないとなると、自分の発見を伝える相手は他にいないため、私はしょげた。

遺伝子の存在を発見したにもかかわらず、理解される環境にいなかったメンデルの気持ちがよく分かる。虚《むな》しさや悔しさよりも、とにかく腹が立つ。

放火事件とグラフィティアートは、遺伝子の二重螺旋に見立てられている。これは間違いがない、と私はもう一度、考えた。グラフィティアートの落書きがCではじまる単語であれば、その近くにあるGではじまる名前の建物が放火に遭う。AならTだし、GならC、TならAだ。遺伝子の二重螺旋の塩基と、その点では同じ規則性を持っているわけだ。

頭を掻《か》き、コドン表を引っ張り出した。書棚に挟んである、カラー印刷の一枚紙だ。遺伝子から作られるアミノ酸が、一覧表となったものだ。時計を見る。会社に向かうまでは、まだ若干の時間があった。

遺伝子はそもそもタンパク質を作るためのものなのだから、例の頭文字の秘密はそこから作られるタンパク質、つまりはアミノ酸に隠されているのではないか、と考えたのだ。

遺伝子は三文字ずつ、一組の設計図となって、アミノ酸を作り出す。例えば、「CCG」という並びは、プロリンというアミノ酸を作る命令になる。その三文字一セットの組み合わせを、「コドン」と言い、それの一覧表がコドン表だった。

まずグラフィティアートの頭文字を、表と対応させていく。

DNAからアミノ酸が作成される時の手順については、RNAが登場してきて、設計図の転写が行われて、などと、面倒な段階があるのだけれど、ここでは省いてもいい。

三文字ずつを、表に当てはめていった。はじめが、「God can talk」なので、「GCT」となる。表に当てはめると、その暗号から作成されるアミノ酸は、「アラニン」となっている。だから、「アラニン」とノートに書き留める。

その次は、「Ants goto America」で、「AGA」だ。アミノ酸は、「アルギニン」となる。

最後は、「280 century ago」となるから「TCA」。「TCA」という遺伝子からは、「セリン」というアミノ酸が作られる。

私はアラニン、アルギニン、セリン、と並べた文字をじっと睨《にら》みつけた。

その時の私は、神の暗号を解いてしまったかのような高揚した気分で、しばらくノートを眺めていれば、アミノ酸の名前に隠れた秘密も、たちまち解き明かしてしまうのではないか、と高をくくっていた。しかもどういうわけか、自分が向き合っている暗号には、とてつもなく重要な謎が隠されている気がしてくるから、不思議だった。

癌の特効薬となる植物の名前であるとか、石油に替わる新しいエネルギーの在りかであるとか、放出される二酸化炭素を劇的に減少させる技法であるとか、そういった人類の進歩や発展に繋がる秘密の何かが、ノートのアミノ酸の名前から、ぼうっと浮き上がって見えてくるのではないか、そんな期待すらあった。放火事件とグラフィティアートが二重螺旋の関係にあることを見つけた私は、自分がとてつもない使命や叡智を担《にな》っているようなつもりになっていたのだ。

ただ、つもりはあくまでもつもり、であって、実際に使命や叡智は私とは関係がなく、表をいくら眺めてもそれ以上の、偉大なる閃きはやってこなかった。

グラフィティアートの頭文字は諦《あきら》め、放火現場の頭文字でも、同じことをやってみた。出てきたアミノ酸は、「アルギニン」「セリン」「セリン」の三つだ。それぞれの文字を並べ替えたり、逆さから読んでみたりを必死に繰り返したが、当然のように何も思いつかない。

しばらくして溜《た》め息《いき》をつくと、私はコドン表を畳み、書棚にもう一度差し込んだ。時計を見ると、これはもう奇跡でも起きないかぎり、到底、会社に間に合わないような時間だった。慌《あわ》てて家を飛び出す。

桃太郎

奇跡は起きなかったが、会社に遅刻もしなかった。なぜなら、急遽《きゅうきょ》、有給休暇を取ることにしたからだ。私は入社以来、率先して休みを取得するほうではなかったので、有給休暇については腐るほど残っていた。

まず、自転車に飛び乗ろうとした瞬間に、携帯電話が鳴った。

「兄貴、さっき電話をくれただろう？」家の電話に着信の記録が残っていた、と春は言った。

私は腕時計を見てすぐに、会社を休むことを決断した。

「どこかで会って話そう。グラフィティアートと放火事件のルールが分かったんだ」

「え」

「辞書で、『すごい』を引けば、『おまえの兄貴』と出てくるだろうな」

「『幼稚』というのも引いてみる」春は憎らしい軽口を叩《たた》いた。「ただ、俺のほうには別の頼みがあるんだ」

その言い方はまさしく、十年前の春の口ぶりと似ていたので、「ジョーダンバットか?」と反射的に訊《たず》ね返してしまう。

「違うよ」春が笑う。「一緒に行こう」

「どこに?」

「やっつけにさ」

それは、高校生の時にバットを持って体育倉庫に向かっていった時の勢いと変わらなかった。彼は鬼退治にでも誘うような雰囲気だったから、たぶん私は、キビ団子一つで勧誘された馬鹿《ばか》な犬の役割であったのだろう。そう言えば、あの犬や猿がどの程度役に立ったのか、私には分からない。

「桃太郎というのも変な話だよね」運転席の春が言った。

「昔話はだいたい奇妙じゃないか」

「子供の頃から不思議だったんだ」

「何が?」訊ねながら、この車がどこに向かっているのか、まだ聞いていないことに気がついた。放火事件と二重螺旋の発見についても、説明できないでいる。

「昔話には親が出てこない」

「は?」私は素《す》っ頓狂《とんきょう》な声を上げた。

「大抵、お爺《じい》さんやお婆《ばあ》さんだろ。桃太郎を拾ってきたのも、かぐや姫を見つけてきたのもそうだ」

「そのほうが昔話っぽいからじゃないか」と私は曖昧《あいまい》な説明をする。「だいたい、桃太郎には二つのパターンがあって」

「知ってるよ。お婆さんが桃を拾ってきて、切ったら桃太郎が出てきたっていうのと、お婆さんがその桃を食ったら、桃太郎が生まれたっていうやつだろ」

「その二つ目のパターンなら、親はいるよ。親はお婆さんだ」

「違うよ。それも、親を排除するための手続きだよ。お婆さんから生まれたのは、息子じゃなくて、孫だ。あくまでも、親がいない」

「そんなわけがない」

「俺には作為的に思えるんだ。桃太郎とお爺さんたちの中間に当たる世代が、ごっそり抜け落ちているのには、意味があるんだよ」

「働き盛りの中堅サラリーマンが、通勤途中の網棚から桃太郎を連れ帰ってきました、なんて話では楽しくないだろ?」

「兄貴は、桃太郎は親殺しの話だって聞いたことがある?」

窓の外に向けていた視線を、運転席に移動させるが、春の顔は無表情のままだった。

「親殺し？　物騒だな」

「あの話に出てくる鬼は父親のことだよ。俺はそう思うんだ」

「暗喩《あんゆ》か」

「酒癖が悪くて、ついでに女癖も悪い、父親のことだね。家族の財産を奪って、好き勝手に暴れる父親は、鬼に相応《ふさわ》しい」

「何だよ、それ」

「父親はさ、息子や両親にも暴力を振るったんだろうな。虫けらにしか与えられなかったはずの情欲を、たっぷり持った父親だ」

「それを殺すのが、桃太郎なのか？」

「犯人の息子を庇《かば》うために、脚色が加えられてさ、昔話として伝わったのが、桃太郎だよ」

「猿と雉《きじ》と犬は、親殺しを手伝った共犯というわけか」

春はそこでにやけた。

「英語にすればいい。雉は Pheasant で、猿は Monkey、犬は Dog だ。頭のアルファベットを並べればＰＭＤ。Parent Must Die『父親は死ぬべし』のサインだよ」

「馬鹿な」

「きっと祖父や祖母、息子たちの間で使われていた符牒《ふちょう》だ。合言葉だ。父親に虐待《ぎゃくたい》を受けると、息子と老人たちはぐっと堪《こら》えて、『ＰＭＤ』と唱えるんだ。いつか殺してやるぞ、と心に誓って、どうにか我慢する」

想像してみた。男の暴力により痣《あざ》だらけになった老人が、廊下で孫とすれ違う際に、小声で、「ＰＭＤ」と呟く。孫のほうも顎《あご》を小さく引き、やはり、「ＰＭＤ」と答える。まるで、忍者やスパイのやり取りだ。

真面目《まじめ》に否定するのも馬鹿馬鹿しくて、私は、「きっとそうだな」とうなずいた。

「そうだ。兄貴の謎《なぞ》解きを聞く予定だったんだ」少ししてから春が、暇潰《つぶ》しの材料を持ち出すかのように言った。

「聞いて驚くなよ」と私は語調を強くし、そして、放火事件とグラフィティアートの関係性を、その時の私の気持ちからすれば世紀の大発見を、淀《よど》みなく説明した。春は相槌《あいづち》を打ちながら、「なるほど」だとか、「へえ」だとか、「それは」などと短い言葉を挟みながら、熱心に聞いていた。

「兄貴は凄《すご》い」

私の話を聞き終わって、春の発した言葉はそれだけだった。大袈裟《おおげさ》に喜んでくれるか、そうでなければ、一笑に付されるかのどちらかだと考えていたので、意外な反応ではあった。

「もっと早く気がつかなければいけないくらいだったよ。で、今は、アミノ酸まで調べた」

「アミノ酸？」

「遺伝子は、アミノ酸を作りだすんだ。だから、あの暗号から作られるアミノ酸を調べた。『アラニン』『アルギニン』『セリン』の三種類だ。そこから先は分からないんだが」

「それ以上の意味はないかもしれない」春は笑っていた。

いや、と私は否定する。きっと何かがあるはずだ、と。「例えば、『アラニン』『アルギニン』『セリン』には、それぞれ、似たような文字が使われているだろう？　それを除いたらどうなる。たとえば、一文字ずつしか出現していない文字は」私はそうして空に文字を書きながら、「ラとルとギとセ、それにリだ。ラ、ル、ギ、セ、リ。これに意味があったりするんじゃないか」

ラルギセリ、ラギルセリ、ラルセギリ、ラギルセリ、と文字を並べ替えてみるが、何も浮かび上がっては来ない。

「兄貴、そこまでは関係がないんだよ」

「いや、意味はあるはずだ」私はそのことに関して自信を持っていた。

「どんな事柄にも意味があると思うのは、人間の悪い癖だよ。原因を探そうとするんだ。犬や猫は結果にしか興味がない」それから春は、例のフランス人の思想家のことを口にする。「兄貴、バタイユは、人間が動物と区別されるのは労働だ、なんて言った。あれは嘘《うそ》だよ。そんなことがあるわけがない。彼は頭のいいロマンチストでしかないんだ。典型的な、考えすぎ、だよ。俺が思うに、人間と動物の違いは、物事に意味を求めるかどうかだね」

「だろ。だから、意味は大切なんだよ」

「違うよ。だから、人間はダメなんだ」

私は、春の言葉を聞いてはいなかった。かわりに、アミノ酸はアルファベットで表記することができたな、などと考えていた。アミノ酸にはそれぞれ、アルファベットが一文字ずつ、割り当てられている。そのアルファベットが分かれば、さらに暗号を解くのに役立つかもしれない、と検討しはじめていた。

「意味を考えていると、物事は複雑になってしまうんだ」春は穏やかに言う。「人が誰かを殺したとするだろう? そうするとみんなで原因を追及するんだ。恨みがあったのか、情状酌量の余地はないか、もしかしたら、精神的な混乱があったのかもしれない、なんてね。そんなことをしているから、にっちもさっちも行かなくなる。結果だけを見ればいい。人を殺したという結果だけを。そうでないとどこかの知った顔の優等生の子供が、『なぜ人を殺してはいけないんですか?』なんて言ってくる」

「ずいぶん、極端な意見だな」少々気圧《けお》されて、とまどった。「おまえなら何て答えるんだ?『なぜ牛は殺して食べるくせに、人は殺してはいけないんですか?』なんて訊ねられたら」

「相手によるかな。こういう言葉を知ってる?『人間は生きるために食べるべきで、味覚を楽しむために食べてはならない』」

「どうせ、ガンジーの言葉だろ」

「ガンジーだ。よく分かったね」

「そう言えば、たいがい当たる」

「まさにそのガンジーの言葉通りだと俺は思うよ。生きるために殺すべきで、楽しむために殺してはならない。俺ならそう答えるよ」

「納得してもらえるかな」

「小学生くらいなら、きっと分かってもらえるんじゃないかな。高校生くらいの生意気な奴《やつ》らが大人を馬鹿にするために言ってきたなら、ただじゃおかないけど」

「どうする」

「包丁でそいつの指でも切るかな。ごりごりとね。で、『殺されるのは、これよりもっと痛いだろうから、だから駄目なんじゃないの』と笑ってやるね」

「めちゃくちゃだな」

「理不尽な恐怖を与えないとさ、子供は世の中を舐《な》めるんだよ。一回、猛獣に嚙《か》まれる経験でもすれば、その後はちょっとは怯《おび》えながら暮らすだろうに」

「一理あるけど」

「ただ、気をつけないといけないのは、『子供に厳しく』なんて偉そうに言ってる大人がまた、甘えた生活を送ってきた、くだらない人間に過ぎない、ってことだ」

私は外の景色を見ていた。国道を抜けて、ひたすら南に車は向かっていた。

「ところで、今、どこへ向かっているんだ」そこで、ようやく訊ねた。

「前にテレビ番組の話をしたけど、覚えてるかな。報道番組でさ、仙台でのグラフィティアートの状況を訴えていたんだ。実際に落書きをする若者たちにインタビューもしていた」

「ああ、覚えているよ。そんなに店の壁に落書きされたくないのだったら、ガードマンでも立たせておけ、って言ってたんだろ」

「そうそう」

「で、おまえはこう言っていた」私は自分の記憶の正確さを誇りながら、「『それなら俺がそいつの自宅の壁に絵を描いてやる』ってな」と口にする。

「その通り」

「あ」もしかして。

「そいつの家が分かったんだ」

「嘘だろ」

「やっつけに行くんだ」春の横顔を見ながら、私は首を振った。

鶏冠《とさか》
「どうやって探したんだよ」

「あの番組をビデオに撮っていたんだ。で、例の、ガードマン発言の若者の顔をプリントアウトしてさ、その紙を使って人捜しをした。古典的な、尋ね人の要領だ」

春がシャツのポケットに手を入れて、畳まれた紙を取り出した。

私は受け取って、開く。白黒画像ではあったが、比較的、綺麗《きれい》に印刷されていた。マイクを向けられてコメントする若者の顔は、予想していたよりもはっきりと把握できる。目のあたりにモザイクがかかってはいるが、鶏冠のような髪型をしている。モヒカンと言うのだろうか。人捜しの特徴としては有効に思われた。

「これを使って、どうやったんだ？」

「やっぱり古典的なやり方だよ。張り込み、および、尾行」

「刑事でもないくせに」

「暇な知り合いがいるから、頼んだんだよ」

「浮浪者だな」私は自分の言葉に、軽蔑《けいべつ》や敬遠が含まれないように、気を配った。

「浮浪者たち」春は口ずさむようだった。「不思議なことにさ、人は決めつけるのが好きなんだ。烏《からす》は黒いものだと決めつけるし、犬は従順、猫は気紛れ、童貞は悪で、不老長寿が一番の幸せ、とかね。断定するほうがきっと楽なんだろう。で、浮浪者は全員、駄目な人間で、野蛮で不潔、と決めつける。そうでなければ、浮浪者は全員、不幸な人間で、根が優しい善人、と決めつける。障害者だとか、老人を相手にする時も一緒。現実にはさ、浮浪者の中にも嫌な奴はいるし、気さくな人もいる。愛すべき老人もいれば、殴りつけたい人もいる。頼めば探偵仕事を買って出てくれる浮浪者もいる」

春の言葉は非常にリズミカルで、音楽を口ずさむようでもあった。

「で、おまえは、そのモヒカン少年のことを頼んだのか」

「彼らは、街で寝泊りしているからね、夜に落書きをする若者をよく目撃しているんだ。もちろん、とばっちりは受けたくないから、見ても見ないふりをしているんだけど。でも、頼めば、見ていてくれる。この写真の若者が来たら連絡をしてくれって、お願いしてあったんだ。そうしたら、昨晩、深夜だけどね、連絡があった。さっそく、飛んでいって、後をつけたよ」

「夜に？」

「スプレー缶を持って、街の喫茶店に落書きをしていた。目を覆《おお》いたくなるようなやり方だった」苦いものを食べた後のように、舌を出した。「壁にスプレーを吹きかけて、奇声を上げて、逃げていくだけ。ひどかった。立ち小便を引っかけていくのと、変わらない。文字とも絵ともつかない汚い落書きは、本当に小便と同じだったね。絶望的だよ」

「モヒカン君だったのか」

「間違いなかった。テレビで観《み》た時よりも、背は高く見えた。赤い鶏冠が街灯の下でも目立っていて、何より決定的だったのはさ、同じ台詞を吐いていたんだ」

「同じ台詞？」

春はハンドルを回転させ、ゆったりと車を左折させる。

「『壁に描かれるのが嫌なら、ガードマンとか警察とかに見張らせとけっつうの』と名台詞を再び口にしてくれた。しかも、『俺たちはアーティストだ』とも言った」

その台詞が、春を怒らせたのは間違いない。

「俺の中のピカッソの血が許さないんだよ。この間、古代ローマの都市、ポンペイのことを話したけどさ、あの壁の落書きにね、こういうのがあるらしいんだ。『覚えておけ。私が生きている限り、死よ、おまえは敵としてやってくる』。これはかなりいいメッセージだと思うんだ。死から逃れられない事実を書いている。これくらいの文章を書いてくれるなら、まだ許すんだけど。あいつらのはひどい」

「で、今、おまえはそのモヒカン君の家に向かっているのか」

「兄貴もだ。普通の一軒家だったよ。まだ十代なのかもしれない。親に育ててもらっている最中のくせに、何がアーティストなんだ」

「一つ訊《き》いていいか。夜のうちにそいつの家を見つけたんだろう？」

「後を追ったからね」

「もし懲《こ》らしめるために、そいつの家に落書きをするなら、その時にやれば良かったじゃないか」何も、いったん引き返してきて、私を呼び出してから、実行する必要はない。

「それはあれだよ」春は眉《まゆ》を下げ、痛いところを突かれた顔になった。「兄貴が一緒のほうが心強いじゃないか」

「何だ、そりゃ」

「子供の頃から、何か特別なことをやる時にはいつも兄貴が一緒にいた。そのせいかな、兄貴がいれば、うまく行く気がする」

もしかしたらそれは、春にとってはジンクスのようなものかもしれない。私は、ジョーダンバットの時のことや、タイムスリップの悪戯《いたずら》の時のことを思い出していた。どちらの場合も私は、ただその現場にいたというだけで、重要な任務を背負っていたわけではなかった。劇的な活躍を見せたわけでもないし、いなくても同じではないか、と首を傾《かし》げたくなるくらいだっただろう。

「魔除《まよ》けだとか、お守りじゃないんだけどな」

「え、違うの」と春は平然と答えた。あまりにあっさりと言われたので、ああやっぱりそうでしたか、と私も納得してしまうくらいだった。それからふいに、以前、別のトラブルにまき込まれた時にたびたび、「こんな時に春がいればな」と感じたことを思い出した。何だ、おあいこか、と。

「で、今日もおまえの活躍を見届けるお守りとして、連れて来られたわけか」

「頼むよ。兄貴しかいないんだ」春はそう言った。ジョーダンバットの時とまったく同じ口調だった。


到着したのは、網の目状に道路が交差する新興住宅地で、私は子供の頃に教科書で見た、平安京の絵を思い出した。春は一方通行の道を難なく進み、停車させる。降りると、トランクを開け、スプレー缶を取り出した。濃さが違う赤色のものを、一つずつ手に持つ。後ろを向き、五軒ほど離れたところの建物を指差した。朱色の屋根が目立つ、二階建ての家だ。「モヒカン君の家だ。きっと彼の赤い髪の毛は、自宅の屋根の色から発想されたんだ」

「本当にやるのか」

「やる」その時の春の笑みは、歯車の狂った者から滲《にじ》み出るそれにも見えた。そして、「必ず、かの邪智暴虐《ぼうぎゃく》の王を除かなければならぬ」と、走れメロスの文章を引用した。つい最近、私も、走れメロスのことを思い出していたため、偶然以上の繋《つな》がりを感じ、はっとし、ぞっとし、そして、郷田順子の主張した、「不可解なノート」や、「繰り返しビデオを見る偏執狂」の話のことを考え、暗い気持ちになった。

春が鍵《かぎ》を投げて寄越した。突然のことでうまくキャッチできず、アスファルトに鍵が落ちた。それを拾う。

「まずくなったら、兄貴に運転してもらっていいかな。俺は助手席に飛び乗るから」

「まずくなったかどうかなんて、何で判断すればいいんだよ」

「兄貴がまずいと思ったら、エンジンをかけてくれていいよ」

それなら今この瞬間に、エンジンをかけたいくらいだ、と私は思うが、春は微笑《ほほえ》み、赤い屋根の家を目指して、すたすたと歩いていった。後ろからついていくと、その赤い屋根の家は、隣家よりもいくぶん大きめに作られているのが分かった。資金力の差なのか、設計の勝利なのか、豪華さを見せたその家の門柱には、「穂高《ほだか》」と表札があった。

「穂高の鶏冠」春が、韻を踏むように呟《つぶや》く。

門の脇《わき》にはガレージがあったが、空《から》だった。おもむろに春は、スプレーの蓋《ふた》を取り外し、ブロック塀に吹きかけた。ためらいは微塵《みじん》もなく、あたりを警戒する間もない。

ぷしゅう、と間延びした噴射音が出た。

私は、弟にお守りと名指しされた者に相応《ふさわ》しく、何もせずにそれを眺めていた。一瞬、間を置いて、そのスプレーの刺激臭が鼻を突き、私は目頭を摘《つま》む。鼻から目に、痛みが走る。春はスプレー缶を振り、そのたびにカラカラと音が鳴った。人を小馬鹿《こばか》にしたような、その音はどこか享楽的でもあって、春の真剣な目つきとのアンバランスさのせいか、不気味な様子に見えた。

私は気が気ではない。左右を見る。平日の車道は車の往来がほとんどなく、時折、何台か通り過ぎていくくらいだった。腰をかがめた老婆《ろうば》が、私たちの前を通りかかった。車輪のついた買い物カートを押している。地面しか見えないのではないか、と思うほど老婆の腰は曲がっていて、歩くのも重労働に思えた。老婆は私に気づき、壁にスプレーを吹きかける春にも目をやり、「あらら」と目を丸くした。

「いい朝だね」その時だけ作業を止め、春は振り返って笑った。そして、「これは仕事です」と爽《さわ》やかに嘘《うそ》をついた。すると老婆は、「それはそれは」とうなずき、通り過ぎていった。

こういう作業は、やはり暗闇《くらやみ》の中で人目を忍んで行うべきではないのか、という疑問を感じずにはいられない。

春の落書きは、赤色の稲妻のようだった。鋭角に曲がる平行四辺形を二つ重ねたような絵だ。二色のスプレーが巧みに使い分けられている。

案の定と言うべきか、予想外と言うべきか、さほど時間も経《た》たないうちに、門からモヒカンが飛び出してきた。家の窓から、私たちが見えたのかもしれない。

玄関の扉の激しく開閉する音が響き、それが彼の焦燥と怒りを表しているかのようだった。そりゃ怒るよな、と私も思った。

アレクサンダー・グラハム・ベル　I

電話を発明したグラハム・ベルは、ひどい夜行性だった。らしい。日が昇るまで起きていて、それから眠ったようだ。午前中に予定のある時には、仕方がないのでずっと起きつづけていたのだという。私の目の前にいるモヒカンの若者の生活も、おそらく同じようなものだったのだろう。深夜の街を徘徊《はいかい》し、スプレーで落書きを繰り返し、朝になってベッドに潜り込んだ。おそらく今はまだ、眠る前だったのだ。

「おまえら何やってんだよ」と彼は怒鳴った。高校を卒業したくらいの年齢かもしれない。弛《ゆる》んだ迷彩色のパンツを穿《は》いている。目を真っ赤にし、怒っていた。

春につかみかかろうとしたが、そこで、春は軽くステップを踏むように、かわした。

ボクサーが相手の左へ回るように、素早く動くと、また塀に色を吹きかけた。缶から発せられる音が、モヒカンを嘲笑《ちようしよう》する。

「何だ、てめえ」

「見れば分かる。壁に落書きだよ」

「ふざけるなよ」定番の台詞を吐き、モヒカンは春に殴りかかるが、またしても春はするりと避けた。

「ガードマンが立っていないから、落書きしてもいいのかと思って」春は飄々《ひようひよう》とした口調だった。ひときわ大きく腕を振ると、塀を真っ赤に塗った。「だろ?」

私はその臭《にお》いを避けるために、目をぎゅっと閉じる。目を開くと、春が蝙蝠《こうもり》さながらに動き、スプレーをまた振っている。

私はそこでようやく、潮時かもしれない、と判断した。撤退の頃合いなのではないか、と思い、ポケットの鍵を取り出すと、車道を横切り、車に戻った。

モヒカンは私を追ってはこなかった。春に、一発で良いから怒りの鉄槌《てつつい》を下そうと、顔を鶏冠と同じ色にして暴れている。必死だ。もっと別のことに必死になればいいのに、と私は思った。

運転席に飛び乗り、焦《あせ》りつつも鍵を挿し込み、エンジンをかけた。振動が身体《からだ》に伝わってくる。バックミラーの位置を調整した。

春の姿が映った。春は両手に持ったスプレー缶を、まさに二丁拳銃《けんじゅう》を持つ強盗のように構え、振り回すところだった。モヒカンの顔に吹きかけた。

「うわ」私は運転席にいたが、気持ちの上では瞬間的に、顔に赤色を吹き付けられたモヒカンと同化していて、思わず悲鳴を上げてしまった。

モヒカンは、赤い怪人のような面になり、しゃがみ込んだ。

「酷《ひど》い」私が呻《うめ》くのと同時に、助手席のドアが開いた。春が乗り込んでくる。「兄貴、行こう」

私はハンドブレーキ、シフトレバー、アクセルと操作して、発進させた。

「酷いな」顔を手で覆《おお》い、座り込むモヒカンの姿を確認しながら、言った。

「あれくらいやらないと痛みが分からないんだよ、ああいう奴《やつ》らは」

「どうせ若者たちは反省などしないだろ」

「兄貴、ガンジーは、ナチスのヒトラーに戦争を起こさないように手紙を送ったんだ」

「またガンジーか」

「永遠にガンジーだよ」

「でも、とにかく、ガンジーもナチスは止められなかったんだろ。じゃなければ、あんなことはなかったはずだ」

「いや、違うんだ。手紙が誰かの手によって止められたんだよ。ヒトラーまで届けられなかったんだ」

春の口ぶりは、まるで手紙が届いていたら、ヒトラーは間違いなく改心していたかのような言い方だった。ガンジーの言葉にはそれほどの力が込められている、と確信しているに違いない。

助手席の春は、スプレー缶を振りながら、窓の外を眺めていた。張り切っていた割には、さほど満足した様子はない。充足感や徒労感ではなくて、むしろ緊張している顔にも見えた。

「どうかしたか」

「どうも」春は窓を見たまま、言う。「しないよ」

弟の様子を横目で見ながら、郷田順子の心配は正しいのかもしれない、と思いはじめる。「春さんの行動は妙です。精神状態も安定していません」というあの言葉が、頭を駆け巡る。隣の弟からは、嵐《あらし》の中で揺れる、やじろべえのような不安定さが伝わってきたからだ。

かの邪智暴虐の王を倒せたのか、と私が冗談として訊ねると彼は、「いや」と答え、「でも、思えば」と続けた。「あの王は悪くなかった。走れメロスに出てくる王は」

「悪くない？」

「悪い奴なのかもしれないけれど、最終的には、自らの過《あやま》ちに気づいたじゃないか。いけしゃあしゃあとメロスたちに、俺も仲間に入れてくれ、と言い出すくらいには愛《あい》嬌《きょう》もあったし」

「人には良い面もあれば、悪い面もある、ということかもしれないな」私は深い意図もなく、そう口にした。

「でもね、俺はそういう物分りのいい考え方はできないんだ」

「どういう考え方だ」

「根っからの悪人はいない、とか、そういう物分りのいい、やつ」春の声は小さかった。けれど、どこか明瞭《めいりょう》な輪郭を持っていた。

携帯電話が鳴ったのは、駅に近づいてきた時だ。それが会社からのものだと分かったので私は車を路肩に寄せ、停車した。「電話に出ていいか？」と訊《たず》ねると春は、「もちろん」とうなずいた。彼は助手席から外を眺めている。

「泉水」と電話の相手は言った。「休みのところ悪いな」

我ら同期の中のエリート、英雄だった。彼はそう呼ばれるのはあまり好きではないらしく、「エリートというのは、タイプライターのフォント名のひとつだよ。一インチに十二文字打てるフォントだ。大体十ポイントくらいの」などと、はぐらかすこともある。タイプライターの字体の話をすること自体が、エリートの現われなのではないか、とは彼は考えないらしい。

英雄の話を聞く前に、私は先に自分の質問を口にしていた。暗号の件だ。

「そっちからの電話で悪いが、英雄はアミノ酸に詳しいか？」

「唐突だな」英雄が笑う。

「アラニンを表すアルファベットは何だ？」

「何だ、そういうことか」さすが英雄は、私の質問の意図を素早く把握した。「アラニンはAだ」

「アルギニンとセリンは？」

「アルギニンはRで、セリンはSだろ」

「凄《すご》いな。即答じゃないか」

「これは知らないほうが恥ずかしくて俯《うつむ》いてしまうたぐいの知識だぞ」

私は電話越しではあったが、恥じて俯く。

「それがどうかしたのか」

「アミノ酸を使った暗号を解いているところなんだ」

「暗号クイズか。で、アラニン、アルギニン、セリンなのか？」

「その文字からは意味が読み取れなかったから。アルファベットに変換しようと思ったんだ。それで知りたかった。A、R、Sだな」

「ARSなんていう単語はないけどな」英雄はからかうような口調だった。

「ARSか」私もそんな言葉は聞いたことがなかった。

助手席の春が突然、噴き出した。心地よい爆笑だった。シートベルトをしたまま身体を揺らし、手を叩《たた》いた。「兄貴、傑作だよ」

私は、弟の不意の爆笑に、送話口を手で押さえながら、「どうした？」と訊ねた。弟の精神的やじろべえがついに台から落ちてしまったのか、と不安になった。

「兄貴、今、喋《しゃべ》っている、A、R、Sというのは落書きの暗号から出てきた文字のことだろ？」

「アミノ酸をアルファベットに直すとそうなるんだ」

「そいつは凄い。Arsonという英単語ならある」

「どういう意味の単語なんだ」

「Arsonの意味は、『放火』だよ、兄貴」

私はまじまじと弟を見て、しばらく、言葉を失った。Arson！　放火！　あまりの驚きに、脳の回転が止まってしまう。

「偶然だよ」春が笑う。「最高だ」

「偶然じゃないだろうに、これは」

まさに、この事件の暗号に相応しい単語ではないか。今のところ「Ars」までしか発見されていないが、今後、「on」と続くことがあれば、これはまさに放火魔が罪の下に塗りこんだ意思表示と見ることができる。暗号解読だ、と私の胸は高鳴った。

「兄貴、これは悪戯《いたずら》なんだ」

「誰の悪戯だ」せっかくの発見に水を差すようなことを言うな、と私はむっとする。

「偶然の悪戯なんだよ」

私は指を出し、いいか、と弟を説き伏せようとも思ったが、電話から、「おい、何を騒いでいるんだ」と英雄の声が聞こえてきて、意識を戻す。

「いや、おまえのおかげで謎《なぞ》が解けたんだ」

「俺は別に、そんな話をしたかったわけじゃないんだ」

「そうだ、これはおまえからかけてくれた電話だった」

「この間の検査結果が出た」

私の笑みはそこで消えた。胸の中に充満していた達成感は音もなく萎《しぼ》みはじめた。唾《つば》を飲み込む。「早いな」

「おまえが早く知りたいと言うからだ。どうする、読み上げるか」

「ああ、頼むよ」

英雄は検査結果を読み上げた。いくつかの項目について機械的に言った。例えば「陰性」「〇」「一致」など、まさに機械の発声にも似ていた。

驚く結果ではなかった。想像していた通りだったので、驚く必要がなかったが、とにかく、長い溜《た》め息《いき》を吐《つ》いた後で、「なるほど」と返事をした。なるほどそうか、とできるだけ軽快に。

「これは、その、何の結果なんだ?」英雄が心配そうに訊ねてくる。

「地味でくだらない結果だよ」と私は力なく答える。「カルシウムだとか、ビタミンと一緒で、くだらないけど大事なことだ」

「また会社で」と英雄は言って、電話を切った。グラハム・ベルは、電話がこれほどまでに普及し、さまざまな情報を、数々の喜怒哀楽を運ぶことになるとは、想像もしていなかっただろうな、とふと思う。

「兄貴もアミノ酸にこだわるなあ」と春が言ってきた。その声は、私の気分からはずいぶんと落差のある明るいものだった。「Arson は傑作だよ」

「暗号の謎は解けた」

「こんなのはただの言葉遊びで、こじつけだよ」春が言い切る。「真実はこんなものじゃないよ、きっと。でも偶然は面白い。Arson の文字が出てきたなんて」

「偶然ではない」と言いながらも私の声は沈んでいた。水の中にぶくぶくと沈没し、喋れば喋るほど、息苦しくなっていく、そんな感覚に包まれている。それを振り払うように、エンジンをかけ、車を発進させる。

私が打ち沈んでいることに気づいたのか、春がじっと横から見つめてくる気配があった。私は白を切り、フロントガラスを見つめたままだったが、春は、「兄貴。さっきまでの興奮はどこに行ったんだよ」とからかい口調で言ってきた。

「どこにも行ってない」と私は嘘《うそ》をつく。

「嘘だ」春はすぐに指摘した。「不安なのか、怖いのか、とにかく酷い顔をしている」

「緊張しているんだ」

「そうだ、そうだ」春がなぜか嬉《うれ》しそうに手を叩く。「確かに、緊張の顔だ。あの時の顔だよ、今の兄貴は」

「あの時？」

「子供のころ、母さんが競馬場で勝負した時があったじゃないか」

「ああ」私はすぐに分かって、苦笑した。「確かに、あれは最高に緊張した」

地球の自転とレース

あの時、私と春は生まれてはじめて、競馬場に行ったのだ。父が長期で出張に行っている時期で、のんびりと過ごす日曜日に何を思い立ったのか、母はソファで横になる私たちに、「馬でも見に行っちゃおうか？」と微笑《ほほえ》んだ。微笑まれても困る、と私は思った。

母は颯爽《さっそう》とジーンズを穿《は》くと、私たちをカローラに詰め込み、出発をした。彼女の行動力は、瞠目《どうもく》に値する。二時間かかって、競馬場に到着したが、その競馬場という未知なる空間は、私の好奇心を刺激し、同時に不安感も与えた。洒落《しゃれ》た建築物があるわけでもなければ、軽快な音楽がかかっているわけでもない。コンクリート剝《む》き出しの、やけにぶっきらぼうな会場だった。誰もが不機嫌《ふきげん》な顔をしていたが、とにかく騒がしかった。会話と言うよりも、ただ、歎息《たんそく》と独り言の充満、そういう喧騒《けんそう》ばかりだった。

当時の競馬場では、母は明らかに場違いだった。スタンド席から、一周千六百メートルのコースを見つめる彼女は、咲くべき季節を誤った花のように目立っていた。

相変わらず、犬のように鼻をくんくんと鳴らす春は、「馬かな、馬かな、そろそろ馬が来るかな」と落ち着きがなく、それははじめてサーカスの見物に行った時と同じ反応だったが、とにかく、コースに馬が入ってくるたびに、立ち上がって手を振った。母は入り口で買ってきた競馬新聞を広げて、「若い頃はよく来たのよ」と少々自慢げでもあった。

母はあまり検討をしないタイプのようだった。

最初のレースは、新聞に載っている予想の真似《まね》をして、外し、次は私たちが口にした好きな数字を組み合わせた馬券を買って、やはり外した。外れはしても、レースは楽しかった。応援すべき馬の色と、騎手の帽子の色を教えてもらい、その色が来るように跳びはねて応援した。

やりはじめて、四レース目くらいだったと思う。母の隣に男が腰掛けていた。

「調子はどうです?」と馴《な》れ馴《な》れしい口調で、話しかけてきた。あれはまだ二十代の男性だったのかもしれない。

「全然。勝てないですよ」母が自然に返事をした。

「弟さんたちの子守りですか？」男は、私たちを母の弟だと決めつけた。

息子ですよ、と説明すると、彼はひどくびっくりしてみせた。がっかりはしなかった。本心なのか、お世辞なのか、分からない反応だった。

その男は、ビールを飲んでいる他の中年男たちに比べれば、はるかに見てくれが良かった。背筋が伸びていて、肌も綺麗《きれい》だったが、ただ、その外見の良さを自覚しているような嫌味もあって、何か気障《きざ》な人だな、と私は思った。女性の扱いに慣れている男だったのかもしれない。母は儀礼的に笑い、素っ気なく振舞った。

「次のレースは何を買われるんです」

「わたし、子供と楽しんでいるんで」母が、やんわりと言った。「子供」という単語を強めに発音した。ただ、その口振りは、男を刺激する色気を持っていたのだと思う。

「そう邪険にしないでくださいよ」

母が露骨に、嫌悪《けんお》を顔に出した。私は事態が飲み込めず、男を追い払うべきなのか判断が下せなかった。ただ、おろおろとしていた。その後、何がどういう流れだったのかよく覚えていない。とにかく男が、「なら、賭《か》けましょうよ」と言い出したのだ。

「さっきから賭けてるの。ここは競馬場だし」

「だから、お金以外のものもですよ。俺と勝負するんですよ。二人で一点ずつ買って、来たほうが勝ち」

「勝ったらいいことがあるわけ」

「俺が勝ったら、この後、デートだね」

彼は、子供がいたところで寝かせるなり何なり、どうにでもできると高をくくっていたのかもしれない。いかがわしいものを感じて、私は落ち着かなかった。

「わたしが勝ったらどうするの」

「大人しく去りますよ。二人とも外れたら、賭けは次レースに持ち越しましょう」

身勝手なルールだ。母には得るものがまるでないし、どちらかが当たるまでは男は居座るつもりなのだから、実質は、デートの強要に近い。ところが、母は快諾《かいだく》した。新聞を睨《にら》みつけていたかと思うと、顔を上げ、「オッケー。やろうじゃないの」と応じた。私は目を丸くした。たぶん、提案した男も同様だった。

「次は自信あるから」と母は微笑んだ。

男は目を輝かせ、「決まり」と手を叩いた。

七頭立てのレースだった。母も男もそれぞれ連勝複式馬券を、千円分、購入した。

「一点だけですよ。何枚も買っていて、当たった馬券だけ取り出すというのは、なしですよ」男はやけに細かいことを言って、お互いの馬券を事前に、見せ合った。慣れた進め方だった。このゲームは、はじめてではなかったのかもしれない。

男はがちがちの本命馬券を買っていた。私はそれを見て、「大人気ないな」と感じずにはいられなかった。

一方で、母が購入したのは、万馬券だった。

「こんなの絶対来ないですよ」男は同情する目になった。「もしかして、わざと負けたがってるんでしょ」

私と春は、行われているやり取りの重大性は把握できていなかったが、それでも、自分の母親がひどく分の悪い勝負に巻き込まれていることは分かった。負けるとそれなりの不幸がやってくるに違いない、と感じ取ってはいた。

「お母さん、大丈夫？」

「春、見てなさいって」

出走前のファンファーレが鳴った時、母が震えていることに、私はようやく気づいた。意外だった。余裕のある顔をし、大らかに構えている母が、どうして震えていたのか。今ならば分かる。母は隣にいる男に恐怖を感じていたのだ。特別に、その男が悪人だったわけではない。むしろ、ごく普通の男性だった可能性もあるが、けれど、強姦《ごうかん》に遭遇した経験は、きっと想像も出来ないほど強烈な恐怖心を、母に植えつけていたはずだ。

あの時、母は戦っていたのだ、と思う。怯《おび》えてしまう自分を叱咤《しった》し、苦々しい過去と立ち向かうために、たぶん、無茶な賭けに乗った。きっとそうだ。

馬が一斉に駆け出した。

褐色の馬たちの跑足《だくあし》は迫力があった。地響きがスタンドにも伝わってくる。七頭の草食獣が力強く突き進む。蹄《ひづめ》で土をつかんでは、突き放す、そういう勢いだった。リズミカルに地面を蹴《け》り上げる馬を見つめていると、これで地球は回っているんじゃないか、とそんな気になった。目の前の七頭の馬の蹴り足で、地球は回転しているんだ。きっとそうだ、と。

あっという間に、レースは後半に入っている。目で追っている限り、応援すべき白色と赤色の帽子は、それなりに健闘していた。

第三コーナーまでは絶望的などん尻《じり》を走っていたのだが、最終コーナーが近づくにつれてじりじりと順位を上げた。私たちの期待を煽《あお》るかのような、じわじわとした、確かな追い上げを見せた。

全頭がほぼ横一線に並んだように見えた。残るはゴールまでの直線だけだった。すると、そこで二頭の馬が速度を落とした。まるで、走ること自体に飽きたかのような失速だった。

隣の男が勝利の声を上げた。遅くなったのは私たちの馬だった。母の身体《からだ》に力が入るのが分かる。

その時だった。

先頭を走っていた葦毛《あしげ》の馬が転倒した。

劇の演出に従うかのように、見事に転倒した。

「あ」と声を上げたのは、おそらく私だけではなかったはずだ。スタンド中の馬券を握り締めた客全員が、その瞬間だけは心を一つにしてこう叫んでいたと思う。

「嘘だろ」

後続の馬たちがそれに引きずられて、コースを逸《そ》れる。その間隙《かんげき》を縫うかのように、栗毛の馬が二頭駆け抜けていった。白と赤の帽子。私たちのための馬が、私たちのために、勢いよくゴールした。

母は大喜びで立ち上がり、私と春は子供らしく万歳をした。

周囲で落胆と怒りの声が交錯する中、私たちだけがはしゃいでいた。

「わたしの勝ち」「見た？」母は勢いよく隣の男を指差した。とても様になっている恰好《かっこう》だった。

男は心底、レースの結果に驚いていたのかもしれない。新しいルールを持ち出すことも、もう一回、と粘りを見せることもなかった。首を傾《かし》げ、弱々しく笑い、馬券を破くと、姿を消した。

私たちはその場に残り、三人で喜びを分かち合う。

「絶対、来ると思ったのよ」母は興奮覚めやらないまま、新聞を開いた。

私と春は顔を寄せ、自分たちが応援した馬の欄を見た。予想欄には二重丸も三角もついていない。何らかの印がついているほうが良い、という程度の知識はあったので、私は呆《あき》れてしまった。

「よく当たったね」というよりも、あの転倒事故がなければ、完全に負けていた。

「名前を見てよ」母が微笑んだ。「一枠がイズミオーシャンで、三枠がコハルクイーンでしょ。イズミとハルよ」

「本当だ」春が嬉しそうに顔を崩した。

「それが理由なの？」拍子抜けした。「それであんなに自信満々だったの？」

母は、私たちの髪の毛をくしゃくしゃと触った。「あなたたちに賭けたの」そして、もう一度、コースを見つめてから、「絶対、来ると思ったのよ」と呟《つぶや》いた。「あなたたちは必ず、一緒なんだから」

「お兄ちゃんが一位で、僕は二位だ」

そこで、どよめきが起きた。配当が表示されたのだ。いくらだったのか覚えていないが、万馬券には違いなかった。当たり馬券を握り締めた母が、目に涙を浮かべていたのは、きっと配当金が高かったからではなかったのだろう。

そこで、にやにやしながら新聞を見ていた春が、急に困った顔になり、顔を上げた。

「お母さん」

「どうしたの」

「このさ、六番目の馬の名前って、ハルカゼダンサーって言うんだね。何で、こっちを買わなかったの?」

「え」母は慌《あわ》てて、新聞に顔を寄せた。そして「あー、気づかなかったわ。この馬にも、『ハル』ってついてたのね」

「もし気づいてたら、こっちを買っていたかも?」私は引《ひ》き攣《つ》りながら言った。

「買ってたかも」母はのほほんとした声で言った。「その馬の名前、完全に見落としてたわ」

やばかったんじゃないか！

もし母が六枠の馬を買っていたら、とぞっとした。

「結果オーライ」という言葉を教わったのは、たぶん、あの時だ。

フェルマー、ラスコー、エッシャー

駅から離れたところにある、小さなイタリア料理店で昼食を食べた。春はパスタを食べながら、ブロッコリーの絶妙な柔らかさに感激している。パスタにかかったトマトのソースは、先ほどまで春がモヒカン家に吹きつけていたスプレーの色とよく似ていた。春は落ち着きを取り戻していた。車の中で見せた緊張感は、柔らかいブロッコリーにより、幾分やわらいだのかもしれない。

「兄貴、さっきの暗号について、どう思う？」春はフォークを上手に回していた。

「どうって」

「Arsonという文字に従って、事件は起きていると思う？」

「そうに決まっている」パスタを啜《すす》りながら、うなずいた。

「そういうのは兄貴が好きな展開なはずなのに、今の兄貴は何かに心を奪われているみたいだ」

「そうか？」その通りだ、と私は言い返したかった。私はそれどころではなかった。

「俺は偶然だと思うよ。Arson なんていう文字ができるわけがないから」春がフォークの先を向けてきた。

「偶然ではない」

「どうして？」

「グラフィティアートに残された落書きと放火現場の名前は、遺伝子の文字と同じだ。ACGTのいずれかが頭についている。あれが偶然とは思えない」

「もちろん。それは偶然じゃない。正解だ」春はまるで自分が出題者であるかのような言い方をした。

「それから、その文字列から作られるアミノ酸を記号で書いていくとARSとなる。これは Arson を意味している」

「そこからが誤り。偶然だ」

「Arson の意味は、『放火』だ。そうなんだろ？　こんな偶然があるか」

「偶然はあるよ。後から意味を見つけていく場合にはよくあるんだ」春はとても落ち着いていて、うんうん、とうなずくようでもあった。「仮に兄貴の予想が正しかったとする。そうすると、次はArsonのOが出現するわけだろ？　参考までにOと表記されるアミノ酸は何？」

そこで私は唸《うな》った。唸るほかなかったのだ。アミノ酸とアルファベットの対応について暗記していなかったのだが、薄《うっす》らとした記憶によれば、Oと表記されるアミノ酸はなかったはずだ。

「Oで表されるアミノ酸はない気がする」正直に話す。

「あ、そうなんだ？　それなら話は早い」

「正確なことは、調べたほうがいいけど」

「それなら兄貴の推測は、やっぱりこじつけだったことになる。Oとなるアミノ酸がないのなら、Arsonという文字は永久に出来上がらない。そうだろ？」

「いや、Oは省略したっていいじゃないか。そうでなければ無理やりOという文字を導いてもいい」

「無理やり導くのは、それはもうルールじゃない」

「でも、ちょうどArsまでは出来上がったんだぞ」せっかくできた積み木の城をわざわざ壊すことはあるまい、と言ってみた。「細かいことに目くじらを立てず、寛大になろうじゃないか」

春はにやにやと笑いながら、否定してくるだけだった。「人生はあまり長くないんだから、あまり深いことまで考えないほうがいいよ。そうだ、兄貴、フェルマーの最終定理って知ってる?」

「何となくなら」テレビ番組で観《み》たことがあった。

「フェルマーは、十七世紀の数学者だよ。彼はもとから性格のひねくれた男だったみたいだけど、メモに妙なことを書いたんだ。『3以上の自然数nに対して$x^n+y^n=z^n$は正の整数解をもたない』ってね。しかも、『私はこの命題の真に驚くべき証明をもっているが、余白が狭すぎるのでここに記すことはできない』とも書いたから、みんなが慌てた」

「それを証明しようと、それこそ、十七世紀からたくさんの数学者が躍起になったんだろ? 一生を費やした人もいるって聞いた」

「兄貴が暗号に夢中になっているのも、それと同じだ」

「あの法則も何年か前に証明がされたじゃないか」むきになりたくはなかったが、私は声を高くした。

春は苦々しい顔で、「でもね、あれだって怪しいよ」とフォークを動かす。

「嘘《うそ》だって言うのか」

「いや、あれはあれできっと証明は完成したんだ。俺には難しすぎて、さっぱり分からないけれどね。ただださ、あの数学者、ワイルズって、ものすごく苦労をして解いたんだよ」

「そりゃ苦労しただろうさ」

「そうじゃなくて、ワイルズは二十世紀の数学テクニックを駆使して、あれを解いたんだ。で、十七世紀のフェルマーがそんなやり方で解いたとは、俺には思えない」

「どういうことだ」

「二十世紀になってようやく作られたテクニックを、三百年以上も前のフェルマーが使えるわけがない。そう思わない？　楕円《だえん》曲線だとか、モジュラー形式だとか、フェルマーは本当にそんなものを使って、証明したのかな。もしそうなら、それらの手法をまず、どこかに書き残しているはずだよ。いくら紙に書ききれないなんて言っても、現実味がない」

「フェルマーは別のやり方で証明したということか」

「おそらくね」それから春は悪戯《いたずら》を隠す子供のように目を細めた。「もしくは証明なんて嘘っぱちだったかだよ」

「まさか」

「フェルマーは軽い気持ちでメモに走り書きを残した。もしかしたら自分では証明できたと思い込んだだけかもしれない。そうだろう？　誰も確認していないんだから。それなのに、三百年以上もの間、数学者がああでもない、こうでもないとこじつけてきたんだ。頼んでもいないのに、憶測を重ねて、こじつけてさ。どうだろう、今の兄貴がやっているのは、それと似ているじゃないか」

春がフォークを置いて、微笑《ほほえ》んだ。ちょうどそこに、髪の長いウェイトレスが皿を片づけにきてくれた。彼女は、春の笑みを見て、はっとしたかのように動きを止めた。春をはじめて見た人は惹《ひ》きつけられる。珍しいことではない。

「ラスコーの壁画も同じだ」春は、ウェイトレスには視線もやらず、さらに言った。

「ラスコー？」ラスクなら知ってる、あれは美味《うま》いよな、と私は言ってみたが、無視された。

「この間も話したけど、クロマニョン人たちは壁画を残しているんだ。有名なものにフランスのラスコーの洞窟《どうくつ》があってね、素晴らしいバイソンが描かれている」

「バイソンって牛か？」

「みたいなやつだね。写真で観たことがあるけど、いい絵だよ。とてもいい」

「そのラスコーの洞窟がどうかしたのか」

「あれもね、発見されてから、みんなが憶測を重ねているんだ」

「写真で見たことがあるかもしれないな」

「不思議な絵なんだよ。バイソンの身体からは内臓のようなものが飛び出しているし、人間のような者も描かれているんだけれど、そいつは鳥の顔をして、性器を突き出しているように見える。脇《わき》には風見鶏《かざみどり》みたいなのが描かれているし」

少しだけ興味が湧《わ》いた。謎めいた壁画には、隠されたメッセージがあるのではないか、と思ったのだ。私はそういう遊びに本当に目がない。

「あれはさ、儀式の様子を表したもので、勃起《ぼっき》した人間はお面を被《かぶ》ったシャーマンだ、という説がある。シャーマンのエクスタシーを表現しているんだって」

「なるほど、ありうるかもな」

「眉唾《まゆつば》だけれどね。その他では、たとえば、あの男はこう言っている」

「あの男というのは、バタイユか？」言葉に滲《にじ》む嫌悪《けんお》感から想像がついた。

「壁画は、バイソンの殺戮《さつりく》と人間の贖罪《しょくざい》を意味している、なんて言った。考えすぎだよ。そうでなければ、バイソンの腹から垂れ下がっている腸のようなものは女性の性器だという人もいてさ。バイソンの毛皮を被った女性だってね。みんな、勝手な憶測を重ねてるんだよ。俺からすれば、あれはただの落書きだよ。グラフィティアートだ。

意味なんてない」

「意味はあるはずだ」

「あのさ。壁画は洞窟の奥の、天井の隅だとか描きにくそうな場所に描かれているらしいんだよ。もっと描きやすい壁は近くにあるのに、わざわざ角に描かれている」

「どうしてだろう」

「最近になって、洞窟内で最も音が反響する位置に描かれていることが分かってきたんだ」

「反響？」

「叩《たた》くと音が響く。そういう場所に絵が描かれている。そうすると今度は、これは絵ではなくて、叩いた時の音に秘密が隠されているのだ、なんてね、憶測が飛び交うわけさ」

「間違っているとも限らない。鋭い意見じゃないか」

「俺はそんなことは考えても仕方がない、と思う」

「研究者にとっては大事なんだろう」

「俺が思うには、きっと壁画を描いたホモ・サピエンスも、今のグラフィティアートを描く若者たちと大差なかったんだ」

「どこが？」

「グラフィティアートは誰にも描けないようなところに描いて、自慢するものなんだ」春は冗談ともつかない顔でそう言い切った。目を細め、水の入ったコップをつかんだ。「それと一緒かもしれない。クロマニョン人は、誰も描けないような暗くて狭い場所に絵を描いて、自慢していただけかもしれない。もしくは」

「もしくは？」

「クロマニョン人は洞窟のあちこちに絵を残した。ただ、描いた後に消した」

「おまえのやっている仕事と似ているな」

「で、今残っている壁画は消しそこなったやつなのかもしれない。あれは描きにくいところと言うよりも、消しにくいところだったんだ」

なるほど、と私は思った。発想の転換だった。「ありえるかもな」

「当てずっぽうだよ。ただ、壁画にしても、後から考えれば、どうとでも解釈できるってわけだよ」

私は、「なるほど」と呟《つぶや》いた。何を聞いても真実に聞こえた。

「フェルマーの最終定理にしろ、ラスコーの壁画にしろ、人はどんなものでも意味を見つけようとして、時間を無駄にする」春は笑った。「兄貴もそうなりつつある」

「でも、放火事件はまだ起きる」アミノ酸の法則はきっと正しい、と私は胸を張ってみた。

「ああ、起きる」

「そもそもグラフィティアートと放火現場のルールはおまえが言い出したんだぞ。覚えているだろ。おまえが引っ張り込んだ。今になって憶測を重ねるな、と非難してくるのは反則じゃないか」

「兄貴の推理も、二重螺旋《らせん》までは良かったんだよ。ただ、アミノ酸までは考え過ぎだよ。Arson だなんて」

春が財布を取り出して、立ち上がった。弟に金を払わせるわけにもいかなくて、私は先に伝票をつかんで席を立った。その途端、私は自信を失って、「俺は考えすぎかな?」と弱気に訊《たず》ねた。

「考えすぎだよ」

レジに立つウェイトレスに伝票を渡し、「でも、悪くなかっただろ」と春に言った。彼は、「悪くはなかった。むしろ素晴らしかったよ、兄貴」と微笑んだ。「Arson なんだから」

ウェイトレスは、春を前にして緊張したせいか、二度ほど数字を打ち間違え、顔を赤らめた。可愛《かわい》らしい仕草で慌《あわ》てていたが、春はまったく気にもしていなかった。店を出て、駐車場までの階段を降りたところで、春が立ち止まって私の顔を見た。今度は、「エッシャーって知ってる?」と来た。

「絵描きだろ。あの騙《だま》し絵のようなやつを描く人だ」

「そう。版画家の。彼はさ、ラスコーの壁画を見て、面白いことを悟るんだ」

「版画家が悟るか」

「『造形芸術は進化しない』って」

「進化しない?」

「人類は様々なことで、進化、発達をしてきただろ。科学も機械もね。先人の教えや成果を学んで、それをさらに発展させてきた。でもね、芸術は違う、エッシャーはそう言ったんだよ」

「芸術がどう違うんだ」

「どんな時代でも、想像力というのは先人から引き継ぐものじゃなくて、毎回毎回、芸術家が必死になって搾《しぼ》り出さなくてはいけないってことだよ。だから、芸術は進化するものではないんだ。十年前に比べてパソコンも電話も遥《はる》かに便利になった。進化したと言ってもいい。でも、百年前の芸術に比べて、今の芸術が素晴らしくなってるかと言えば、そうじゃない。科学みたいに業績を積み上げていくのとは違ってさ、芸術はそのたびに全力疾走をしなくてはいけないんだ。だから」

「だから？」

「一万七千年前のラスコーの洞窟に壁画を描いたホモ・サピエンスも、二十一世紀の地下道に落書きをする俺も、同じくらい苦労して想像力を働かせているってことだよ。エッシャーは壁画を見て、それを悟った」

「実際に、その時代のホモ・サピエンスを今の時代に連れてきて、それで芸術ができるかどうかは別問題だと思うが」

「兄貴、そんなこと無理に決まってる」春は茶化すように言った。

車の助手席に座ったところで、「エッシャーさんは考えすぎじゃないかな」と言ってみた。

そうだね、彼も考えすぎだね、と春が笑った。兄貴と一緒だ、と。

探偵 Ⅱ

久しぶりの休みの日を、眠って過ごすことほどもったいないことはないのかもしれないが、私はそれをやった。

春と別れ、部屋に戻る。机の引出しを開け、ビニール袋を引っ張り出した。錠剤が入ったアルミシートが何枚も入っている。会社から盗んできたものだった。種類がそれぞれ違うようだが、私はロヒプノールと思われるものを取り出す。俗に言う、睡眠薬だ。

一錠をアルミから取り出した。机に置いたメモ用紙の上で潰《つぶ》して、粉末にした。一錠が一㎎らしい。粉末は砂糖のようにも見え、生来の甘党である私は舐《な》めたい衝動に駆られる。

深呼吸をし、この薬で本当に眠くなるのだろうか、と考える。実際に飲んでみよう、と思い立った。こんな真昼間から眠ることができるのだろうか、と。カーテンの向こうはまったくの快晴なので、部屋にこもって、睡眠薬を飲むのは少々後ろめたかったが、コップに水を汲《く》み、腕時計の時間を確認し、メモに、午後二時半、と書き留めると、粉薬を水に入れ、簡単に掻《か》き混ぜた後で一気に飲み干した。

はじめは効果がなかった。これはどうも期待はずれかもしれないぞ、とテレビのスイッチを入れて、横になったのだが、そうしたところ、これが見事に眠った。私の、期待はずれ、の思いに、体内の薬たちが奮起したかのようだった。

起きたら夜の九時だった。テレビではやかましい司会者が中指を立てて、「ファックユー」と叫んでいた。どういうわけか、それを聞いた観客たちが歓声を上げている。救いようのない番組に見えた。

時間があっという間に過ぎている。疲れているせいもあったのかもしれない。いつ眠りに入ったのかも分からないが、とにかく私は七時間近くを一瞬で体験した。頭に重みを感じたが、立ち上がって伸びをしてみると、それほど気にもならない。

残っている錠剤を二つほど指で押し出し、同じようにメモ帳の上で砕いた。粉末状にしたものを、小さなビニール袋に入れる。口の部分をチャックで閉じた。袋を持って、振ってみる。

睡眠薬の効果には個人差があるらしいが、意外に使えるじゃないか、と思った。次にやるべきことは分かっていた。まずは、夕飯の支度をする。フライパンをコンロに載せる程度のことだったが、支度には変わらない。

作った夕食を食べている最中に、父から電話があった。

「泉水か」

なぜか父のその声に私は、どきりとした。おそらく、その時に自分が抱えていた重い気分と、父の声の暗さが似通っていたからかもしれない。暗い思いが、受話器のあちらとこちらで響き合うようだった。

「泉水、おまえはこの間、探偵の話をしていたな」

「探偵のことを話題にしたのは父さんじゃないか。推理小説の読みすぎで」

「いや、そうじゃない。現実的なほうだ。興信所のような」

「ああ、黒澤さん」咄嗟《とっさ》に名前を出していた。「優秀な、いい探偵だよ」ジャン・ポール・ゴルティエのジャケットを着こなせる、バタイユを読む、副業の探偵だ。

「連絡先を教えてくれないか」

「え、父さんが依頼するわけ」

「そうだ。そういう人というのは、秘密厳守なんだろ」

黒澤と喋《しゃべ》った時の記憶を蘇《よみがえ》らせた。「爪《つめ》を剝《は》がされたって秘密を守る。そういう人だよ」

「爪をか、それはすごいな」

「膝《ひざ》を金槌《かなづち》で殴られたら、保証外らしいけど」

「教えてくれ」

「どうして？」

父は無言のままだった。

「放火事件と関係することなの？」それならば、もっとはしゃいで報告をしてくるだろう。

「俺はようやくルールが分かった。ルールらしきものだが」

「あれが遺伝子を意味しているって、分かってくれたわけ」

「そうじゃない」父は自らの語気を抑えようとしていた。「昨日からずっと地図を眺めていて、ようやく分かりかけてきたんだ。ただ、俺には調査はできないからな。裏づけ調査というやつが必要だ」

当たり前だ、と私は声を荒らげそうになる。手術を前に、体調のコントロールをしている癌《がん》患者が、探偵の真似事《まねごと》をしている暇はないはずだ。それこそ癌の思うつぼだろう。いい加減、こういうことに熱を入れるのはやめたほうがいいのではないか、と言いたくなる。一方で、「地図って？」と疑問もあった。

「優秀な探偵の連絡先を教えてくれ」父はきっぱりとした声で言った。質問や疑問には一切答えるつもりがなく、自分の要望だけを押し通す。そういう力強さがあった。

断る理由もなかったので私は、黒澤の連絡先を伝えた。いや、断る理由があっても、きっと断れなかった。父の静かな迫力は、野生の肉食獣が獲物を睨《にら》むのと、もしくは、無言の僧侶《そうりょ》が犯罪者を目で説き伏せるのと似ていた。

探偵を雇うぐらいなら、自分が手伝うのに、と言ってみた。実際、それなりのことはできると思った。

「泉水、おまえは放火事件には関係ない。関わらないほうがいい」

「どうして」素直には了解できなかった。絶好調にプレイをしているにもかかわらず、監督に交代を命じられたサッカー選手がいるとすれば、きっとその時の私と同じ表情をしただろう。驚き、とまどい、遅れて不満を顔に出す。「なぜなんですか、監督」

「これは俺の問題だから」有無を言わせない強さがやはりあって、私はまごついた。

電話を切って、椅子《いす》に座った。疑問が次々と頭に浮かぶが、それを振り払う。時計を見た。十一時になったら、橋に行こう、と気分を改めた。私は私のやるべきことをやるしかないのだ。

橋 Ⅱ

十一時が過ぎたのを、ベッドの脇の時計で確認してから部屋を出た。置時計の上には太った皇帝ペンギンの人形が立っていて、敬礼までしている。「行ってらっしゃいませ」と挨拶《あいさつ》をしてくれているように見えた。

私の所有している軽自動車は、マンションの駐車場で拗《す》ねていた。なぜ拗ねているかと言えば、私が滅多に乗ってやらないからだろう。滅多には乗らないが、私はこの軽自動車をことのほか気に入っている。青く小さな車体が可愛らしく、あまり知能の高くなさそうな、純粋無垢《むく》丸出しの顔がさらに好きだった。

青葉山へと向かった。

橋を見に行くためだ。

街をまっすぐ西へと向かい、途中で左折してから青葉城を目指す。深夜の交通量は少なかった。タクシーが不機嫌《ふきげん》な様子で連なっていくのを除けば、大型のトラックが数台行く程度だった。それも青葉山に近づくに連れて、減った。

夜の運転は、あまり心地よくない。ライトがあるものの、前方が限られた範囲までしか見えないのが、不透明な自分の人生を思わせた。しかも、運転する私自身が、今までに味わったことがないくらいの、先行きの暗さを感じていたのでなおさらだった。私は、自分が何を実行しようとしているのか、完璧《かんぺき》に理解していた。けれど、本当にそうすべきかどうか逡巡《しゅんじゅん》していた。

あの俳優、アル・パチーノはある映画の中で、次のようなことを言った。「私はいつでもどちらの道を選ぶべきか判断できた。けれど、それを選ばなかった。困難だったからだ」

芸術家の岡本太郎は、次のようなことを言った。「私は、人生の岐路に立った時、いつも困難なほうの道を選んできた」

その時の私がくよくよしていたのは、困難か容易かの問題ではなかった。だから、つづけて、父の言葉を思い出すことにした。

「正解なんてないんだろうな」というあの台詞《せりふ》だ。

春を産むべきかどうかを悩んだ時に、父は神に意見を求めた。自分で考えろ！というのが神様からの返事だった。今の私にぴったりだと思った。父の言う通り、これは神様のスタンスとしては正しいのかもしれない。

春が生まれてきたことが正解かどうかと問われれば、私はたぶん迷うこともなく、「正解だよ」とうなずくだろうが、つづけて、「ではおまえの母親が少年にレイプされたのもよしとするのか」と訊ねられれば、今度は、首を横に振るだろう。

「仮におまえの将来の妻が同じ目に遭ったとして」と耳元で何者かが問いかけてくる気がした。「おまえは、その子供を産むのか。産ませるのか」と。

たぶん、と私は答える。「たぶん、産ませない」

なぜだ、と私は訊ねる。「なぜ、産ませない？」

産まないほうが幸せだからだ、と私は弱々しく、内心で返事をする。そう思うからだ、と。

では、と最後に、私の内なる私が言ってくる。では、おまえの父は誤っていたのか、おまえの弟は誤りなのか、不幸なのか。そこで誰かが、「それはどういうことなのだ？　矛盾じゃないか」としつこく詰め寄ってきたならば、私はためらうことなく、「知るか！」と激昂《げっこう》しただろう。「矛盾だ。悪いか」

神は一人一人の内にいる。ガンジーはそう言った。ハンドルが微妙に震えていることに気づく。どうやら知らず、拳《こぶし》でハンドルを殴っていたらしい。

青葉城を越え、橋へと向かう。車の通りはない。大きなカーブを曲がった。ウィンカーも出さず、橋の前の道路脇《わき》に車を停車させた。ライトを消し、エンジンを切る。外に出ると、待ち構えていたのか、寒い風が勢いよく顔にぶつかってきた。橋に向かって歩いていく。なだらかな下り坂になっていた。ろくに明かりもない夜道は、とても不気味だった。

橋が見えてきた。橋の両脇に支柱が並んでいて、ものものしいフェンスとなっている。高さは私の背丈の二倍ほどあった。先端のところが内側に向かって曲がっている。

対向車線側の歩道まで駆けてみる。橋の欄干に手をやって、下を覗《のぞ》き込む。葉が揺れているのは音で分かるが、暗くて渓谷はまるで見えない。以前、昼間に同じように見下ろしたことがあったが、果てもなく深い谷は自分の足元を飲み込むようで、眩暈《めまい》がした。眩暈の後で、そこに座り込む。

春の言っていた通り、欄干の終わりのところだけ支柱がなかった。古い網目のフェンスが弱々しく立てられているだけだ。手で触って、軽く押してみると、ゆらゆらと揺れる。

「こりゃ危ない」と口に出してみた。ガードレールがあることはあるが、倒れてしまっている。どこかの車が衝突したというのは本当らしい。

春の知り合いの塗装業者が、酔っ払い運転でぶつかりそうになった、という話を思い出した。ここに車が突っ込めば、渓谷へ落下していくのは、間違いがない。ひとたまりもないだろう。

「どうしたんですか?」

背後からの声に、文字通り、飛び上がった。振り返ると、同年代と思われる男が立っていた。背も同じくらいで、痩身《そうしん》だ。コーデュロイのパンツを穿《は》き、紺のジャケットを羽織っている。いや、暗かったので紺に見えただけかもしれない。

「こんばんは」と彼は軽く、右手を上げた。「何をしているんですか?」と私がつかんでいるフェンスを指差した。

私は当然ながら、かなり動揺した。しどろもどろになり、言葉を探し、その結果、「君こそどうしたんだ」と反対に質問した。

真夜中に、この心霊スポットでも有名な橋を訪れているという意味では、目の前の男も同様の不審者だった。

「僕は」彼の顔には、怯《おび》えやとまどいは見えなかった。昼間の公園で出会ったような雰囲気すらあった。「久しぶりに仙台に戻ってきたんで、散歩をしていたんです」

「散歩?　こんな夜更《よふ》けに?」

「歩くのは意外に好きなんで」

「ここは暗いし、人通りもないし、怖いじゃないか」自分のことは棚に上げた。

「僕は意外に平気なんですよ、あんまり怖いことはないんです」

私なんて、生まれてこの方ありとあらゆることが怖くて仕方がないのに、と冗談めかして言う。

「いや」彼は下を向いた。「数年前に変な島に行ったことがあるんですよ。そこで学んだことがあるんです」

これはどうやら宗教団体の勧誘なのかもしれないぞ、と私はそこに至って、身構えた。男はどちらかと言えば、善人に分類されるべき外見をしていたが、話している内容は怪しさが漂いはじめている。怪しい善人は時に、インチキ信仰をばらまいたりするから、用心に越したことはない。

見透かしたように、「宗教の誘いじゃないですよ」と言った彼は、「未来は神様のレシピで決まるんですよ」と続けた。

彼は、私の怪訝《けげん》そうな態度にも怒らなかった。

「レシピ」唐突に出現した単語に驚いた。

「その島でね、教えてもらったんです。未来は神様の匙《さじ》加減で決まるもので、いや、すでに決まっていて、僕たちがじたばたしたところで変わらない」

「神様のレシピ？」

「神様のレシピで決まるんです」

幻覚なのかもしれない、と私はそこで思いはじめてもいた。この暗い夜と、深い渓谷の恐怖から、俯《うつむ》く青年の幻を自ら作り出したのかもしれない。ただ、その、「神様のレシピ」の言葉だけが、胸の奥にすっと溶け込んでいくような安心感を与えてくれたのは、事実だった。自分がくよくよと思い悩むまでもなく、事の次第は最初から、何者かに、たとえば、誰かのレシピによって、決められているのだ、と思うことができた。彼は続けて、その島の話をはじめた。「胸の谷間にライターをはさんだバニーガールを追いかけているうちに、見知らぬ国へたどり着く、そんな夢を見ていたんですよ」と語りはじめ、奇妙な物語を聞かせてくれたが、それは荒唐無稽《こうとうむけい》の旅行記のようだった。未来を預言するカカシの出てくる時点で、私は笑い飛ばしたかったが、けれど、のんびりとしていて悪くはない話だった。

「それなりに面白かったけれど、でも、寓意《ぐうい》が汲《く》み取れなかった」聞き終えた私は言った。

「寓意は込められてないんですよ」

「寓話なのに？」

「そうなんです」彼は理解されないことには、慣れているようだった。今は東京に住み、絵の額縁を扱う店でアルバイトをしている、とも言う。

「そこのフェンス、危ないですね」彼は、私が触っていたフェンスを指差した。

「実は、これを確かめに来たんだ」

「直っているかどうかを？」

「直っていないことを」私は言う。「直ってなければいいなと思ったから、それを確認しに来たんだ」

「悪いことを考えているわけですか」こちらの意図を汲んだかのように彼は言った。非難する口調ではなく、どちらかといえば、関心がないようにも聞こえたが、とにかく私は、肯定も否定もしなかった。かわりに歩いてきた方向を向いて、あれは私の車だから良ければ送っていくよ、と誘った。青年の雰囲気からすると、断ってくるのかとも思ったが、「いいんですか？」と一も二もなく返事をしてきた。

「君さえ良ければ」

「実は少し期待してはいたんですよ。歩くのに疲れちゃって」

その男を乗せ、車を発進させた。駅の近くで彼は降りた。車内でも彼はいろいろと興味深い話をしてくれたが、結局、お互いの名前は言わずじまいだった。

自分のマンションに戻ってくる。暗い部屋が私を待っていた。明かりを点《つ》けた。置時計を見ると、深夜の二時だった。時計の上のペンギンは相変わらず敬礼をしていて、私が帰ってきたにもかかわらず、やはり、「行ってらっしゃいませ」と言っているようにしか見えない。レシピ、とその発音を楽しんでみる。未来は神様のレシピで決まっている、それはつまり私を決心させるために何者かが与えてくれたヒントだったのかもしれない。つまり、「それを、やれ」という合図だ。

侵入者

深夜の二時なのだから、さすがにそろそろ眠ることにしようと思った私の考えは、甘かった。電話が鳴った。ジーンズを脱いで、スウェットに着替えようとしていたところだった。

「夏子です」と相手は自嘲《じちよう》気味に名乗った。本名でも、「郷田順子」でもなく、私たち家族による昔からの呼称を口にしたのは、おそらくそれが一番分かりやすいと判断したからだろう。急な電話に狼狽《ろうばい》し、おはようございます、と調子の外れた挨拶《あいさつ》を口にしてしまう。「どうして」と言ってから、つづけるべき言葉を二種類思いつく。「どうしてこんな時間に？」「どうしてこの電話番号が？」

結局、「どうして電話を？」と曖昧《あいまい》な訊《たず》ね方をした。絨毯《じゆうたん》に転がるジーンズを見下ろした。またこれを穿くことになるのかもしれない、と予感する。

「今、春さんの部屋にいるんです」

「春の？　春は？」春は曙《あけぼの》、ようよう白くなりゆく山際、と私は反射的に、枕草子《まくらのそうし》の冒頭を読み上げそうになる。

「今、春さんは留守です。でかけました」

「どこに？」

「たぶん、落書きを」

「追わなかったのかい」

「春さんを追いまわすのはやめたんですよ」彼女はいくぶん、むきになっているようでもあった。この間、言ったじゃないですか、と。

「でも、君は今、春の部屋にいる」

「ええ」

「春には内緒でそこにいるんだ？」

「心配だからです」

それは重症のストーカーの理屈にしか聞こえない、と笑いそうになったが、堪《こら》えた。彼女には彼女の考えというものがあるはずだ。

「今から、ここに来られませんか？」

「そこに？」横たわるジーンズと、ペンギンの乗った置時計と、ベッドを順に見た。

「あのノートを見てもらいたいんです」

「ノート」何のことかはすぐに分かる。「本当にあるんだ？」

「今まさに、わたしの目の前にあります。お兄さんに見てもらおうと思って、これを取りに入ったんですけど」

彼女が、春の部屋に忍び込んだのは、おそらく初めてではないのだろう。侵入したこと自体に対する後ろめたさのようなものは、まったく伝わってこなかった。

「でも、部屋に入ってみたら、もっと奇妙なものがあったんです」

「奇妙なもの。嫌だな。聞きたくないな」

「壁に地図が貼《は》ってあるんです。これも見てもらったほうがいいと思って」

「ああ、何だ、地図か」安堵《あんど》した。「それは放火事件を調べているんだよ」あいつも地図を用意しているのか、何だ、やることは一緒じゃないか、と思った。「地図にはいろいろ書き込んであるだろ?」

「ええ。あちこち丸で囲まれていますよ」

私や父と一緒だ。事件の全貌《ぜんぼう》をつかんで、ルールを見つけようとしている。ゲームを楽しんでいるんだ。

「この間、君が放火を目撃したビルを覚えている?」

「東北ゼミナールとかいう予備校でしたよね」

「地図上でその予備校のあったあたりを探してみれば、たぶん、そこにも印がついていると思うんだけど」

「ええ、黒丸で囲まれています」

「やっぱりそうか。それはたぶん、放火現場を、黒色で印をつけているんだよ」私のほうは赤色だった。

「青色の印もありますよ」

「それは、落書きの場所につけているんだ」やることは兄弟で同じなのだ。

「落書き、ですか」事情を知らない彼女は、ぼんやりと言うだけだった。「黒丸のほうは三十個くらいありますよ。仙台のあちこちに。これ、全部、放火現場の場所なんですか？」

「三十個？」私は電話のこちら側で、目を細める。「本当に？」

「青いほうは九箇所くらいですけど」

「放火現場も九箇所のはずなんだよ」

「いえ、三十個はあります」

「放火現場と、グラフィティアートの現場は対になっているから、数は同じはずだ。そういうルールなんだ」連続放火の現場近くには、グラフィティアートが必ずある。それを発見したのは、他ならぬ春だ。

「数は全然違いますよ。黒い印のほうが倍以上ありますよ」

「それは」私は唸《うな》る。「それはおかしい」

「でしょう?」彼女は、ストーカーならではと言ってもよい勘によって、奇妙さを感じ取っていたに違いない。「春さんはおかしいんですよ」

「今、行くから」ジーンズを穿き、部屋を飛び出した。自転車のペダルを漕《こ》ぎながら、有給休暇の残りを計算した。


郷田順子の言葉は嘘《うそ》ではなかった。春の部屋に貼られた市街地図には、三十箇所以上の黒い丸が書き込まれていて、それが、春自身の手によって書かれているのは、間違いなかった。

私は、目が大きく鼻筋の通った美人と、八畳フローリングの部屋に立っている。春の部屋に、春の許可もなく、だ。郷田順子が持っていた鍵《かぎ》は明らかに、複製だった。けれど、彼女には罪悪感やおどおどしたところがまったくなく、むしろ爽快《そうかい》な様子だったので、咎《とが》める気にもならない。

地図を前にして、私は低い声で呻《うめ》く。これは何のための地図か、と途方に暮れる。黒い丸は一青い丸については予想通り、グラフィティアートの描かれた場所だった。

見、放火現場に相当するようにも思われた。ソフトウェア会社、パチンコ屋、不動産屋、古着屋、生協、判子屋、スナック、ジーン・コーポレーション、東北ゼミナールと放火の発生したエリアには、黒いペンで丸がつけられている。問題なのは、その他の私の知らない場所にも、同じ印がつけられていることだった。

「どういうことでしょうか」

「もしかすると、春はこれから放火の起こる現場も予測しているのかもしれない」

「予測？」

咄嗟《とっさ》に、橋で会った青年のことを思い出した。彼は、「未来は神様のレシピで決まる」と言った。未来を預言するカカシについて話してくれたではないか。あれは寓話に過ぎなかったが、それでも聞いている間は、預言するカカシが存在している気分にもなった。さらに、市内では奇妙な宗教団体が、「未来が見える」教祖を持ち上げて、騒いでることも頭を過《よ》ぎった。そういう話から推測すると、人間には未来が分かるということがあるのかもしれない、と。

私がそんなことを話すと、郷田順子は小首を傾《かし》げた。「本気で言ってるんですか。未来なんて、分かるわけがないですよ」

父からの電話が頭をよぎる。「昨日からずっと地図を眺めていて、ようやく分かりかけてきた」

あれは、何が分かったと言う意味なのだろうか、この三十箇所も印がついた地図と、関係があるのだろうか、と私は思い悩む。

「お兄さん、これ」と郷田順子は、いつの間にか、私の正面に立っていた。

彼女が差し出してきたのは、大学ノートだった。Ａ４判の大きさで、表紙には何も書かれていない。受け取る時に、手が震えた。

これはどちらかといえば動物的な反応だったのだろうが、私は頁《ページ》をめくると同時に、ノートを閉じた。肌が粟立《あわだ》つ恐怖のようなものが全身を走った。

息を吐く。それから今度は、恐る恐る、もう一度、開いた。うっと短い悲鳴を上げそうになった。背筋の毛が立つ感覚があった。

ノートには、文字がぎっしりと書き込まれている。春の手書きだ。チャイコフスキーからはじまり、タキトゥス、アインシュタイン、ゴーギャン、グレン・グールド、ツヴィングリ、ターナー、アルキメデス、ゴヤとどんどん続いていく。子供が漢字を覚えるために、繰り返し書きつけるのと似ていた。実際、春のノートにも繰り返しが行われている。けれど、それは暗記を目的というよりも、狂人の儀式に近いように思われた。ノートを開いて、真っ先に感じたのは、触れてはいけないものに触れたという怖れだった。正常ではない、歪《ゆが》んだ意志の迫力のようなものが、立ち上がってくる気がしたのだ。寒気がして、身体《からだ》を揺する。ガンジーの名前もあった。

「ツヴィングリって誰だろう」ノートを見ながら言う。

「十六世紀の宗教改革者ですよ。どこかの戦争で槍《やり》で刺されて死んで、燃やされたのに、心臓だけは無傷だったって聞いたことがあります」郷田順子はそんなことまで知っていた。

「つまり、あれだ、それこそが強靭《きょうじん》な心臓の持ち主だ」冴《さ》えないことを言って、ノートを閉じる。

「わたしの不安を分かってくれましたか?」こちらの動揺を見透かすように、彼女は言った。

「辞書でも聖書でもないね、これは」むしろ呪《のろ》いの書だ。自家製の、手製の呪いのノートだ。「君が言っていたのは本当だ。確かにこれは変だ」

「春さんは精神が不安定なんですよ」

「また、その、不安にさせる言葉か」

春だけじゃない、と私は思っていた。私も精神状態は安定していなかったし、電話の様子からすれば父も同様だった。家族が揃《そろ》いも揃って、うろたえている。

ノートをめくる。焦《あせ》る指で、頁を触るのがもどかしい。次々に目に飛び込んでくる奇妙な偉人たちの名前が、私の平静を奪っていく。その場で地団駄を踏み、暴れ出したい衝動を抑える。偉人に心を掻《か》き乱されるのは、仕方がないことなのか、名誉なことなのか判然としない。アリストテレス、トルストイ、それからグーフィーというのもあった。

「グーフィーというのは犬のあれかな」

「犬のあれ、でしょうね」

封印するように、今度は先ほどよりは力強く、ノートを閉じた。

「どうしましょう」彼女がすぐに訊ねてくる。

どうしたらいいのか分からない、と私は弱音を吐きたくなった。虚勢を張る余裕もない。「春は今どこにいるんだろう」

「わたしがさっき見た時には、この辺りにいました」壁に貼られた地図に向き直り、駅の東側に指を置いた。目を近づける。商業ビルはあまりない、住宅街だった。

「何をしているんだろう」

「落書きだと、思います」

「何の落書きをするんだ」

「さあ」そう言ってから、「春さんはよく落書きをしています。それを自分で消すんです」と言った。

「描いて、消す?」

「知らないんですか」郷田順子の目は、私を哀れむようだった。

「何を?」

「春さんが奇妙な落書きをしていることを」

「地下道に描くのは見たよ。綺麗《きれい》な、青い球体が並んだ、恰好《かっこ》良い作品だった。あれは、あれこそはグラフィティアートだ」

郷田順子は、残念そうに、軽蔑《けいべつ》すらまぜた目つきを向けてきた。「それではなくて」

「それではないってどういうこと」

彼女は弱々しく、首を横に振る。その表情を見ていると私は、自分の腹のあたりから不安がこみ上げてくるのを感じた。不安の塊りが、大粒の唾《つば》となる。それを飲んだ後で、「春は」と声を出した。「春は正気なのかな?」

「わたしがそれを、この間から訊《き》いているんじゃないですか」

ノートを見下ろした。もう一度開いてみるべきか悩んだが、結局、そのまま机に戻した。臆病者《おくびょうもの》、という揶揄《やゆ》が聞こえてきてもおかしくない。

アレクサンダー・グラハム・ベル　Ⅱ

電話を発明したグラハム・ベルは、ひどい夜行性で、来日した際、大事な面会に寝坊するのが怖いあまり、ずっと起きていた。らしい。迎えの車に乗り、面会を終え、ホテルに戻ってきてからようやく、眠ったという。しかも目を覚ますと、周りの者に、「迎えの車はまだか?」と訊《たず》ねたらしいから、ただの寝惚《ねぼ》け親爺《おやじ》だったのだろう。

その時の私も似ていた。弟とともにモヒカンの若者を退治に出かけ、帰ってきたら今度は睡眠薬を試し、七時間も眠り、夜には青葉山の橋を見に行き、寝ようかと思ったところで郷田順子に呼び出された。気味の悪い、弟のノートに恐れをなし、どうしましょうどうしましょう、と言ってくる郷田順子に、分からないよ分からないよ、と降参し、呆《あき》れられながらも、とにかく退散してきた。いつの間にか、朝だった。グラハム・ベルに負けず劣らずの寝惚け具合だった。

一晩明けても、その日が何月何日の何曜日であるのか、すなわち現在地が把握できない。眠りすぎたのか、少しも眠っていないのか、それすらもはっきりしない。頭が冴え冴えとしている気もしたが、一方で、身体は重く、億劫《おっくう》さが体内に充満しているような感覚がある。

時計を見る。八時、と時計の針の指し示す意味は分かる。頭が重い。重い理由が何であるのかは考えなかった。半日前の薬のせいかもしれないし、春の部屋で見た暗黒のノートのせいかもしれない。もしくは、私自身がこれからやろうとしている悪事のせいかもしれない。

会社へ休みの連絡を入れた後、葛城に電話をかけた。深呼吸をする。私は自分が予想していたよりも、落ち着いていた。しばらく、コール音が繰り返され、「あの男は眠っているのだろうか」と諦《あきら》めかけたところで、出た。

不機嫌《ふきげん》な声だった。ベッドで横たわる裸婦の姿が浮かんだ。

「先日、お伺いしたジーン・コーポレーションの者ですが」

「あんたか」相手の反応は良くもなかったが、悪くもなかった。少々、安堵《あんど》しているようにも聞こえた。空き巣への怒りは収まったのかもしれない。

「検査結果について、お話したいのですが」

「もう出たのかよ」男は無愛想に訊ねてくる。「結果は郵送されてくるんじゃなかったっけ」

「ええ、ただ、直接お話したいこともありまして」私はいけしゃあしゃあと嘘をつく。

「検査結果、悪かったのかよ」

「直接会って話したほうが良いかと」

「電話では駄目なのか」

「規則上禁止されているんですよ」これは聞いたこともない嘘だ。何の規則だ、と質問されたらお手上げだった。「今晩などどうでしょう。こちらから伺います」

男はそこでしばらく悩む間を持ってから、「いや、今日は駄目だ。別件がある」とはっきりと言った。

「こちらは大事な用件です」機を逃したくはないから、こちらも少し語調が強まる。

「うるせえな。こっちだって予定があるんだよ。うんざりしてんのは、俺なんだよ」

警戒されるのも得策でないので、「そうですか、では明日の晩は？」と素直に引き下がった。

「明日の晩だな」

葛城の面倒臭そうな表情が目に浮かんだ。

電話を切った後で、私はカレンダーを見ながら、翌日の日付のところを赤いペンで丸く囲んだ。「その日が来た」

グラハム・ベルは寝惚け親爺だったが、彼の発明はかなり優れている。電話一本で様々なことが進展し、決断され、実行される。

「やるのか」と誰かが念を押すような声が頭に響いた。やらないのか？　私は、私自身に答える。

三十分後、つづけざまに、二本の電話がかかってきた。一本目はまったく意外な人物からだった。

「昨晩遅くに、君の父親という人から依頼を受けたんだが」

探偵の黒澤だった。

「紹介してくれと頼まれたんで、連絡先を教えました」

「そうか」黒澤はそれだけで納得がいったようだった。「なら、いいんだ」

「いいんですか」

「あまりにも妙だったから、騙《だま》されているのかと思ったんだ」

「父の依頼が奇妙なんですか？」

「奇妙と言うか、いや、面白いな」黒澤が小さく笑うのが目に浮かぶ。「君は、父親の話を聞いていないのか」

「父は何を依頼したんですか」

「それは言えない。言えないくせに、君に質問をするというのもフェアではない気がするんだが」

「フェアじゃないです」

「君と、君の父親は何を目的としているんだ」

「父からは何も教えてもらっていないんですよ。父と会ったんですか？」

「病院に呼ばれたから、会いに行った」

「父の印象はどうでした？」

「恰好良かった」

「病院で寝ている癌《がん》患者が、恰好良いですか？」私はかなりの勇気を持って、「癌」という言葉を発音した。

「恰好良かったよ」黒澤は淡々と同じ台詞を反復した。

「黒澤さんにとっての、『恰好良い』の定義を教えてください」

「俺は定義という言葉が嫌いなんだよ。二度と使わないでくれ」

彼は冗談とも真剣ともつかない台詞を吐き、その後で、一言二言つづけてから電話を切った。父の顔が浮かぶ。癌の切除手術を間近に控えているというのに、いったい何を考えているのだ、放火事件にうつつを抜かすのもいいが、もっと躍起になるべきは自分の人生ではないか、と腹立たしく感じた。自分の身体よりも、探偵への依頼のほうが大事だなんてことがあるのか、と。

けれどすぐ後に、私自身も似たようなものであることに気がついた。関わる必要もない事柄に心や時間を費やそうとしている。

何だ、と私は息をつく。「これは遺伝か」

次にかかってきた電話は、春からだった。私の心臓は跳ね、鼓動は一瞬にして速くなった。おい、あのノートは何だ、と言おうとするが喉《のど》が詰まり、声が出ない。

「兄貴、ついに来た」春は、私が喋《しゃべ》るよりも先に言った。携帯電話でかけているのだろう、彼の背後を往来する車の走行音がまざってもいた。

「何が」私にはそんなことよりも、聞きたいことはたっぷりとあった。あの地図、あのゴダール、あの偉人たち、そして、この私の不安はいったい何だ。

「今晩、放火が起きる」

「え」私はいつだって弟に取り残される。

「また、グラフィティアートが見つかった」

「え」兄のくせに。

「これがラストチャンスだよ」

父の憂鬱《ゆううつ》とシャガール

「もう一度放火現場の張り込みをする」と春は断言した。断言したら、撤回しないのが私の弟の性格で、そうなった弟に引《ひ》き摺《ず》られるのが私の性質だった。「夜の十時に東口の小学校の前で、待ち合わせよう」

「グラフィティアートはどこにあったんだ?」

「駅裏の東小学校」と言い、場所の説明をしてくる。

「ああ」と私は呻《うめ》く。郷田順子の発言が私の頭を突き、苛《いじ》めてくる。春の部屋で会った彼女は、春の居場所を訊ねた私に、「落書きをしている」と答え、地図を指し示した。あれはまさに、その小学校の付近だったではないか。

落書きは、おまえが描いたんじゃないのか、という一言が出ない。

理由は簡単だ。怖かったからだ。だから、「今度は何て描いてあった?」などと当り障《さわ》りのないことを訊ねていた。

無能な奴《やつ》め、と自らに幻滅を覚える。役立たずならまだしも、自らが事態を悪化させているような気分にもなる。

「今度はちょっと変だよ」

「変？　どういうふうに」

「今までは大半が単語が一つだった。けれど、今度は三つ。Thank Give Apologize だ」

「感謝する。与える。謝罪する」私は聞いたままに訳してみた。「全部、動詞だ」

「命令形かもね。感謝せよ、与えよ、謝罪せよ」

「損害賠償を求める原告のスローガンのようだな」混乱した頭を叱咤《しった》するような気持ちで笑った。「でも、やっぱりルールは正しい。頭文字はTだ。と言うよりも、その動詞は三つとも、T、G、Aで遺伝子の文字列だな」

もし、その落書きを描いたのが春であるのならば、この会話は、正解を知っている教師に解説をする生徒のようで滑稽《こっけい》だ、とも私は思う。

「ということはだよ、兄貴の予想からすれば」

「TはAと結びつくんだ。その近くのAではじまる場所が放火される。おまえの目から見て、その近くに該当する建物はありそうか？」

「いや、ここからは見当たらないな。ただ、すぐそこがバス通りだから、ビルもあるかもしれない。兄貴は今、会社？」

「会社は休んだ」

「何のために？」

「決着のために」

「それはそれは」春は、私の返事を意味不明な冗談だと受け取った。「で、どうする。どうやって、決着をつける？」

「まずは、父さんの病院に行ってみようと思うんだ。手術も近づいてきたし」探偵のことを父に訊ねたかっただけだった。

「へえ、珍しいね」

「その後でその小学校の落書きを見に行く。どこかで待ち合わせようじゃないか」

「いや、俺も少し用事があるから、夜、張り込む時に会うことにしよう。夜の十時頃でいいと思う」

「そうか」

「今度こそ放火魔を捕まえるんだよ、兄貴」

「そうだな」と答えたものの私はどこか、上の空でもあった。会話を交わしているものの、言葉は上滑りしているかのようだ。

　いつの間にか電話は終わっていて、間の抜けた音が空しく鳴っていた。もしかするとはじめから、電話などかかってきていなかったのではないか、と思いそうにもなる。

感謝せよ、与えよ、謝罪せよ。

心の中で、呟《つぶや》いてみた。何のメッセージなのかも分からない。いや、と否定する。これはただの暗号なのだ。三つつなげれば、TGAだ。それから書棚に手を伸ばし、コドン表を取り出すと、TGAの並び順で作られるアミノ酸を探していた。

「終止コドン」

表にはそう書かれていた。つまり、コドン終了の印だ。TGAという暗号は遺伝子暗号の文が終わることを意味している。「終わり」の言葉が、私の頭を埋め尽くす。ラストチャンス、と言った春の声が蘇《よみがえ》った。


病室の父は表情が暗く、硬く、私を心配させた。「最近、心を入れ替えたな。見舞いによく来るじゃないか」と明るい言い方をしたものの、無理をしているのは明白で、こちらも陰鬱な気分になる。いつもよりも目が赤い。寝不足なのかもしれない、と思う。癌の攻撃によるものとは、別の種類の疲れに見えた。「体調悪いの?」

「ちょっと持病の癌が」

「面白くないよ、その冗談」

「もう少し、労《いた》わってくれよ。俺は繊細なんだ」父がおどけた。「病院というのは検査ばっかりだな。胃カメラだとか、スキャンだとか。管も挿《い》れられた」

父が指した鎖骨のあたりからは、チューブのようなものが突き出ていた。前の手術の時にも見たので、それが点滴をするための管であることは分かる。

「病院の検査が、癌よりも怖い」

「馬鹿《ばか》なことを」

「こうしている間にも俺の癌は増えていってるんだ。それなのに、検査だ、日程だ、となかなか手術が行われないのは、茶番のようじゃないか。面白いと思わないか?」

「安静にしないと駄目だよ。探偵に電話をするなんて」

「あの黒澤という人は良さそうな人だったな」父の表情が少し、明るくなった。「おまえのお薦めだけのことはあったよ。夜中に仕事の依頼をしたからてっきり怒られるかと思ったんだが、不愉快さを微塵《みじん》も見せなかった。わざわざここまで来てくれて、仕事を引き受けてくれた」

「仕事熱心なのかなあ」

「見舞いの花もくれた」

父は窓際《まどぎわ》のフラワーアレンジメントを指差した。小さな籠《かご》におさまった、ピンクと黄色の花だ。「俺の息子たちには、この病室に花を置く発想がなかったからな」

「そういう繊細さを、親から教えてもらえなかったんだ」

「親の顔が見たいな」と父が言うので、私はすぐに父を指差した。

「ピンクのがガーベラで、こっちの黄色いのは薬草らしい。香りも少しきつい」

「探偵が花束をね」私は言う。

「あの黒澤さんは、花を持っても様になる人だったな」

そうかもしれない、と私も同意した。花が似合って、嫌味でもない、珍しいタイプの男だな、と思う。

「目つきが鋭かったぞ。探偵というのはああいうものなのか？」

「目つきが鋭いのは刑事だよ」

「病室を見る時もだ。あれは金目の物を探す時の泥棒みたいだったな」

「今度言っておくよ。黒澤さんに何を頼んだの？　父さんは放火事件の何が分かったわけ？」

父の眼差《まなざ》しが真剣であることに、はっとする。私の目をまっすぐに見つめ、まるで私の皮を剝《は》いでその中まで覗《のぞ》き込もうとしているようだった。

私は息を飲み、言葉を失った。父にこうやって、覗き込まれるのははじめてのことではなかった。

たとえば、小学生の頃だ、と私は思い出す。

場所は自宅の寝室だった。布団《ふとん》の上にオムライスを引っ繰り返した私は、どこをどう慌《あわ》てたのか、冷蔵庫からケチャップを持ってきて、布団一面に塗った。たぶん、一部がケチャップで汚れているよりも、一面がケチャップになってしまえばバレないのではないか、と思いついたのかもしれない。木は森の中に隠せ、というやつの誤った解釈だ。

母がそれを見て、驚いてしまった。血液だと早とちりをしたのだ。それはそうだろう、と今は思う。布団に赤い物がついていれば、まず疑うべきは血液で、ケチャップに思い至るのはかなり難しい。母は驚きのあまり、卒倒しかかった。

父は帰ってくると私と春を睨《にら》んだ。「どっちがやったんだ」

あの時の目だ。

高校生の頃にも、それがあった。あれは、春が原因だった。CDショップの商品を盗んだのだ。アメリカで有名なハードロックバンドの新作CDだった。店頭に並んでいるそのアルバムを、春は全《すべ》て盗んで逃げた。警報機が鳴るのを承知の上で、全力で走り去ったらしい。そして、三十枚ものCDを抱えた春は、広瀬川の川原へ向かい、そこで、そのCDを全て踏み潰《つぶ》した。どうしてそんなことをしたのか、彼は最後まで説明しなかった。ただ、あのアルバムのジャケットが、強姦《ごうかん》される女性のイラストだったのを私は知っている。

父が警察に飛んできた時、私もそこにいたのだが、やはり睨んできた。「どっちがやったんだ」

今、ベッドから私を見る父の視線は、それらの時と同じだった。有無を言わせず、はぐらかすことをためらわせる、静かではあるが、力のある目つきだ。

「おまえか？」と言った。

それが、何についての質問なのか、咄嗟《とっさ》には分からなかった。罪を確認されているのだ、とは過去の経験から想像がついたが、それ以上のことは分からない。

私は首を横に振った。問題の内容も分からないくせに回答をする、という離れ業ではあったが、とにかく、私ではない、とは思った。

「泉水、おまえはもう関わるな」

「関わるな、って何に？」私は訊ねる。「父さんは事件の秘密に気がついた、と言っ

となのかな」

「地図を見て分かったと言っていた。地図を眺めていれば、誰でも分かるたぐいのことなのかな」

「秘密というほどのものではない」

ていた」

「いや」父は視線を下に落とした。「分からないだろうな」

「父さんは放火事件の話を聞いた時、はしゃいでいた。さも推理小説の探偵のように振舞おうとしていた。それが今はすっかり、意気消沈している。変だ」

「俺は推理小説の探偵じゃないってことに、気づいたんだ」言いながら父は、枕元《まくらもと》にある重そうな図録を手元に引っ張り出した。「シャガール」と表紙に書いてある。東京の美術館で行われた、「シャガール展」のものだ。

「どうしたの、これ」

「知り合いがくれた」

その分厚い本を受け取り、中をめくってみる。おなじみの人を食ったような可愛《かわい》らしい絵が並んでいる。空を飛ぶ馬や、抱き合って宙に浮かぶ男女、遠近法を無視したかのような巨大な人間が奔放に描かれていた。

「この間、春が言っていただろ。大事なことは軽く伝えるべきだ、と」

絵を見つめる私の耳に、父の声が聞こえてくる。

「ああ、言っていたね」

「その絵を見て、そのことを思い出したんだ。でたらめに描かれたような動物や人間が、楽しそうに空を飛んでいる。真面目《まじめ》に批判するのも馬鹿らしいような絵ばかりだ」

確かにそうだね、と私もうなずく。現実とはずいぶんかけ離れた絵に思えたが、そのことを批判しても意味がないのは明白だった。シャガールが何を伝えたかったのかは分からないが、ただ、愛くるしさと愁《うれ》いを持った彼の絵には、とても重要なものが隠されているに違いなく、それはもしかするとまさしく、私たちの直面する社会の本質にも感じられた。

シャガールの絵は、私たちが後生大事に抱えているものを、もしくは愚かにも信じきっているものを、平然と笑い飛ばしているのだ、と私には思えた。

私たちが信頼しているもの、例えば——重力とか。

病室を出る時の父は、「今度は春と一緒に来ればいい」とはっきりとした声で言った。私たち兄弟が一緒だと、父は幸せなのだ。私は返事をしなかった。

病室を出たところで、白衣を着た担当医が待っていた。私が、父の長男であることを確認すると、「手術前の説明を」と言ってきた。別室に案内され、父の検査結果を聞かされる。レントゲンやスキャンの結果、若い医師の機械的な説明、そのどこにも幸せな情報はなかった。

「待っても海路の日和《ひよ》りはないものですよね」

「諦《あきら》めないでください」と医者は力強く、言った。

いい医者だな、と私は思った。

グラフィティアートの現場 Ⅱ

自転車で、病院から駅の東口まで飛ばすのは、それなりの重労働だった。上り坂で立ち漕《こ》ぎをし、下り坂ではブレーキを鳴らし、息を切らして辿《たど》りつく。比較的静かな地域で、バスの通る道はいくぶんか賑《にぎ》やかだったが、そこを除けば車道も細く、人通りも多くなかった。あたりはひっそりとしていて、街路樹に隠れた鳥たちの鳴き声が聞こえる。

小学校はすぐに見つかった。ランドセルを背負った子供たちがぞろぞろいたので、それを逆に辿っていくと、校門に行き着いた。自転車を停める。落書きは校門脇《わき》の壁に堂々と描かれていた。やはり蕎麦屋《そばや》の駐車場にあったのと同じ字体だった。「Thank Give Apologize」と並んでいる。青い斜体はセンスが良かった。なるほど、と私はそこで、納得がいってしまう。これは春の描いたものかもしれない、と。

「ひどいもんでしょう」と声をかけられ、顔を向けると、ジャージ姿の男性が隣に立っていた。髭《ひげ》が濃く、髪が短かった。赤いジャージは燃えているようでもあって、放火魔を寄せつけないための、縁起担《かつ》ぎかと思った。潑剌《はつらつ》とした体育教師という風貌《ふうぼう》だった。

「今朝、描かれてたらしいんですな」男は自分のことを教師だと紹介してから、説明をしてくれた。

「うちの会社もやられたんで、気になって見に来たんです。一緒ですね。困りますよねえ、こういうことされると」と私はまた嘘《うそ》をつく。

「きっと悪ガキですな」

「悪ガキに決まってますな」私は無意識のうちに、教師の口調を真似《まね》てしまっていた。少し慌てる。「消さないんですか？」

「私どもで消そうかと思っていたんですが、専門の業者がいるらしくてね。低価格で綺麗《きれい》にしてくれる、というのでそちらに頼もうかということになったんですな」

春が早くも営業活動を行なったのだろう。

「しかし、何でしょうな、この英語は」

「Thank Give Apologize」私は小さく発音した。「感謝して、与えて、謝罪するんですね。何だか意味が通りませんね」

「暴走族の名前にも見えないですな。私らがガキの頃は、『何とか参上』だとか『喧《けん》嘩《か》上等』だとか、そんなのばかり描いてましたが。ボキャブラリーの差ですかね」

何だ、先生も描いていたんじゃないですか、と指摘したいのを堪《こら》える。

ジャージ先生はにこりと笑った。角刈りの顔は怖そうだったが、子供たちには人気があるのかもしれない。大雑把なやり方で物事にあたり、もし誰かを傷つけるようなことが起きたら、必死になって謝罪するタイプに見えた。慎重で、および腰で接してくる教師よりは、よほどマシだろう。

「今日は午後の授業はないんですか？　みんな帰っていますよね」

ジャージ先生は顔を歪《ゆが》めた。「この落書きが、何かの犯罪の兆候だと言うんですよ。PTAが、ですね。だから今日は子供たちを帰宅させたほうがいい、とそうなったわけですな」

「こんな落書きだけで？」

「ええ、こんな落書きでですよ」

「犯罪なんていつ起きるか分かるはずがないのに」

「まったくそうだと思うんですが、まあ、最近は何と言うか、難しいんですな。事件が起きたら大騒ぎになるし、未然に防ごうと神経質なんですな」

「もっと気にすべきことは他にありそうですけどね」

「それこそ子供たちには、感謝し、与え、謝罪する、ということの意味を教えてあげたいですな」ジャージ先生はしみじみと言った。

「そうですな」私はまたしても、口調を真似していた。伝染しやすい喋《しゃべ》り方だ。「このあたりに、会社やお店の入ったビルのようなものはありませんか」と質問を続ける。

「会社やお店?」

「曖昧《あいまい》な質問で申し訳ないのですが」

「あの辺にいろいろありますよ」と指を向けてくれたのは、大通りのほうだった。

礼を言って、自転車のスタンドを外し、跨《また》がった。ジャージ先生は子供たちに挨拶《あいさつ》をしている。無邪気に、「さようなら」と言っている子供たちは可愛《かわい》らしかった。気軽に、「さようなら」が言えるのは、別れのつらさを知らない者の特権だ、と私は思う。

バス通りにはこぢんまりとした建物がいくつか、並んでいた。自転車屋や酒屋もあり、雑居ビルもあった。春の言葉を信じるのであれば、今までの放火事件は、グラフィティアートの現場から半径百メートル以内のところにあるはずだった。それから、「A」ではじまる名前を持つ場所であること。遺伝子暗号のルールからはTと組み合わさるのはAしかない。

それらしい候補は、すぐに見つかった。バス通りに出てから、西へ戻ったところに十階建ての細長いビルがあり、そこに、「アップル」という古本屋があったのだ。工藝ビルという建物の七階だった。

朝日不動産のことを思い出した。春の説明によれば、朝日不動産が放火されたということだ。けれど、実際に行ってみれば、朝日不動産自体はビルの五階にあり、燃やされたのは大嶽ビルの一階だった。あれは朝日不動産が燃やされたと言うよりも、あのビルが犯行に遭った、と述べるほうが適切に思われた。春は意識的に、そういう説明の仕方をしたのではないか、と私は今さらながらに思う。

帰り際《ぎわ》、「アップル」という看板の古本屋を見上げて、古い本はきっとよく燃えてしまうかもな、可哀相《かわいそう》に、と思った。

放火現場の張り込みⅡ

あっという間にその夜は来た。生活している人間の都合などお構いなしに、遠慮も慎みもなく、毎日毎日、夜はきっちりやってくる。平等と言えば平等だが、強引と言えば強引だ。

春とは、校門の前で待ち合わせていた。私が到着した時には、車が小学校の壁に沿うようにして、停めてあった。グラフィティアートはまだ消えていない。

春は前回と同様に、コンビニエンスストアのビニール袋を携えていた。中にはミネラルウォーターの大きなペットボトルが入っている。例の、気休め、だ。

合流した私たちは、バス停留所のベンチに腰をかける。時刻表の書かれた案内板が緑色に光り、暗闇《くらやみ》に浮かび上がっている。運行時間はとうに終了しているのだから、バスが来るはずもないのに、停留所にライトが点《とも》されているのは奇妙でもあった。

ベンチは立派なものではなくて、錆《さ》びがちらほらとあり、傾いているせいか、体重を移動させると小さく揺れた。私たちはそれを二人で持ち上げ、百八十度回転させ、反対側に向けた。そこに座り、工藝ビルの様子を眺めようと思ったのだ。春も、私と同様に周囲を見て周り、その結果、Aではじまる店舗は、古本屋の「アップル」だけであると見当をつけたらしい。

「こんなもので火事が消せるか？」私はペットボトルの水を揺すった。

「消せたら奇跡だ」

「なのに、こんな重いものを持たせるわけか？」

春はそれには答えない。ベンチに座る足元に、案内板のライトに照らされた私たちの長細い影が映っていた。その細さは、私や春の脆弱《ぜいじゃく》さを現わしているのではないか、と疑いたくもなる。

目的の工藝ビルは、身寄りのない老人が寂しげに立つのに似た雰囲気で、そこにあった。どの階も電気は全《すべ》て消え、建物全体が瞼《まぶた》を閉じているようにも見える。背後を一分間に二台ほどのペースで車が通り過ぎていくが、それ以外はひっそりとしている。

「あの校門にあった落書きだけど」私は隣の春に話しかけた。何かを喋らねばならない、と思った。「Thank Give Apologize と描いてあっただろ。頭文字を合わせるとTGAとなる。調べてみたらTGAは暗号終了の合図だったよ」

「ふうん」春は珍しく、愛想なく答えた。他のことに思いを馳《は》せている様子だ。

「知っていたんだろ」開き直って私は言ってみた。おまえは遺伝子のことをそれなりに知っていたんだろ？

　春は返事をしなかった。

　停留所のライトは、微力ながらも辺りを照らしていたし、車道を走る車のヘッドライトが時々後ろを通過していったが、自分の視界が徐々に、狭くなってくることに私は気づいた。夜暗が空から下がり、周囲の灯りが弱まってくる。私は肩をすぼめ、潰《つぶ》されないように心がける。

「兄貴、ガンジーはさ」右側に座る春が、唐突に喋り出した。暗闇から、声だけが聞こえてきた。私は知らずに目を閉じていたのかもしれない。本当に暗かった。

「ガンジーは」春の声が言う。「非暴力こそが、人間の最大の武器だって言った。そして、非暴力は人間の作り出した最強の武器よりも強い力を持っている、そう信じていた。核兵器よりも、だ」

「非暴力というのは、簡単に言ってしまえば、殴られても殴り返さない、ということだろ」暗闇の中で発する私の声は、ふわりと宙に浮き上がる。

「無抵抗と勘違いされるけど、抵抗しないわけじゃない。抵抗するけれど、暴力は振るわない。うん、そうだね、殴られても殴り返さない、その通りだ」

「それはさ、相手の思うつぼじゃないかな」やり返してこない相手を、嬉々《きき》として殴りつける男なら幾らでも想像できた。

「ガンジーは人間の善を信じていたんだ」残念ながら、という思いがこもっている。私は、春ほどは、ガンジーを神聖視していなかった。だから、「でも彼は、首尾一貫していないじゃないか」と言った。「暴力を嫌うくせに、戦争に参加すべきだって言ったり、ミルクは飲まないと誓いを立てたくせに、病気で死にそうになると、牛の乳ではなくて山羊《やぎ》ならいい、という理屈を受け入れた」それくらいの話なら、私も知っている。

春は怯《ひる》むことなく、「うん、その通りだ」と答えた。

「それに、ガンジーは性的な関係を断っていたくせに、老いてからは、彼を慕う女性たちを裸で添い寝させていたじゃないか」

春は、私のガンジー批判に気を悪くする様子もなく、彼にとってはそのあたりのことはすべて了解済みのことであるらしく、むしろ、嬉《うれ》しそうに含み笑いをした。

「俺はさ、彼のそういうところが、とても好きなんだよ」

「おまえは、自分の好きな奴《やつ》には甘いんだ」

「ただ」春はそこで語調を強めた。引き締まった声が鈍く光るかのようだ。「ガンジーの教えは難しいんだ。困難な道なんだ。非暴力を全《まっと》うするなんて、ほとんど、神の仕業だよ。彼の死後、インドはガンジーを称えたくせに、ガンジーの道は進まなかった。俺はそのことが分からないでもないんだ」

「困難な道だからか」

「偉大な幻想だよ。ガンジーは魅力的だし、非暴力主義は偉大だけれど、人間の悪はそれを遥《はる》かに越える」

「性か？」

「性だね」春はそれが自分の作り出した最大の罪であるかのような、言い方をした。「良心に期待して、犯罪を放置していたら、強姦魔《ごうかんま》はきっと永遠にレイプを行うよ」

「非暴力主義では対抗できないのか」

「俺には無理だよ」

春がどんな表情なのか、私には見えなかった。

「良心については多数決の原理はあてはまらない」春はまた、ガンジーのその言葉を引用した。「善はカタツムリの速度で進む」とも言って、「それじゃあ、間に合わないんだ」と歯軋《はぎし》りでもするかのような声を出した。

私は理由は分からないがそこで、三年ほど前のセミナーのことを思い出した。私の会社と新聞社との後援で行われたセミナーだったのだが、「少年犯罪を考える」というテーマの講演で、テレビで有名な学者やコメンテーターがやってきた。滅多に見ることのできない有識者たちの人気はなかなかで、二日間行われたセミナーは満員だった。春もそれを見学に来ていた。

少年犯罪は私に、否《いや》が応でも母の事件を思い出させるので、できれば敬遠したい題材ではあったのだけれど、春は平気な顔で座っていた。

二日目の夜には、懇親会という名目で飲み会が催された。参加者は二十数名だった、と思う。春もいた。

私たちの前には人権派で有名な女性弁護士と、死刑廃止を訴える教授が並んでいた。話題は、その頃起きた十代の少年による殺人事件になった。

私は、自分の母の一件があるからと言って、それを口に出し、居丈高に反論するつもりはなかった。聞き上手の若者として座っているくらいの常識はあった。

下級生の女の子をばらばらに刻んだ犯人は、家庭環境に恵まれない少年だったようだ。唯一《ゆいいつ》頼りにしていた教師の死が、彼を動揺させたらしい。だから死刑は相応《ふさわ》しくない、という理屈のようでもあった。

「動揺したら殺してもいいんですか」春の言い方は、それでも抑えたほうだった。と思う。

「少年の動揺は計り知れないほどのものだったんですよ」と弁護士はやんわりと言った。言外に、君のように恵まれた、頭でっかちの若者には想像できないだろうけど、という言葉が隠れているようにも思えた。

私と春は顔を見合わせ、苦笑いをした。つまりその時まではまだ余裕があったのだが、そこで白髪の教授が、「彼はその前から猫や犬を殺したりしていてね、前兆はあったんだよ」と訳知り顔で言い出したものだから、春の顔色が変わった。

「犬を？」

「野良犬だけどね」

「死刑だ」春がはっきりと言った。自信満々に刑罰を確定した。話するとその教授は慣れた調子で、少年を罰する難しさや、更生の余地について、話しはじめた。

春は、相手の言い分を冷静に、たっぷりと最後まで聞いた上で、「なるほど、それは同情すべき事柄ですね」と相槌《あいづち》を打ったが、その後ですぐに、「優しく見積もっても、死刑ですよ」と言い切った。

「話を聞いていなかったわけ？」弁護士は顔をしかめた。

春は興奮の兆《きざ》しを爪《つめ》の先ほども見せなかった。「今この目の前にその少年を連れてきてくれれば、俺がその少年を死刑にしてあげますよ。本来であれば、鎖でつないで、犬たちに復讐させるべきなんだけど」

「何を言ってるんだか」

「そうしたら俺は死刑ですか？　俺が、少年じゃないから？」

弁護士と教授は、困ったなあ、という顔をした。

「子供を何人殺そうが知ったことではないですが、犬を遊び半分で殺したら死刑ですよ。俺が許さない」

「あのね、日本は法治国家なんだからね」教授が言った。

「法治国家！」春はそこで、この世でもっとも下らない単語を聞いた、という笑みを浮かべた。「人を一人殺しただけでは、たいがい、死刑にはならない、大勢殺せば殺すほど、事件をたくさん起こせば起こすほど、裁判が長引いて、長生きできる。その法律は誰を守ってくれる？　ましてや、犬を守る？」

彼らは、相手にできない、とわざとらしい溜《た》め息《いき》を吐《つ》いた。

「犬に非があるわけない。犬を殺すくらいなら、人間をどうにかしろ」

私は笑いを必死に堪《こら》えていた。生類憐《あわれ》みの令の発令だ、酷《ひど》いなあ、と思っていた。

今、私の背後を弾丸のような勢いでオートバイが駆けていった。轟音《ごうおん》を立てるバイクは、私を恫喝《どうかつ》し、震え上がらせるかのようだ。

「目には目を、という言葉があるじゃないか」春が言う。

「何とか法典だっけ」

「誰もがあれを、『やられたら、やり返す』と誤って解釈しているけど、あれは、『目を潰されたら相手の目を潰すだけにしなさい』『歯を折られたら歯を折るだけにしなさい』っていう過剰報復の禁止を述べているんだ」

「そうだったか」私は、学校で習ったことの大半を覚えていない。

「俺は、刑罰もそれでいいと思う」

「目には目を？」

「加害者は自分のしたことと同じことを、やられるべきなんだ。相手にそのことをやった、という事実は間違いないんだから、同じことをされても文句はないはずだ。腕を折った奴は、自分の腕を折られればいい」

「誤って、子供を轢《ひ》いた人はどうするんだ」

「誤って、車に撥《は》ねられればいいさ」

冗談まじりの思いつきだと思ったが、春の声には、芯《しん》のしっかりしたところがあって、私は、まさかこれは本気の提案ではあるまいな、と身構える。

「そうなると、複数の相手に被害を与えた場合はどうするんだ。十人を殺した犯人を十回殺すことはできない」

「十倍苦痛の方法を取るしかないよ」

「なるほど」私は思わず、同意してしまう。

「そして」春はあまり感情も込めずに、背後を通過する車の音に、言葉をまぜるかのように、「レイプ犯は、自分が犯されてみればいいんだ」と続けた。

深夜十二時を過ぎたあたりで春が、「兄貴、水でも飲んだら」と言い、脇《わき》にあるミネラルウォーターを指差してきた。一時間も私たちはそのベンチにいたのだ。ずっと座りっ放しだったのではなく、何度かはベンチを立ち、歩道を見渡し、うろうろと歩き回ってもみたが、松明《たいまつ》を持った放火魔や、妖《あや》しげに蠢《うごめ》く炎は現われなく、私たち兄弟のほうがよほど怪しい存在だな、と思わずにはいられなかった。

「いや、いいよ。特に喉《のど》は渇いてない」

「飲める時に飲んでおいたほうがいい。湿らす程度でも」

そう言われると私は急に飲む必要を感じ、蓋《ふた》を取り外すと、二回に分けて水を口に含んだ。

再び蓋をつけ、それをベンチに置き、ふっと息をついた。肩に入っていた力が抜け、夜空を仰いだ。夜は深くなる、と言うよりも、硬くなる、という印象だった。

気持ちを落ち着かせようと一回瞼を閉じてみたのだが、その一回だけ、の気持ちが引き金になったのか、頭の中が急に重くなった。瞼の重さが増し、思考が鈍くなる。周囲はすでに暗く、視界も狭かったが、それが完全に消える。どうしたのだ、と思った時には首が前に倒れる。慌《あわ》てて、元に戻すが、すぐにまた頭のバランスが取れなくなる。

眠い。

ようやく、そのことに気づく。どうして突然眠いのだ、と疑問に感じた時には考えが止まりはじめていた。

探偵である黒澤の言葉が脳裏をよぎった。「自分が考えているようなことは、別の人間も考えているってことだ。大抵の企《たくら》みは自分に返ってくる」

その通りだ、と察する。私自身が、他人に睡眠薬を使おうと思っていたくらいだから、別の人間が私に薬を飲ませようとしても不思議はなかったのだ。まさに、空き巣が空き巣に入られるのと同様に、間が抜けている。

眠りに落ちた。もちろん、「今、眠っている」という意識自体を失ったのだが、それでも、「目を開けていなくてはならない」という思いは残っていた。ようだ。起きなければ、と自らを鼓舞したからか、もしくは単に、朦朧《もうろう》とした頭が覚醒《かくせい》しそうになった瞬間だったのか、一度だけ瞼を開けることに成功した。石臼《いしうす》を片手の薬指だけで回そうとするかのような苦痛が私を襲い、結局その苦痛に飲み込まれる形で、私は再度、眠りにつくのだが、ただ、その合間にぼんやりと浮かぶ春の姿を見た。

彼はベンチではなく、右手前方の曲がり角付近に立っていた。建物脇のブロック塀に背をつけ、耳に手を当てている。寒さでかじかんだのを暖めるかのように、両方の手で耳を覆《おお》っていた。何をしているのかと言えば、音楽を聴いているのだ、と私は気づいた。耳よりも一回り小さい円形のヘッドフォンをし、それを押し付けるように手を添えている。コードは彼のポケットまで伸びていた。音楽を聴いている。

なぜ、という疑問は浮かばなかった。何の？　とは思った。

目を瞑《つむ》った春は穏やかな表情を、もっと言えば冷たい面持ちをしていて、自らの息を確認している様子にも窺《うかが》えた。私が反射的に思い出したのは、例の、高校時代の春のことだった。深夜のごみ集積所で、自らの足が生ごみ塗《まみ》れになるのを気にもかけず、ひたすらにごみ袋を蹴《け》り続けていた、あの行動だ。

あの時と同じではないか、と私は鈍い頭で思うがすぐに、違う、と気づく。今、立ったまま目を閉じて、音楽を聴く春は、あの時の半狂乱の形相とはまったく違っていた。静寂さすら漂っている。

春が大きく息を吸い、長く吐き出すのが、私には見えた。距離が離れていることと、私が朦朧としていることから、はっきりとは分からなかったが、おそらくそうしたのだ、とは分かった。

彼が聴いているのは例の、盲目のサックスプレイヤーの曲ではないか、と根拠もなく、私は思った。重々しさを飛び越え、何かをなすために、その音色を聴いているのではないか、と。直後、春がヘッドフォンを耳からはずし、角を曲がって姿を消し、一方の私は、薬指で石臼を回すことに力尽き、再び泥に埋没するように、眠った。

放火魔

頬をぺたぺたと叩《たた》かれ、煩《わずら》わしい、と不快さに怒りを感じ、目を覚ますと、郷田順子が前に立っていた。彼女はペットボトルを、私の顔に当てている。

すっかりベンチにもたれかかっていた私は、慌てて上半身を持ち上げた。首を小さく回し、目をこする。頭痛が酷《ひど》かった。肩の凝りがあって、それがこめかみまで繋《つな》がっている。郷田順子は私のことを、ほとほと役に立たない男を眺めるような顔で、見下ろしていた。「よく眠れますね」

実際のところ、私はよく眠っていたから、弁解のしようがなく、「こんな場所で眠れたなんて、自分でも驚いているんだ」と自慢げな口調になってしまった。周囲を見渡す。弟の姿を探し、工藝ビルに目をやった。春はいなかったが、ビルも燃えていない。春が立っていたと思しき、ブロック塀も見たが、もちろんそこに彼のいた証拠が残っているはずもない。あれ自体がもしかすると、現実ではなかったのではないか、とも思った。

「君は」と私は立ち上がった。「やっぱりつけてきたんだ?」

「春さんが心配だったので」彼女の行動原理はそれしかない。

「春はどこに行ったんだろう。あの角を曲がったのを見た気がするんだけど。実は、放火魔を見つけにきたんだ。あそこにビルがある。十階建ての細長いやつ。あそこが燃やされるんじゃないかって」私は通常よりも早口だった。頭が重く、その重さを振り払うように無理やり、口を動かしている。

郷田順子は溜め息を吐いた。永遠に終わらないような、息の吐き方だった。

「何だか、覚悟を決めるような息だけど」

「覚悟を決めました」彼女の真剣な顔を目の前にして、どぎまぎした。美しい顔立ちの女性から見つめられたからではない。その覚悟が決して愉快なものではない、と分かっていたからだ。

「実は、お兄さんには言わないでくれ、とお願いされていたんです」

「誰に」と質問をしたものの、答えは分かっていた。

「春さんにです」

「言わないでくれって、いったい何を？」

「春さんがやっていることです」

「もしかすると」そこでぴんと来た。「落書きの件？」

同時に、嫌な夜だな、とも思った。頭痛はするし、肩は痛いし、寝違えたような感触もあるし、月は見えないし、本当に嫌な夜だな、と。逃げ出したかった。

「ここ最近、仙台では変なグラフィティアートが見つかっている。英語の単語が、あちこちに描かれている。それは放火事件と関係している。あの落書きは春がやっているんだ。そうだろ？」

そのことであるなら、認めたくはなかったが、私も想像はしていた。

「ええ」彼女は首を縦に振ったが、どちらかと言えば、できの悪い生徒の考えの至らなさに、がっかりしている様子だった。

「それだけじゃないわけ？」恐る恐る郷田順子の顔を窺った。時間にすれば短かったのだろうが、私からすれば数時間も向かい合ったような感覚があった。

「もしかして放火も？　放火のほうも春がやっているわけ？」私はそう口にした。考えまい考えまい、と頭の奥底に押し込めていた恐ろしい想像が、ついに顔を出した。

彼女は顎《あご》を引いた。

視界が真っ白になった。白くなり、暗くなる。電球が頭の中で破裂した感じだった。足元がぬかるみ、その場に沈み込む感覚があった。

「わたし、見たんですよ」

「聞きたくない気がする」

「この間、西口で、春さんとお兄さんが予備校のところにいた時です」

「聞きたくないのに、君は喋《しゃべ》る」

「春さんがビルに火を放つのを、見たんです」

「だから、聞きたくなかったんだ」

「ペットボトルの中に、ガソリンか何かを入れてあったんだと思います。それを壁際《かべぎわ》の紙束にかけて、ライターで火をつけていました」

持っていたペットボトルを、ぼんやりと眺めた。これは普通のミネラルウォーターだった。前回もそうだ。春が持っていたものにだけ、ガソリンが入っていたということか。そう言えば、と思い返した。東北ゼミナールの張り込みをした時、私が、春のペットボトルの中身を飲もうとしたら、春はかなり怒った。死ぬところだった、とまで言った。私は石油を飲むところだったのだろうか。

「どうして、春がビルを燃やさなくてはいけないんだ」

「春さんは精神的に不安定なんです」また例の言葉を繰り返した。「きっとそうなんです。あのノートのこともあるし。わたし、この間、あそこで地図を見て、お兄さんの話を聞いて、ぞっとしてしまったんです。あれが放火現場の印だとすると」

「多すぎる」私は答える。「放火事件は三十件も起きていない。あれは、多すぎる」

「こう考えたらどうでしょう。あの地図に書かれていたのは、放火事件が起きた場所ではなくて」

「つまり？」

「あの地図は、これから放火する場所を記した予定表、なのかも」

私はまたしても言葉を失う。

「春さんが放火犯だとすれば、納得できます」

みっともなさを越え、醜いほどに私は狼狽《ろうばい》していた。まばたきを何度もし、言葉を探し、「でも」であるとか、「それが」であるとか、短い声しか出せず、うろたえた。口や鼻、肛門や尿道、あらゆるところから力が抜けていくようだ。力が抜けるのとは反対に、黒々とした陰鬱《いんうつ》たる液状の物が、体内に入り込んでくるのも感じる。その液体によって溺《おぼ》れてしまうのではないか、と本気で怖くなる。足を踏ん張るが、震えて、うまくいかない。

郷田順子は何も言わない。大きな目を力強く見開き、唇を結んでいた。口を開いちゃ駄目だ、と私は言ってやりたかった。少しでも開けると、君の中にもこのやりきれないものが侵食していくぞ。

「春さんが放火犯です」

「春は、放火犯なのか」

「わたしは見たんです」

「口止めされていた?」

「絶対に言うな、って」

彼女の苦しさは理解できた。十年近く春のことを追いかけてきた彼女にとっては、春からの頼みごとは、この世の何よりも重要な意味を持つものだったはずだ。けれど彼女は約束を破り、私に話した。なぜかと言えば、春が心配だからだ。

私は茫然《ぼうぜん》自失の状態からなかなか戻れないでいた。弟がただの落書き犯にとどまらず、放火魔なのか。真っ先に浮かんだのは父の瘦《や》せた顔だ。癌《がん》と戦っているはずの父はこのことを予想していたのだろうか。そうであれば朝見舞いに行った時の、「おまえか?」の問いかけの意味も分かる。父は春を疑っていたのかもしれない。

それから私は、地図のことを考える。仙台市中心部を一万二千分の一に縮小した詳細地図だ。自分でつけた赤色の印と、青色の印の位置を思い出す。遺伝子のルール。私はそこで芋蔓《いもづる》式に次々と考えていった。春が落書き犯であり、放火犯であるとすれば、遺伝子のルールも春が考えていたことになる。春は遺伝子の基本的な知識は持っていた。p53遺伝子についても知っていたくらいだ。

けれど、私には、遺伝子のことなど知らない、というふりをした。自分が、あのルールの仕掛け人であることを隠したかったからだろう。でも、なぜ、そんな面倒なことをする必要がある。グラフィティアートの頭文字と、放火現場の頭文字の関係を遺伝子に見立てる理由はどこにあるのか。

理由はある。すぐに私はそう結論付けた。

私のせいだ。私のためだ。

「兄貴は途中参加の時はまるでやる気がないのに、自分が最初から参加していると頑固だし熱心だ」

春はそう言った。クロスワードを他人に解かれただけで暴れ出した私であるから、放火事件とグラフィティアートの謎《なぞ》についても、熱心に謎解きに参加するのではないか。さらに、自分の仕事に関係するクイズであれば、ますます熱中するだろう。春はそう見越したのかもしれない。

つまり、私を巻き込みたかったのだ。

馬鹿馬鹿《ばかばか》しい計画であるし、不確実な方法だ、と私は呆《あき》れるが、けれど、悔しいが彼の思惑は的中した。

私は事件に参加している。

別の疑問が湧《わ》く。どうして、私を引き込む必要があるのだ、と。

郷田順子がゆっくりとまばたきをして、私を見た。同時に、新しい不安が押し寄せてきた。その場で座り込みそうになる。右手のペットボトルを確認する。ようやくそこでこの水には何らかの化学物質が混ざっていたのではないか、と疑った。あの急激な眠気は異常だった。

「眠ってしまったのは、薬のせいだ。春が、ペットボトルに薬を入れていたんだ」

「どうしてわざわざそんなことをするんですか?」

春の声が私の耳元で聞こえるようだった。『兄貴はお守りだよ』

「たぶん、あいつは一緒にいてもらいたかった。だから呼んだ。だけど、知られたくはなかった。だから眠らせた」

「何ですかそれ」

「状況からするとそうだ」

「それでは、まるでお兄さんは、お守りか魔除《まよ》けじゃないですか」

私は自嘲《じちょう》気味に、「まさに」と言う。「春はどこに行ったんだろう」

郷田順子は幽霊の仕草のように、右手をふらりと動かした。私の斜め前方を、指した。「あの角を折れて、向こう側の小学校に」

「入っていくのを見たんだな」

「校門を攀《よ》じ登って。それで心配になったので、お兄さんを起こしにきたんです」

「教えてほしいんだ。君はこの間、東北ゼミナールの放火の時、怪しい男を尾行した、と言った。でも放火犯が春だとしたら、そいつはいったい何者だったんだ」

「春さんが呼び出したようです。わたしが見た時、二人はビルのところで、言い合いをしていました。ほんの短い間でしたけど。すぐに男が怒って帰って」

「その後で、春が火をつけた?」男に放火の罪をなすりつけようとしていたのか。

「火はもうついていました。その後で男が現われたんです」

「あ」答えというものは兆《きざ》しや予告なしに、現われるらしい。

「どうしました?」

「分かった」

「分かった?」

「春は」と言ったきり、すぐには言葉を継げなかった。そのことを口にするのが怖かったのだ。

「春さんはまた、放火するんですか」

「たぶん、違う」放火であれば、私を眠らす必要はないはずだ。前回の張り込みの時には、水に薬は入っていなかった。別のことをやろうとしている。それで今回は、私を眠らせた。私はいつの間にか、ペットボトルをベンチに置いたまま歩きはじめていた。小学校を目指す。

郷田順子が慌《あわ》てて、走り寄ってきた。「春さんは大丈夫でしょうか?」

「精神が不安定なんだ」足を踏み出すたび、歩みは速まる。

「お兄さん、何が分かったんですか」

「春のやろうとしていることが、分かった」

郷田順子は顔面蒼白《そうはく》だった。「これから何があるんですか？　放火じゃないんですか？　良いことですか？　悪いことですか？」

「良くて、悪いこと」

校門に近づきながら私は、自分の中の恐ろしい憶測に何度も足を止めそうになり、そのたび、速度を速めた。

「お兄さん、もう少しゆっくり」と郷田順子が息を荒らげるが、私は聞き入れない。

私の頭の中にはまたもや、小説の文章が過《よ》ぎっていた。

山椒魚《さんしょううお》は悲しんだ。メロスは激怒した。春は？　春はどうするのだ。「必ず、かの邪智暴虐《ぼうぎゃく》の王を除かなければならぬと決意した」と私はまた、引用したくなる。

モノローグ、ダイアローグ、メトロノーム

良くて、悪いこと。それが起きる。深夜の校庭が、これほど暗いとは知らなかった。

町の街灯設備にも問題はあるのかもしれない。とにかく視界が悪い。

校門を乗り越えて、校内に着地した後で、郷田順子のために門を開けてやろうとしたが、ものものしい錠前が取りつけられていて無理だった。仕方がなくて郷田順子は私の数倍は慎重に、段階的に、門を越えた。指が格子《こうし》に挟まったり、ベージュのパンツに錆《さ》びが擦《こす》りついたりしていたが、彼女は気にしなかった。

「きっと春さんは校庭にいるんじゃないでしょうか」彼女は囁《ささや》き声で言った。

どうしてそう思うのか、と声を潜めて訊《たず》ねる。

勘です。真顔のまま小声で答えた。「ストーカーの直感です」と、緊張した面持ちで、冗談を言った。

「そうだ、春は校庭だ」

「それは兄の勘ですか」

校庭は、校舎を越えた向こう側にあった。踏み潰《つぶ》した石が転がり、音を立てるたびに、ぞっとした。どういうわけか、慎重に近づかなければいけない、と私たちは知っていた。

頼りにできる灯りがほとんどないため、目が暗闇《くらやみ》に慣れるのを待ってから、おっかなびっくりに、校庭を目指す。横長に建つ四階建ての校舎は、私たちを見下ろす巨人さながらで、閉ざされている窓は押し黙っている表情そのものに感じられた。幅広で無言の巨人は、冷めた目で私たちを睨《にら》み、「早く校庭へ行け」と怒っているようだ。

　体育館へつづく渡り廊下があった。そこを横断すると、校庭に出る。

霧が出ていることに、その時になって気がついた。校庭は濃霧で包まれ、煙幕が焚《た》かれているような状態だった。湿り気を肌に感じる。隣に立つ郷田順子の姿は把握できたが、それより遠くになると、まるで見えない。暗闇にもやもやとした煙が漂い、敷地全体が底なしになっているようだ。「霧が絶え間なく香を焚く」という表現がまさにぴたりだ。

　私は前方に手を伸ばす恰好《かっこう》になる。そうでもしないことには、まともに歩けなかった。十メートル先も分からず、そのまま漫然と前進を続けると、突然出現した谷底に転げ落ちてしまうのではないか、と恐ろしかった。

　呼吸をするのを忘れていたことに気づいた。息苦しいのも当然で、私は慌てて口を開けて、音を立てないように気を遣いながら、息をする。距離感や位置関係を失い、しかも、薬による睡眠と突然の目覚めで頭はまだ本調子ではなく、真っ暗闇の校庭にかかる霧、嫌な予感、それらのせいで私は眩暈《めまい》を何度も感じた。

「春さんはここにいるんでしょうか」

「たぶん」答えたものの、見渡す限りの霧の中で、人影を探すこともできなかった。

「春さんは、何をしようとしているんですか」

「対決」

「え？」

「対決するんだ」その言葉はひどくかすれたものとして、外に出た。

頭上に見えるのが空であるのか、校舎であるのか、砂利の敷かれた地面であるのか、まるで分からなくなっている。四方八方が湿った暗闇で、私は箱の中に押し込められているのではないか、と思わずにはいられなかった。狭い。ここは狭く、暗く、恐ろしい、と泣き出したかった。

「対決って何とです」彼女が聞き返した時には、私はしゃがみ込んでいた。左膝《ひざ》を砂利につきながら、瞼《まぶた》を触った。吐き出す息が、情けないくらいに震え、笛のようだ。

「何と対決しているんですか？」郷田順子が囁いてくる。

私は答えなかった。いや、答えようとしたが、その前に霧の中から声が聞こえてきた。白い水蒸気が舞っているだけの舞台から、囁くような会話が流れてくる。それ以外の音は、私の周りからは完全に消え去り、全身の皮膚を鼓膜にするような気持ちで、耳を澄ました。聞きたくない、聞いてはいけない、と私は私に警告するが、私はその忠告を聞いていない。

——おまえに機会をあげたんだ。

誰の声かはすぐに分かった。郷田順子に無言で、うなずいた。私の弟の、静かな喋り方にほかならない。

もう一人、男がいた。実際には見えなくとも、誰であるのかすぐに理解できた。

——頭がおかしいんだよ、おまえ。

相手の男が答えた。決定的だ、と私は内心で呟《つぶや》く。葛城の声に他ならない。私が遺伝子検査を行なった、あの男だ。裸の女をダブルベッドに転がしたまま来客を迎えた、あの男だ。瞼をゆっくりと閉じた。もとから周囲は濃霧だったのだから、そのままでも何一つ見えやしなかったのに、それでも目を瞑《つむ》った。その時点で、私は何が起きようとしているのかほとんど理解をしていた。だから、目を閉じた。見てはならない、と思った。

「誰と話しているんでしょうか」郷田順子は、ほとんど蚊の鳴くような声で、言った。

「葛城だよ」

「誰なんですか」

「君がこの間、尾行した男だ。放火現場で春と言い合いをしていたという」

「誰なんですか」郷田順子が同じ質問を重ねてきたので、私は泣き出しそうになった。

「今、答えたじゃないか」

「そうじゃありません。春さんとあの男とどういう関係があるんですか」

私はそのことには答えない。これは、説明すべき事柄ではない、と知っていた。定期的にリズムを刻む音がうるさくて仕方がない。霧中に発生したメトロノームか何かと思ったが、どうやら私の鼓動だ、と気づく。血液が身体《からだ》を駆ける。

――あちこち放火なんてしやがって。犯罪人が。

葛城の声は大きくなかったが、地面に響くような迫力があった。

――あれはおまえへの警告だったんだ。機会をあげたんだ。

それに答える春の声は、霧の粒子を思わせる、細やかなものだ。美しい詩を詠《よ》むような軽やかさで、彼は放火犯であることを認めた。

――おまえ、俺の息子なんだって？

葛城がとうとうその言葉を吐いた瞬間、私は頭の中に空洞ができるのを感じた。郷田順子がすぐさま、私の顔を覗《のぞ》き込んでくるのが分かったが、それに応《こた》えるつもりもない。私はすでに心の中で悲鳴を上げている。

——俺もおまえのことを調べたんだよ。そうしたらすぐに分かった。おまえの家は、恥を隠すということもしないのか？　おまえの家は強姦《ごうかん》のおまけでできた息子を生んで、で、隠しもしないで育ててるってわけか。恥ずかしい一家だな。

葛城の言葉は、私の胸をえぐる。不恰好に曲がった杭《くい》で、殴られた気分だ。ああ、と苦しみの声を出し、その場でうずくまり、嘔吐《おうと》したくもなるが、堪《こら》える。吐き気を堪えた私にはその時、周りに無数の者たちが立っているのが見えた。彼らは、いちように仰々しい服装をして、決して喋らず、春たちの会話に耳をそばだてている。そう思えた、いや、そう見えたのだ。霧に隠れ、無数の観察者たちがいた。無数の陪審員、無数の裁判官、無数の見届け人、無数の野次馬がその場に立ち、聞き取れない言葉を囁いている。私はその群れを感じ、総毛立つ。身体の芯が震えた。もちろんこの濃霧の中、視界はほとんど閉ざされていたから、実際に目撃したわけではないに違いないが、けれど、その群れはずいぶん、現実味を兼ね備えていた。

——そうだ。その恥が俺ってわけだよ。

春の声はやはり淡々としていた。

——おまえは何がしたいんだよ。俺の家に火事現場の写真を送りつけてきやがって。しかも、この間は呼び出しやがった。で、「反省しているか」だと？　俺は生まれてこの方、何も反省するようなことなんかしてないんだよ。たかがレイプだぞ。レイプの何がいけないのか、説明してみろ。

葛城は興奮はしていたが、怯《おび》えている様子はなかった。そのおじけない態度は、ある意味では評価に値した。

——いいんだ。もう。

春が発した声は霧に溶けた。あたり一面に染《し》み込んでいく。一瞬ではあったがそこで、葛城が息を飲む気配があった。レイプの何がいけないのか、説明してみろ、と言った葛城は、以前、私に対してとうとうと喋《しゃべ》ったのと同様に、春と議論をする腹づもりだったのかもしれない。想像力であるとか、苦しいのは俺じゃない、の思想を述べ、相手を押し黙らせる。彼は今まで、理屈にならない理屈で言い負かし、それすらも喜びにしてきたのだろう。だから、春のその反応に、怯《ひる》んだ。いいんだ、もう、の議論を放棄した、清々《すがすが》しくも諦《あきら》めのこもった響きに少なからず狼狽《ろうばい》した。がさごそと物音がした。目を瞑ってはいたが、春の姿ははっきりと思い浮かべることができた。霧で視界が消えようと、瞼を閉じていようと、理屈に合わなくとも、見えるものは見える。決まっている。春が持っているのは、あのジョーダンバットしかない。

葛城はそこで、霧に身を隠し、逃げ出すべきだった。けれど彼はそうしなかった。口を開き、感動的な台詞を発した。

——父親を殺すのか、おまえ。

遺伝子の関係からすれば、彼がそう発言する権利は充分にあった。さらに言った。

——知らねえなら、教えてやるけど、俺のおかげでおまえは今ここにいるんだよ。違うかよ？

まさにそれは、私がいつも夢で、うなされる命題と同じだった。母を取るのか、春を取るのか。

——俺があの女をやらなければ、おまえは生まれてないんだよ。分かってんのかよ。俺はおまえの父親ってわけだ。血が繋《つな》がってるんだよ。父親を殺してどうしようっていうんだ。

——俺の父親は今、病院で癌《がん》と戦っているあの人だよ。悪いけど。

——それは、おまえを育てただけだろうが？　血も繋がっちゃいない。おまえの本当の父親は俺だよ。父親を殺すのは、生き物として許されるのか？　おまえ、俺を殺して平気で生きていけるのか？　殺人犯とレイプ犯ってのは、どっちが最悪なのか、考えたことがないのか。俺は、数え切れねえほど女をやったけどな、殺したことはない。おまえは、俺より最低の人間じゃねえか。

春の答えは簡単だった。最初に少しだけ息を吐いた。微笑《ほほえ》んだのかもしれない。それからこう言った。

——赤の他人が父親面するんじゃねえよ。

ごん。

音は一度、鳴った。この世の中で、最も爽快《そうかい》感からは遠い、そういう鈍い音だった。その瞬間、目を瞑った私を囲む霧がふわっと揺れた。少し間を空け、人がその場に倒れた気配がある。地面に葛城が転がったのだ。

儀式が進行する。まさにそういった、淡々とした空気が流れていた。空耳に間違いないが、私の耳元ではシューベルトのアヴェ・マリアが聞こえる。目の前でなされる行為のおぞましさと恐ろしさを掻《か》き消すように、荘厳《そうごん》で、優しさの漲《みなぎ》るあの曲を私は思い出していた。

靴の動く音がした。春が足を踏み出したのだ。風が鳴る。バットを振りかぶったのだろう。二度、音が響く。

ごん。ごん。

拍子抜けするくらいの、呆気《あっけ》ない音だ。まるで木魚ではないか、と私は思う。静寂の中の、「ごん。ごん。ごん」という響きが、私の耳の奥に粘るように、こびりついた。郷田順子が、私に寄りかかっている。

探偵 Ⅲ

正面に座る黒澤は、以前に会った時と同じく、落ち着き払い、どこかのんびりとした様子だったが、私の内面を全《すべ》て見通してくる鋭さも備えていた。

四日間、私はただぼんやりと暮らしていた。会社には行くが、同僚と話す気分でもなく、通勤のために自転車を漕《こ》いでも力が入らなかった。生きている、と言うよりは、日々をどうにか、こなしていた。四日前の、あの深夜、私と郷田順子は結局、霧の向こう側で行われていたことを覗き込むことができず、後ずさりをして、帰ってきた。逃げてきた。校門を越えても、私の鼓動は激しく、むしろいっそう強くなり、何度も息を整える必要があった。ほとんど会話らしい会話を交わさないで、郷田順子と別れ、私は自転車に乗って家に帰った。

春からは電話一つ、なかった。

私からも連絡を取っていない。

あの日の事件は、その翌日の朝刊に、「通り魔殺人」として扱われていた。小さな記事だ。死体の発見現場は小学校ではなく、近くの薄暗い細道となっていたが、あれはまず間違いなく、春が死体を運んだのだろう。財布が盗まれていることから、通り魔的犯行として警察は捜査を行なっているらしい。死亡した被害者として掲載された葛城の顔写真は、やはり映画俳優に似ていた。真っ当な社会人に見えた。

通り魔なものか、と私は思った。

「顔色が悪いな」と黒澤が言う。

私は突然、黒澤に携帯電話で呼び出された。夜でもいいから会えないか、と言われたものの、精神状態が芳《かんば》しくないことは自覚していたので断ろうとした。ただそこで、黒澤が、「君たち家族のことを教えてくれ」と言ったものだから、思わず了解した。

「いろいろ、分かったんだが」黒澤の顔には、「発見者」特有の達成感や優越感が漂っていなくて、好感が持てた。もしかしたらこの人は、せせこましいこの世界とはまったく別のところから派遣されてきた使者ではないか、とそんな想像までしたくなる。

「君の父親に頼まれて、調査をしていたんだが」

「父は何を頼んだんです」

どうせまた、答えてくれないのだろうな、と諦《あきら》めていたのだが、すると黒澤がその予想を嘲笑《あざわら》うかのように、自分の鞄《かばん》をがさごそと触り、中から地図を取り出し、意外にも、「説明するよ」と言った。

「依頼内容は極秘じゃないんですか？」

「ああ、そのことか」黒澤は顔を崩した。

「拷問《ごうもん》をされても喋《しゃべ》らないって言ってましたよね」

「膝《ひざ》を潰《つぶ》されるまで、だけどな」

「でも、今は膝を潰されたわけでもない」

「拷問されて情報を話すのは、自分でも許せないが、ただ俺は、自分が喋りたい時には喋ってしまうんだよ」

「勝手なルールですね」私は四日間のうちで、はじめて笑った。「最低の探偵じゃないですか」

「本当のことを言えば、俺は自分が探偵とも思っていないんだ」言い訳とも屁理屈《へりくつ》ともつかない台詞を、彼は淡々と口にする。

嫌な気分ではなかった。私はコーヒーカップに手を伸ばし、口をつけ、地図を眺める。広げられた地図にはペンで書き込みがされている。

「君の父親から借りた地図だ」

「放火があった場所に印をつけてあるんです。父は張り切っていた」

「はじめは張り切っていたらしいな」

「はじめは？」

「彼は放火現場にルールがあると思い、調べた。彼自身の言葉を借りれば、『最初は、推理ゲームみたいなものだと気楽に考えていた』わけだ。ところが、この印を眺めているうちに、別のことに気がついた」

「何です？」身を乗り出す。

「これは別の場所も表しているんだ。見覚えがあったらしい。で、俺に依頼をしてきた。自分の記憶と勘が正しいかどうかを調べたかったからだ」

「別の場所？」

私はカップを端に避け、地図を隈《くま》なく、見た。ほどなく、「あ」と声を上げてしまった。春の部屋の壁に貼《は》られていた地図と似ていたのだ。父は赤色で放火現場を囲んでいて、その赤い印は、三十箇所近くも存在している。春がマークしていたものと、とてもよく似ていた。

「これは、何の場所を表しているんです?」

「二十八年前」と黒澤は言った。てっきり私は、「二万八千年前」のことでも喋り始めるのかと思い、また、ネアンデルタール人が出現してくるのか、とげんなりしそうになった。

「これは、二十八年前、仙台で起きたレイプ事件の現場だよ」

「え?」頭を言葉で撃ち抜かれる。そんな感覚があった。

「放火現場は、ある少年が連続して何十件もレイプ事件を起こした、その被害現場と似た場所だ」

「どうして」と私は自分が取り乱さないように、と注意しつつ、疑問を口にする。

「どうして、父がそんなことを知ってたんです」

「関心があって、そのレイプ事件については、調べたことがあるらしい」

黒澤が、どこまで父に話を聞いているのかははっきりしない。

「父が調べていたなんて、知りませんでした」これは事実だった。父があの事件のことを話すのは、あまり聞いたことがない。と言うよりも、私たちの家族内ではあの事件に触れることは皆無だった。

「彼は、俺に依頼してきた。二十八年前の事件の現場と、放火現場は本当に一致しているかどうか、調べてくれ、とね」

「それがこの地図の印ですか」

私は十年近く前の図書館で見た当時の新聞記事を思い出していた。連続婦女暴行事件の現場を記した地図が掲載されていた。

「間違いないな。放火事件は、二十八年前のレイプ現場と、ほぼ同じ場所で起きている。厳密にまったく同じ場所とは言えないが、基本的には当時の現場をなぞっている。調べたら、すぐに分かった。あからさま、と言ってもいいな」

地図をじっと見るだけで、返すための言葉が見つけられなかった。

「で、君に話を聞きにきた」

「何をです」

「俺は少し前に、君から依頼を受けた。あれは会社からの調査依頼ではなくて、君個人からの依頼だった。そうだろ？　君の依頼は、『二十八年前、強姦魔として逮捕された男の居場所を調べて欲しい』という内容だった」

「黒澤さんは仕事が速かった。助かりました」

「強姦魔は今では葛城という名前で、仙台に戻ってきている。俺は、葛城の身辺を調べて、仕事や住所を君に教えた。彼が女をホテルに連れこむ写真もつけた」

「プロらしい仕事でした」

「確認したいんだ。君は、葛城の居場所を調べようとした。一方で、君の父親も二十八年前のレイプ事件を調査したがっていた。つまり、葛城の事件だ。しかも、そのレイプ事件の現場をなぞるように放火が起きている。この三つの出来事は、関係があるのか」

「どうして知りたいんですか」

「人生の充実のために」黒澤がそう言って顔を綻《ほころ》ばせた。

すっかり冷めたコーヒーを飲み干した私は、目の前の探偵と駆け引きをしないことを、正直に話をすることを、決意する。

「その三つの出来事に関係はあるはずです」とまず、言った。「ただ、みんなで相談してやったわけじゃない。これは、偶然です」

「偶然？　もう一つ忘れていた。何日か前の新聞に通り魔事件の記事が出ていた。被害者はまさにあの葛城だった」

「ああ」

「あれも偶然か？」

「偶然といえば偶然ですが、違うといえば違います」

「それなら、さらに質問だ」

「どうぞ」

「君は、俺に依頼して、葛城の居場所を調べていた。あれは何が目的だったんだ？」

「ああ」私は一度目を伏せたが、すぐに彼を見た。はぐらかさないし、嘘《うそ》をつかない、とすでに決めていたのだから、答えるのは楽だった。「あれは、簡単なことです」

「というと」

「殺すつもりだったんですよ」声が震えていなかったことに安心した。自供する気分でもなかった。恥じることも、悔やむ必要もなかった。はじめから、あの男を殺すつもりでした。私はそう告げた。

「葛城を？」

「葛城をです」

「なるほど」黒澤は表情を変えなかった。無理をしている様子でもないのが、私には不思議で仕方がない。

「驚かないんですか？」と思わず確認してしまった。

「驚いたほうが良かったのか」と黒澤は平然と応《こた》える。「どうやって、殺すつもりだったんだ」

「まずは確認をして、葛城があの犯人だと確定したら、実行するつもりでした」

「確認というのは？」

「自信がなかったんですよ。葛城が本当にあの時の強姦《ごうかん》魔なのかどうか。名前も変わっていたし、何かの間違いということもありえました。黒澤さんを疑ったわけではないんですが、絶対の確証がほしかったんです。何と言っても殺害しようとしていたんですから。人違いじゃすまない」

「どうやって、確認するつもりだった」

「親子鑑定ですよ。DNAです」

「DNAって遺伝子のことか」

「黒澤さんも知っているように、うちの会社はまさにそういう会社じゃないですか。だから、検査をしたんです。病気の検査をすると嘘を言って、葛城から遺伝子を採取した。で、親子鑑定をした。犯人の息子の遺伝子と比べたんです」

黒澤は、その、強姦魔の子供の遺伝子はどうやって手に入れたのだ、とは聞いてこなかった。興味がないようにも見えたし、答えを知っているからにも見えた。

「そして、二人は親子だという結果が出たんです。正真正銘の親子ですよ。つまり、あの葛城は間違いなく強姦魔で」

英雄から連絡をもらった時のことを思い出す。春と葛城は親子だった。心のどこかでは、そうではない結果を望んでいたが、見事に裏切られた。

「どうやって、殺害するつもりだったんだ」

「単純なやり方です。笑わないでください」

「笑うかもしれないな」

「葛城に会って、酒に睡眠薬のようなものを混ぜるつもりでした。そのために、睡眠薬も手に入れました」自分の会社に薬が常備されていたのは、好都合だった。「で、眠った葛城を車に乗せて、青葉山に連れて行って」

「青葉山？」

「あそこの渓谷に橋が架かっているのを知っていますか？　下は百メートルの谷ですよ。で、あそこの欄干の一部が壊れているんです。都合がいいことに。車でぶつかれば落ちてしまうんですよ」

「危険じゃないか」黒澤が何とも暢気《のんき》な声を出した。「役所は何をやってるんだ」

「ずいぶん前に気づいていたんです。だから、それを利用するつもりでした。事故死に見せかければいいと考えたんです」

「だけど、踏みとどまったのか」

「いえ、先を越されただけです」

まさに先を越されたにすぎなかった。四日前、私は葛城に電話をかけ、会うことを約束した。殺害を実行するために、だ。あの日に会うことができれば、私が葛城を青葉山に連れて行っていたはずだ。

「あの通り魔は、君じゃないんだろ?」それははじめから分かっていたんだ、と黒澤は言った。

「どうして分かるんです」

「人間観察だな。俺は職業柄、自信があるんだよ」黒澤は、私の告白にまったく動じていなかった。その恬淡《てんたん》とした、もしくは、飄々《ひょうひょう》とした様子に私のほうこそ驚いている。「誉《ほ》められついでに言わせてもらえば、放火犯も君ではないだろ」

「正解です」

「さっき、地図を見た時の君は、放火現場がレイプ事件の現場をなぞっているとは、夢にも思っていない顔だった」

「想像もしていませんでした」

「訊《き》いていいか?」

「放火犯の名前は言いませんよ」

「知ってるよ」

「え」

「君がその名前を絶対に口にしないことは、知ってるよ。きっと、言わない。俺もそれには興味がないんだ。ただ、教えてほしいんだ。どうしてそいつは放火を起こしたんだ。俺は放火の犯人が、葛城を殺害したのだと思っている。たぶん、そうだ。でも放火をする意味は何だ」

霧の中で聞いた春と葛城の会話を頭に思い浮かべていた。「機会をあげた」「あれは警告だった」「火事現場の写真を送りつけてきた」「反省しているか?」あのやり取りから、私にも憶測することはできる。

「レイプ事件のことを思い出させたかったんですよ」

「放火を起こして?」

「犯人は放火現場の写真か、新聞記事か、とにかくそういうものを葛城に送って、レイプ事件のことを思い出させようとした。放火は、レイプ現場を辿《たど》るように起きているから、気づくんじゃないか、と期待したんじゃないでしょうか。そして、『俺はおまえの罪を忘れていない』と、自分の罪ともう一度向かい合わせようとした」

「脅すためか」

「反省してもらうためですよ」黒澤に説明をしながら私は、自分自身へも説明をしている。

「つまり、葛城が、次々起こる放火事件の写真を見て、『ここは私が以前、罪を犯した場所です。すみません。反省しましたから、もうやめてください』と言ってくるのを待っていた。そういうわけか」

「馬鹿馬鹿《ばかばか》しいですけど、きっとそうです」私は俯《うつむ》く。

春は、葛城にチャンスを与えた。あの東北ゼミナールでの事件の時、春は葛城を呼び出し、反省を確認したのだ。葛城が反省や後悔から無縁の人間であることは分かっていたにもかかわらず、手順を踏んだのだ。「走れメロス」の、かの邪智暴虐《ぼうぎゃく》の王も、最後には自らの過《あやま》ちを認めた。春は、葛城にも期待したのかもしれない。

私は、先日見たばかりの、ニュース番組のことを思い出しながら、「国家間の争いもそうですよね」と言った。

「国家間と来たか」黒澤が笑う。

「相手の国に攻撃するのにも、手順を踏むじゃないですか。正しい手続きを経て、それらしい大義名分を手に入れる」

「国際世論を味方につけるためにか？」

たぶん春は、葛城が反省も謝罪もしないことを期待していた。反省の機会を与え、それでも相手が罪を認めなければ、その時こそ、ためらうこともなく、復讐《ふくしゅう》を実行することができる。春はそう考えていた。復讐？　誰の？　母の？　自分の？　父の？　いや、そうではなく、もっと抽象的で、善悪のはっきりしない曖昧模糊《あいまいもこ》とした敵に、復讐を行うつもりだったのではないか、と私は思いたくもなる。

「だからと言って、無関係のビルを燃やす必要はなかっただろう？」黒澤はなおも訊《たず》ねてきた。

「ですね」

「葛城が反省していないから、殺したのか？」

「そんな気がします」

「その犯人は、それくらいの恨みを葛城に対して抱いていたというわけか？」

「生まれてこなければ良かった、と思うくらいの恨みです」

コップに手を伸ばして、吐き出しそうになる呻《うめ》き声を、水もろとも流し込んだ。

黒澤が地図を折り畳み、しまいはじめる。

「そのジャケット、恰好《かっこ》いいですね」私は、黒澤の着ている服に目をやった。

「念願のジャン・ポール・ゴルティエでね」彼は得意げに鼻をこすった。

「買ったんですか」予想していた通り、目の前の黒澤はそれをうまく着こなしていた。

「収入があったんだ。ようやく買えたよ」

「それはそれは。探偵も儲《もう》かるんですね」

「いやこれは、本業のほうで稼いだんだ」

「あ、ところで、本業って何でしたっけ」

「オートロックの鍵《かぎ》には苦労したけどな」

「オートロック？　それ、何のことです」

「君は、泥棒や空き巣についてどう思う」

「泥棒？　空き巣？　泥棒は犯罪ですよ」

「違うんだよ」黒澤が微笑した。そうすると、一気に、年齢が分からなくなる。少年から青年、中年の男まで、いずれの年代の男性にも見える。「人間が全《すべ》て平等に作られているなら、泥棒なんて現われないんだ。分配の不平等を是正するために泥棒は存在する。つまり、平等を回復するに過ぎないんだ」

「泥棒は偉い、っていう話ですか？」

「サドの小説にそんな話があった気がするんだ。俺はそれが好きでね」

「マルキ・ド・サドですか。弟は、サドとバタイユが嫌いでしたけど」

「ああ、確かにバタイユは嫌な感じだ」黒澤が手の平を向けてきた。

「サドはOKで、バタイユはNGなんですか」

「バタイユはな、泥棒は人間性が欠けているから、性的欲望が深いなんてことを言うんだ。決め付けもいい加減にしてほしい」

「やけに、泥棒の肩を持ちますね」

「まあ、そうだな。仲間意識だよ」

「その話、何か関係あるんですか」

「このゴルティエと関係している」黒澤が自分の服の襟を整えた。「不平等を是正して、俺はこれを買ったんだ」

　意味が分からない、と私は降参の仕草をした。けれど、その嚙《か》み合わない、意味不明の会話は、私の感情を落ち着かせるのには適していた。黒澤を前に喋《しゃべ》っていると、抱えていた焦《あせ》りや恐怖が少しずつではあるが、溶けていく気がした。

「不思議です」

「何がだい？」

「黒澤さんと喋っていると、どういうわけか、気持ちがほぐされていくようですよ」

「もとから、ほぐれていたんだろう」

「いえ、実はこの四日間、身を縮めるようにして生きていたんです。どんどん殻に閉じこもっていくようでした」幸いなことに、家には睡眠薬がたくさんあったので、いっそのこと大量に飲み干してしまおうか、と考えてもいた。黒澤からの電話がなかったら、今日にでもやっていた可能性もある。大量の錠剤を嚙み砕き、水で流し込み、手っ取り早く済ませようとしたかもしれない。「大袈裟《おおげさ》に言っていいですか？」

「言いたければ、止めない」

「黒澤さんに救われた気がします」

「もっと、大袈裟に誉めてくれても、いいんだけどな」

「カウンセラーに向いていますよ、きっと」

黒澤が困惑した顔になる。「前にも言われたことがあるな」

「で、どうします?」喫茶店を出る準備をしながら、私は訊ねた。

「何がだ」

「黒澤さんは、葛城の通り魔事件の真相を知ったことになります」

「分からないことのほうが多いがな」

「おおよそのことは分かったじゃないですか」

「おおよそ、まあ、そうだな」

「どうするんですか」

「どうする、とは?」

「この事件の真相を知った人間は、どういう行動を取るべきなのか、知りたいんですよ。教えて欲しいんです」

するといと、黒澤は急に真面目《まじめ》な顔になり、「明日になったら電話をする」と言った。

「警察に通報するんですか」そりゃそうですよね、と言いたかった。

「俺が、警察に?」黒澤が笑いを噛み殺した。「まさか。役所だよ。役所に電話するよ。青葉山の橋が危ないから、早く修理してくれってな」

レトリーバー

父の手術の前々日、春に電話をした。あの小学校での出来事以来、はじめて言葉を交わすにもかかわらず、彼は淡々としていて、「俺も、兄貴と話をしたかったんだ」と言った。荒々しいところや緊張感はまるでなく、明日父さんの見舞いに行く前に会おう、と持ちかけてきた。

「どこで会おうか」と言ってから、私は思いつき、「母さんの墓参りでも行くか」と提案をした。我ながら良い案ではないか、と思ったが、春は遠慮もなく一蹴《いっしゅう》した。

「兄貴、それは安っぽいサスペンスドラマにありそうな場面だ」

私は電話越しとは言え、顔を赤らめる。

「ああいうドラマでは、犯人の告白と逮捕は、見晴らしのいい崖《がけ》っぷちだとか、大事な人の墓の前とか、そういうところで行われると相場が決まっているんだよ」

「相場が決まっているか。なら、どこで会おう」春が、犯人の告白と逮捕、という言葉を口にしたことについては、聞き流した。

「俺の知っているところで、ちょうど良い場所があるよ」

というわけで私たちは、ペットショップの店内に立っていた。正確に言えばペットショップ内にある、犬のケージが並ぶ、その前だ。座る場所もなく、ようするに店に来た、ただの客だった。

目の前には、黒いミニチュアダックスフントが前足に顎《あご》を載せ、この世における責任という責任を放棄したかのような、羨《うらや》ましいほどの解放感を見せて、眠っていた。平日だったせいか、私たちの他には客はあまりいない。親子連れが猫の売り場で相談をしているくらいだ。

犬や猫のこの独特の匂《にお》いは何なのだろうな、と思いながら私は周囲を見渡す。体臭と糞尿《ふんにょう》や汗と、さらには埃《ほこり》が混ざり合ったような匂いが部屋に漂っている。臭《くさ》い、と嫌悪《けんお》すべきものなのか、それとも、懐《なつ》かしい、と安堵《あんど》すべきものなのか、いつも分からない。

店員がカウンターの脇《わき》で、犬の毛を忙しそうにブラッシングしていた。彼女たちが時折、私たちのほうをちらちらと窺《うかが》ってくるのが見えた。怪しんでいるのではなく、春を気にかけているのだろう。自然を装うところが、かえって不自然だった。

「おまえにとって、二人で話をするちょうど良い場所というのは、ここなのか」

私たちはたぶん、今後生きている間には二度としないような、切実で重大な話をするはずだった。それくらいは私にも分かったし、私自身はそれくらいの覚悟を決めてきた。なのにその場所が、犬や猫が喚《わめ》いているペットショップというのは奇妙だった。奇妙を越えて、これはやってはいけないマナー違反のたぐいにも思われた。

「こんなに犬がたくさんいるなんて幸せじゃないか」春は幸福な顔をしていた。「俺の告白を聞いてくれるのは、兄貴とここにいる犬たちだよ」

「聞くって言っても、こいつ眠ってるぞ」ミニチュアダックスフントを指差した。

私たちは声を合わせて笑った。店員たちからは、仲の良い同性愛の男同士が犬を買いにきたところに見えたかもしれない。

「あの、ミネラルウォーターに薬を入れてただろ」私は率直に、質問をぶつけることにした。ペットショップへ来るまでの間に、そう訊ねようと決めていたのだ。

「俺の兄貴は鋭い」言ってから春は、ペットボトルの上のほうから注射器で入れたんだ、と説明した。

「おかげさまで、気がつかなくてごくごく飲んだよ。すっかり眠った。俺が眠っている間、あの日は放火事件が起きなかった」

「俺がベンチに戻った時、兄貴はすでにいなかったよ」

「郷田順子が、俺を起こしてくれたんだ」

「え」

「この間、俺が名刺をもらった郷田順子という美人は、昔からおまえのことを追いまわしていた、あの女の子だろ」

「兄貴は騙《だま》されやすいんだ」

「あの子は、おまえのことなら大抵、知っていたよ。おまえが何をしているのかも」

「彼女には」春はそこでこめかみを掻《か》きながら、「彼女には悪いことをしたと思うよ」

何を訊ねてよいものか、私には分からなかった。まったく訊《き》かないでいいような気すらした。

「兄貴はどこまで知っているわけ?」

「『God can talk』『Ants goto America』『280 century ago』あのグラフィティアートはおまえが描いていた」

「あれはアートじゃない、ただの落書きだ」

「ビルに放火していたのも、おまえだろ?」

「その通りだよ」

春に告白されても、私は動揺しなかった。覚悟していたからだ。この数日間、私はその、覚悟をするだけのために生きていた、と言っても過言ではない。覚悟ができたから、会うことにしたのだ。

店の奥で、甲高い声で鳴く犬がいて、そんな覚悟で足りるのか、と私を揶揄《やゆ》してくるようでもある。私の前の犬は、ちっとも起きる気配を見せなかったが、それはそれで、「そんな覚悟で大丈夫かねえ」と眠りながら呆《あき》れているのだと思えなくもない。

私を放火現場に連れて行ったのはどうしてなんだ、と訊《たず》ねる。「お守りがわりだったのか？」と。

「そう言ってしまえば、そうだけど」

「やっぱりそうなのか」

「まあね。だって」その後に続けた春の言葉は短かった。「俺たち兄弟は最強じゃないか、兄貴」

一瞬、言葉に詰まった。父が話していた思い出話が瞬時に頭に浮かんだ。町内会のオリエンテーリング大会で私と春が最下位になった時の話だ。その時、春は、「僕とお兄ちゃんは最強なんだ」と強がった。と言う。それか、と私は驚き、半ば愕然《がくぜん》とする。もしかしたら、春はずっと、それを信じていたのだろうか。

「子供の頃から、大事な時には兄貴がいたから、だから、いないと不安なんだよ」

春が縁起かつぎやジンクスには敏感であることも思い出した。

「一人じゃ怖くてできないことも、兄貴がいればやれるような気がした」

「マジかよ」

「マジだって」

「本当にそんな理由で、巻き込もうとしたのか？　だからあんな遺伝子の暗号を真似《まね》て、興味を持たせようとしたのか？　俺を仲間に入れようとして？」信じがたくて私は念を押すかのように、訊ねてしまう。「そんなに回りくどいやり方をわざわざ？」

「はじめから俺の目的を話したら、兄貴は手伝ってはくれなかったよ」何と言っても人殺しの手伝いなんだから、と春は言いたげでもある。

「手伝ったさ」

「え？」そこではじめて春は驚いた顔になった。

「たぶん、手伝ったよ」いい加減な気持ちから話を合わせたのではなかった。私はきっと手伝ったはずだ、と確信を持って、言える。「放火する場所は、はじめから決まっていたんだろ？」二十八年前の、強姦《ごうかん》事件のことは持ち出さない。

「兄貴はそれにも気づいたんだ？」

気づいたのは父だ、とは言わなかった。「そんなに都合よく、放火する目的地にさ、AだとかT、G、Cなんかの頭文字ではじまるビルがあるものか？」

「意外にあるものだよ」春が首を振った。「目的地と言っても、厳密ではなかった。目的の場所の付近で、火事を起こせれば良かったんだ。近くに該当する頭文字の建物があれば、それで良かったし、大抵、ビルにはたくさんの会社が入っているから、そこから無理やり探したりもした」

朝日不動産の時もそうだったのだろう。春は、「朝日不動産が放火された」と言ったが、実際にはそのビルの一階が燃やされただけだった。あれは遺伝子の暗号を成立させるための、強引なこじつけだったのだ。

「どうして放火したんだ？」

春は、「それはさ」と洩《も》らした。俯《うつむ》きかげんで、自分の鼻の頭を人差し指で掻きながら、「コノハナノサクヤビメ」と呟《つぶや》いた。「兄貴は覚えていないかもしれないけど」

「あれか！」私は驚いた。「あれは強烈だった」

日本神話だ。夫から、腹の中の子は本当に俺の子か、と詰め寄られて、産屋《うぶや》を燃やしたコノハナノサクヤビメの話だ。私は春と一緒に、その物語をテレビで観《み》たはずだ。

「兄貴は、あの時にテレビ画面に映し出された言葉を覚えている？」

笑いを堪《こら》えながらうなずいた。別に示し合わすつもりもなかったのだが、声を合わせてこう言っていた。

「火は身の潔白を証明します」

私たちの言葉はぴたりと合った。その後すぐに笑い出すのも同時だった。そうだ、あのコノハナノサクヤビメの番組ではそういう字幕が大きく表示された。

「おまえも覚えていたとはな」

「あれは本当に強烈だったよ」

「精神的な後遺症になった。そうか、で、おまえは、それで火をつけたのか」

「あの男の本心が火によって証明されると思ったんだ」春は自然に、あの男のことを話し出した。

「あの葛城が、過去のことを反省しているかどうか？」私は自然に、その男の名前を発していた。

「ああ、その通り」

「火事によって？」

「その通りだって」春が恥ずかしさと苛立《いらだ》ちの混じった顔で、面倒くさそうに返事をした。

「そんなことで放火したのか？」

「うるさいな、兄貴は」

「コノハナノサクヤビメの真似をして？」

「ああ、そうだとも」

「火事で火傷《やけど》をした老人もいたんだぞ」

私が言うと春は一瞬、刃物で頬を貫かれたかのような苦痛を顔に滲《にじ》ませた。後悔がその時にだけ、彼の周囲を舞った。「そうだ。俺の勝手で、老人は火傷を負い、建物は燃えた」

「悪いと思ってるのか」

「いや」春は、私の予想に反し、強く、素早くかぶりを振った。「反省はしないし、罪悪感も感じていない」

「え」

「そんなことを感じるくらいだったら、はじめからやらなければいいんだ」

春は言葉の強さの割に、温和な顔つきで、ケージの犬に目を細めている。私は、彼の言葉を聞きながら、その無責任さと傲慢《ごうまん》さに戸惑うこともなかった。おそらく春は、私には想像もできないほどの決意をし、事に臨んだのだ。中途半端な心苦しさ、罪悪感はとっくに捨てたのかもしれない。

春は、隣の犬に顔を近づけた。柴犬《しばいぬ》の子供らしかった。小さな身体《からだ》で暢気《のんき》に歩き回っている。指を中に入れて、子犬をからかいながら、「あいつは反省していなかった」と言った。「覚えてすらいなかった。放火現場の写真を送りつけて、印を付けた地図まで送って、昔のことを思い出させようとしたのに、あいつにとってはすっかり過去のことだった」

「そうか」

春に苦しげな様子は見えなかった。もしかすると、私が想像していた通り、彼も心のどこかでは葛城が反省していないことを望んでいたのかもしれない。

「で、兄貴」春が、私に向き直った。「父さんの病院に行った後でいいかな」

「何が？」

「警察に自首しに行くのがだよ」

「おまえ、警察に行きたいのか」

「まさか」春は即答した。「でも、悪いことをした」

「おまえのやったことは、どちらかと言えば、良いことだよ」良くて、悪いことだ、と心の中で呟いた。

「違う。世の中ではこれは悪いことで、俺はたぶん、狂人のたぐいだ」と春は続ける。

私はそれを聞いて、頭を小突かれた気分になる。頭の次は胸だ。胸に痛みが走る。

春の言う通り、これは第三者から見れば、立派な、正真正銘の犯罪で、それを為《な》した彼は、恐ろしい、不届き者に過ぎない。そして、それは私自身も同然だった。だから私は、「実はな」と打ち明ける。「おまえの兄貴も、葛城を殺そうと企《たくら》んでいた」

春が顔を向けてきた。そして、私の発言の意味が分からないのか、無言のまま目を何度かしばたたいた。眉《まゆ》を一度ひそめ、その後で、愁眉《しゅうび》を開くようにした。「それは、殺したいくらい憎んだ、という意味か」と言った。それなら理解できるよ、と。

「違う」私は即座に否定する。「比喩《ひゆ》じゃない。本当に、殺害するつもりだった」

「嘘《うそ》だろ」

「いや、近いうちにやっていた。俺も、あの男の居場所を突き止めたんだ」

春は口をぽかんと開けた。やがて、「兄貴には無理だよ」と言った。

「真面目《まじめ》な話だ」私は自分の勇気や行動力を低めに見積もられた気分で、少々むきになった。「いいか」と自分の立てていた計画を打ち明ける。黒澤に話した内容と同じく、睡眠薬と酒を飲ませて葛城を泥酔させ、青葉山の橋から突き落とすつもりだった、と説明した。

春は、私の真意を推し量るようにじっとこちらを見ていた。私の表情や、仕草をずっと観察していた。

「おまえが青葉山の橋の話をした時には、本当にびっくりしたよ。こっちの計画に気づいているのかと思った」

「兄貴、それは本当の話なわけ？」

「嘘をついても、意味がないだろ」

「でも、睡眠薬なんて、もし検死解剖されたらすぐにバレるよ」

「え、そうなの」私は赤面して、声を落とした。

「兄貴がやらなくて正解だよ。穴だらけだ。やっぱり俺がやるべきだったんだ」

その言葉には強い思いが込められている。ように私には受け取れた。春は自分でやり遂げたかったのだ。春にとって、自分の遺伝子的、生物学的父親は、許すことのできない存在で、それを、自分の手で抹殺しないことには、それより先の日々を狂わずに生きていけなかったのではないか。

春の足元に目をやった。黒地のスニーカーだったが、そこに、生ごみがこびりついているのではないか、と疑ってしまう。昔、十代の頃の春が、ごみ袋を半狂乱で蹴散《けち》らし、足を汚した時のことを思い出す。

「この数日間、ずっと不思議だったんだ」春はそう言った。

「何が？」

「俺は落ち着いている」

私は小さく首肯した。「おまえは、落ち着いている」

「あんなことをしたというのに、落ち着いているんだ。映画でよく観たりするような、小説に散々書かれているような、苦悩とは無縁だ。良心の呵責《かしやく》だとか葛藤《かっとう》は、皆無だよ。気が狂いそうになるようなことは、まったくない。落ち着いているんだ」

「おまえがやったことは、悪いことなんかじゃない」

「不思議だった。小説を読んでいても、血縁を殺した人間は、それだけで文学となるほどに、悶《もだ》え苦しんでいるじゃないか。もしくは散々、苦悩した結果として、親を殺す。けれど、実際の俺はそうじゃない。この何日か、本当に俺の心は穏やかだよ。びっくりするくらいだ。それこそ」

「それこそ」

「桜の花がたゆたう川みたいに、穏やかだ」

「春に桜はつきものだから」私は心の底から、そう感じた。だから、そう言った。

「今日になって分かった」

「何を」

「俺はずっと覚悟を決めてきていたんだ。父さんからあの男のことを知らされてから、十年以上、俺はずっとあいつを殺すことを考えていた。十年も言い聞かせてきた。それこそ、毎日だよ。毎日、毎日、このことばかり考えてきた。だから、さすがに慌《あわ》てない。心も揺れない。人を殺したっていうのに、ちっとも文学的じゃない」

「そうか、毎日か」と私は応《こた》え、そうだよな、毎日だよな、とも思った。また、例のごみ集積所で暴れる春を思い出す。彼はああやって、自分の内側で暴れる、怒りの馬や煩悶《はんもん》の牛を、宥《なだ》めてきた。毎日、毎日、少しずつ、飼い慣らし、達観にまで至った。だから、落ち着いている。乱れていない。火事の被害者への同情や謝罪も消えている。そういうことかもしれない。葛城をどうやって見つけ出したのか、と訊ねると彼は、

「毎日ずっと捜していただけだよ。地道に、しつこく」と答えた。

「そこにあいつが仙台に戻ってきた」と私は言う。

「心構えはできていたんだ」

「そうだな。おまえは心構えができていた」彼は、今までの人生の半分以上を、それに費やしていたのだから、この時点でうろたえているほうがおかしかった。

「兄貴、マラリア療法って知ってる?」春が不意にそこで、口を開いた。「十九世紀の終わり頃、梅毒は最低の病気だったんだ。梅毒菌が脳に入り込んで、気が触れたようになって死ぬ。もちろん抗生物質なんてない頃だよ。そんな時にね、ある精神科医

がマラリアを利用することを考えついた」

「マラリアも病気だろ」

「蚊に血を吸われる時に、マラリア原虫という寄生虫がうつるんだよ。アレクサンダー大王だってマラリアに罹《かか》っていたらしい。とにかくさ、それに罹ると四十度くらいの熱が出て大変なんだ」

「それをどうやって利用するんだよ」

「梅毒菌は熱に弱い。だから、梅毒患者に、毒を弱くしたマラリア原虫を感染させるんだ。そうすると、そのマラリアの発熱で、脳の梅毒菌が死ぬ。このやり方はね、うまくいったらしいよ。考え出した精神科医はノーベル賞をもらってるくらいだ」

「それがどうかしたか?」

「梅毒で頭がやられちゃうのと、マラリア患者でいるのと、どっちがいいかって言ったらマラリアのほうがいいんだ。だから、こういうやり方が取られた。でさ、俺がやったのも同じようなものじゃないかな。違うかな? 大きな毒を殺すために、別の悪いことをやったんだよ」

春の顔をちらと窺《うかが》う。開き直っている様子ではなかった。彼は自分の罪とまっすぐに向き合っていた。あっさりと何の執着もない喋《しゃべ》り方をしてはいるが、春は自分のことを誰よりも客観的に見つめている。

「違うかな」不安そうに、もう一度言ってきた。

その通りだ、と私は言いかけたが途中で気を変え、笑って春を指差す。

「全く、違う」

「やっぱり違うか」春はどこか嬉《うれ》しそうに、うなずいた。

「正当化するなよ、犯罪者のくせに」

「だよなあ」と春がのんびりと応じる。

「異常者め」私がからかい半分に指を向けると、彼はその指から逃れるように、首を逸《そ》らした。

「兄貴もだ」と言い返してきた。


「父さんのところに行こう。きっと待ってる」

少ししてから、私は言った。私自身から話すことは特にないようにも思えた。

「警察へはその後だ」と春が顎《あご》を引く。

「行く必要はない」私はすぐさま、言った。

何を言っているんだ兄貴、という目で春がこちらを眺めてくる。

「おまえはさっき、『世の中では悪いこと』だと言ったけど、世の中っていったい何だよ？」

「世の中は世の中だ。社会と言ってもいい」

「サッチャー首相はこう言ったよ。『社会なんていうものは存在しない』」

「殺人犯を放置するのは法律に反するだろ」

「法律なんて弁護士のためにあるだけだ」

「秩序を乱すことになるじゃないか」

「秩序なんて見たことがない」

「倫理観が痛むことになる」

「俺の倫理観はさっぱり」

「道徳は？」

「倫理とか道徳なんて犬に食わせてしまえばいいんだ」私は、春の前にいる愛らしい柴犬に指を向けた。軽口を叩《たた》くような声で高らかに言いつつも、私は必死だった。真剣この上なかった。柴犬に向けた指も震えていたはずだ。

恐怖と不安が私を覆《おお》い、気を少しでも抜くと、その場に座り込み、地面に手を突き、「おまえは自首すべきだ」と聞こえの良い台詞を吐き出してしまいそうで、奥歯を嚙《か》み、それを必死に堪《こら》えた。

「兄貴、ここで俺を許すと、もし今後、子供ができて、『どうして人を殺しちゃいけないのか』って訊《き》かれた時に、きっと困ることになるよ」

「そんな子供も犬に食わせてしまえ」

「兄貴、むちゃくちゃだよ」春が顔を歪《ゆが》めた。

「そうだ、このむちゃくちゃがおまえの兄なんだ」

できる限り、軽々しく言った。春が以前、病室で洩《も》らした言葉が、頭から離れない。

「本当に深刻なことは、陽気に伝えるべきなんだよ」

まさに今がそうだ。ピエロは、重力を忘れさせるために、メイクをし、玉に乗り、空中ブランコで優雅に空を飛び、時には不恰好《ぶかっこう》に転ぶ。何かを忘れさせるために、だ。私が常識や法律を持ち出すまでもなく、重力は放っておいても働いてくる。それならば、唯一《ゆいいつ》の兄弟である私は、その重力に逆らってみせるべきではないか。

脳裏には、家族全員で行ったサーカスの様子が蘇《よみがえ》った。

「そうとも、重力は消えるんだ」

父の声が響いた。

私の無茶苦茶な言葉が、春を納得させるとは到底思えなかったが、ブランコを使い空を飛ぶピエロよりも命がけで、祈っていた。重力を消してほしい、と祈る。少しくらい消えても罰はあたらないじゃないか、とも思った。

頼むよ、と。

私たちはしばらく黙り込んでいたが、やがて、どちらから言うでもなく、「とにかく父さんのところに行こうじゃないか」ということになった。

出口へ歩き出したところで、春が立ち止まり、「この犬たちはさ、俺たちの話を聞いていたから、警察に連絡するかもしれないな」と言った。

「眠っていたじゃないか」ミニチュアダックスフントを指す。

「いや」春は隣のケージに目をやった。「あっちのゴールデンレトリーバーなんて、なかなか賢そうだからさ。きっと、まずいね」

「その時はその時だ」春の背中を押した。何一つ商品を購入していないというのに店員が、「ありがとうございました」と挨拶《あいさつ》をしてくれたので、私の胸は痛む。

駐車場でお互いの車に乗ろうとする時、私は聞き忘れていたことを口にした。

「遺伝子暗号を辿《たど》っていったら、『Arson』という英単語が浮かび上がってきた。あれもおまえが考えたのか?」

「偶然だよ」春は笑った。「たぶん、あれには誰よりも、俺が一番驚いたと思うよ」

花

手術は怖くない、と父は言った。強がりではない、と付け足しもした。

私の軽自動車をマンションに置き、春の車で、病院へ向かった。病室の父は私たちを見ると表情を緩め、「二人で遊んできたのか？」と訊《たず》ねてきた。昔から変わらないあの確認だった。二十歳を過ぎて、兄弟で遊んできたも何もないよ、気持ち悪いじゃないか、と私が答え、隣で春が手を挙げた。

前回の見舞いの時よりも、父の顔は細く見えた。大幅な変化ではないが、やすりで執拗《しつよう》に削ったかのような痩《や》せ方は、痛々しい。

「いよいよ明日だ」春が言う。

「俺が手術をやるわけではないからな。気負っても仕方がない」

父の枕《まくら》もとに新聞が置かれていることに、気がつき、私ははっとした。父は読んだのか？

私は気にかかる。葛城の顔写真は載っていたはずだ。父は、その写真の男の正体が、母をレイプした少年の成長したものであると気がついただろうか。葛城は本名ではない。あの男は狡猾《こうかつ》にも名前を変えて、暮らしていたのだ。黒澤の話では、そういう名前や戸籍の売買を請け負う業者が、世の中には幾らもあるらしい。あの男は、そのいくらもあるうちの一つを利用し、偽名を手に入れた。きっとそれで、自分の罪を帳消しにし、「はい、終わり」とあの男は考えていたに違いない。許しがたい。許しがたいが、この場合はプラスに作用したかもしれない。名前が違っているのだから、父が、葛城のことに気がつかなかった可能性はある。

「放火事件はその後、起きていないな」と父が言う。

春は伏し目がちにして、「そうだね。たぶん、ずっと、起きない」と答えた。その落ち着きぶりに励まされるように、私も白を切った。「もう起きないんじゃないの?」と言ってみる。窓からは、空が見えている。気持ちが良いくらいの晴天で、眺めていると、知らずに背筋が伸びた。

「手術は怖くない」父は枕に後頭部をつけ、瞑想《めいそう》をするかのように瞼《まぶた》を閉じた。「癌《がん》も怖くない」

二年前に手術をした時には、こんなことは口にしなかったから、私は不安になる。

「それなら何が怖いわけ?」

「怖いことは何もないな」目を開けて少し笑うが、天井に目をやりながら、記憶を辿《たど》る顔になったかと思うと、「母さんが仙台にやってきた時、あれは怖かったな」と言った。「突然、うちの市役所にやってきて、でっかいバッグを持ってだな、それで俺のところにつかつかやってくると、『さあ、一緒に暮らしましょう』と言った」

私はその場面を想像した。やりかねない、と思った。

「つづけて、『あなたの家はどこ? 荷物を置きに行きたいんだけど』と来たんだ」

「市役所にそんな用事で行くなんてさ」春も苦々しそうだった。「と言うよりも、そもそもその時の母さんは、市民でもなかったんじゃないか」

「母さんはあれだ、すごい美人だっただろ。同僚はみんなキョトンとしてた。母さんがいなくなった後で、必死に弁解をした覚えがあるな。みんなは俺が役所の金を横領したとでも言うような猛烈な勢いで、糾弾《きゅうだん》してきたんだ。あれは本当に怖かった」

春は丸椅子《いす》に腰掛け、目を細めていた。

「それでだな」しばらくして、父は声の調子を変えてそう言った。「訊きたいことがあるんだ」

ああ、やっぱり来た、と私は身を縮こまらせた。身体《からだ》中に力が入る。嵐《あらし》に備えるような気持ちだった。顔を両手でこする。耳を塞《ふさ》ぎたかったが、あまりに露骨過ぎるので、できない。父は、大きな樽《たる》を担《かつ》いだような重々しさを滲《にじ》ませながら、こう言った。

「おまえたちは、俺に隠れて、何かをやった。そうだろ?」

その声は病室に響いた。胃がぎゅっと締まる。私はまず、愛想笑いを浮かべてみたが、父の目は真剣そのものだった。愛想笑いは瞬時に吹き飛び、私はまた視線を下にやる。横目で弟を見る。彼は目を閉じ、無言だった。覚悟を決めた、というよりは、窓際《まどぎわ》に置かれた花の香を楽しんでいるだけにも見える。

「何か、って何。曖昧《あいまい》だ」と私はかろうじて、そう返事をした。愛想笑いのできそこないが、顔に貼《は》り付いている。

「悪いことを、だ」父はすぐに言い、裁きを下す判事のような深刻な目で、私たち二人を交互に見つめた。ゆっくりと時間をかけ、何度も何度も私たちを観察した。

「何もないよ」私は全身全霊を込め、できるだけ平静を装い、応《こた》えた。春に目を向けると彼も真《ま》っ直《す》ぐに父を見て、「何もない」とうなずいた。

「そうか」と父は言った。残念そうな顔ではなく、それ以上は追及してこなかった。テレビ欄をめくり、社会面の通り魔記事を突きつけてくることもなければ、「本当のことを言え」と怒鳴ることもなかった。俺は何でもお見通しなんだぞ、と突如として父親の能力や権威を振りかざすこともしなかったし、「手術前の父親に本当のことを言えないのか」と脅しとも泣き落としともつかない台詞を吐き出すこともなかった。ただ父は、上半身を起き上がらせると、息子の名前を呼んだ。「春」

その時の光景を、私は決して忘れないだろう。

父は、春に手を差し出した。点滴のチューブを避《よ》けながら、右手を前に向けた。少ししてから春が、礼儀を思い出したかのように慌《あわ》て、自分の手を出し、握手をする。

父の表情は変わらなかったが、右手にはとても強い力が込められているのが分かった。意志の伝達を行うような、力強いもので、それこそ他人が見たらそれは親子による、拮抗《きっこう》した腕相撲と勘違いしたかもしれない。

私には、父の握手の意味が分からない。春の罪悪感を和らげようとしたものだったのか、もしくは、犯罪人となった息子を叱《しか》りつけるかわりだったのか、「よくやった」と称《たた》えるためのものだったのか、それとも春のこれからの数十年を案じたものだったのか、まったく別の思いが込められていたのか、私には分からない。ただ、その時の父の拳《こぶし》への力の込め方を見るに、彼が、春の行なったことについて、息子の犯罪について、察しているのは間違いがない、と私は思った。

春は夢でも見るかのような面持ちで、父を見ていた。手を握り返している。

「おまえは、俺に隠れて、大事なことをやった。そうだろ?」父が不意にもう一度言った。春は瞬《まばた》きを何回かした後で、私をちらっと気にかけたが、「何もないよ」と自然に、笑った。父は握っていた手を離した。私のほうにも顔を向けて、幸せそうな笑顔を見せた。そして再び、春と向き合うと、言った。

「おまえは嘘《うそ》をつく時、目をぱちぱちさせるんだ。子供の時からそうだった。泉水もそうなんだよ」

私たちは言葉を発することができず、ぽかんと口を開けたままの、どちらかといえば阿呆《あほう》面で、父を眺める。父はさらに、春に向かって、こうつづけた。それは、私たち兄弟を救済する最高の台詞だった。

「おまえは俺に似て、嘘が下手だ」

何でもない言葉だ。たわいもないやり取りだったのかもしれない。けれど、私は動くことができず、息を止めた。

見ろよ、仁リッチ。心の中で、叫んでいた。

染色体であるとか、遺伝子であるとか、血の繋《つな》がりであるとか、そういったものを、父は軽々と飛び越えてしまった。私にはそう思えたのだ。

父は、春と自分自身との連続性をあっけなく証明した。科学的ではまったくないし、理屈にもなっていないのかもしれないが、私は内心で、「何だよ、遺伝子、関係ねえじゃんか！」と笑い転げた。

春はと言えば、自分の髪を触り、困惑している。

父はもう二度と、質問を口にしなかったし、誰の嘘を暴こうともしなかった。

その後の数十分、下らない雑談を繰り返し、三人でたっぷりと笑っただけだった。

「あの花、いいね」春が窓際に飾られている、フラワーアレンジメントを指差した。

「いいだろ」父は、知り合いの黒澤という人が持ってきてくれたんだ、と説明した。

「兄貴が持ってきたんじゃないんだ？」

「違うよ」

春は窓へと近づくと、その花をじっと眺める。「この黄色いのはウイキョウだね」

「ウイキョウ？」

「薬草でさ。少し香りが強い。黄色いウイキョウの花言葉を知ってる？」春は問題を出した。「これを持ってきた人は鋭いかもしれない」

「花言葉？　さあ」父は日が射し込んでいるわけでもないのに、眩《まぶ》しげな顔をした。

「これの花言葉は」春はそこでうなずいた。「父さんにぴったりだ」

「何だ」

「『賞賛に値する』」

国際規格

病院を後にして帰る途中、春は運転席でハンドルをしっかりと握ったまま、「兄貴、この車、あげるよ」と言い出した。

私は唐突な話に驚く。「買い換えるのか?」

「まさか。俺がいない間、この車をどうしようかと思って」

「どこかに行くのか?」

「警察に行くに決まっているじゃないか」

「行く必要はない」私は一つの確信を持っていた。つべこべと口に出して根拠を並べ立てることはできないが、私と春は決して間違っていない、誰かに謝罪する必要もない、という確固たる自信を持っていた。身勝手だ、非常識だ、おぞましいほどの身内贔屓《びいき》だ、と非難されても、そうだ、と開き直りたい気分だった。二十八年前、父が聞いたという神の怒鳴り声の通り、私は、「自分で考えた」のだ。その結果、そう判断した。

「兄貴、俺が言うのも何だけど、俺は許されないことをやったんだ」

「ペットショップと同じやり取りになるから、くどくど言わないけどさ、簡単に言えば、こういうことなんだ」

「どういうこと」

「おまえは許されないことをやった。ただ、俺たちは許すんだよ」

「俺たち、って誰」

「俺と父さんだ。母さんも一緒に入れてもいい」

「酷《ひど》い家族だな」春は苦笑し、ハンドルを緩やかに回し、交差点を左折する。

「いいんだよ」私は言い切る。「おまえはきっと、そのことについて、今まで何百回、何千回と考えてきたんだ。悩んできた。そうだろ」

「毎日だ」と彼は静かに言って、顎《あご》を引く。

「そのおまえが出した結論なんだ。他の、ちょっと首を突っ込んできた野次馬だとか、刑事だとか、法律家にとやかく言われる必要はないよ」

「あるって」と彼は笑う。

「ない」私は断言する。「たぶん、おまえ以上に、このことを真剣に考えた奴《やつ》なんて、世の中にいないんだ」

「まあね」

「それなら、他の奴に評価させるなよ」

「無茶苦茶だ」

「おまえは、社会と家族とどっちに許してもらいたいんだよ」私は止《とど》めを刺すような思いで、二者択一を迫る。

するとしばらくの間、無言で思案する様子だった春は、「社会だな」と言い、噴き出した。「だから、俺は自首をするよ」

私は根負けしたわけではなかったが、「分かった」と言った。「そこまで言うなら、勝手に自首しろ」

「こういう場合はどの警察署に行けばいいんだろう」

道案内をしてやろうじゃないか、と私は買って出た。ただ、途中で駅に寄ってくれよ、とも頼んだ。なぜ、わざわざ駅に立ち寄る必要があるのか、と春は訝《いぶか》ったが、強い反対もしなかった。駅前のロータリーに車を停めて、私は走って駅の構内に行き、買い物を済ませて助手席に戻った。「さあ、行くか」

「どこに」

「東口に」

「そんなところに警察署があったっけ」

地下道が混雑しているのか、道は渋滞しはじめた。春はそれでも落ち着いたままだった。じたばたする様子も、取り乱すところもない。

「大事なことを聞き忘れていた」

「何が」

「あのノートは何だ」私は、春を見た。

「ノート」

「狂人のノートだ！」

春がきょとんとしているので、私は郷田順子から聞いた話を説明した。有名人の名前がぎっしりと書き込まれたノートのことだ。

「正常な人間が書いたとは到底思えなかった」

すると春は、へらへらと笑った。ちっとも進まない前方の車を眺めた後で、「あれを見たんだ？」と言った。「狂人のノートか」と楽しむように、言った。

「見たも何も、恐ろしくて、すぐにしまった」

「あれは」春はそこで言葉を切った。「大したものではないよ」

「何のために書いていたんだ」

「同じだよ」

「同じ?」

「いつも俺のやることは同じだ。どんな馬鹿《ばか》げた縁起《えんぎ》でも、信じたい性格なんだ」

知ってる、と私は即答した。春は縁起をかつぐことが好きだった。それは子供の頃からそうであったし、父に、「53」というゼッケンのトレーナーを着せたところを見ると、今でも変わっていないに違いない。私を放火現場に連れて行ったのも、根本は同じ発想だったはずだ。

「どんなに下らないことでも、信じる者は救われる、と思う性格なんだな、俺は」

「父さんの病室に桃を並べたり、な」

「そうだね。あれもそうだ」でも、孫悟空は桃のおかげで不老不死になったんだ、効果はあるかもしれないよ、とも言う。

「で、縁起かつぎがどうかしたのか」

「あのノートに、有名人の名前を書き込んだ。ただ、名前にはあまり意味はないんだ」

「何に意味があるんだ?」

「頭文字」春は照れ臭そうにこめかみのあたりを掻《か》いた。

「頭文字?」私はきょとんとしてしまう。

「チャイコフスキー、タキトゥス、アインシュタイン、ゴーギャン、グレン・グールド」春は空で呪文《じゅもん》を唱えるように言って「頭文字を取れば、T、T、A、G、G、Gだ。グレン・グールドは両方のGを取ったけど」

「TTAGGG!」私は声を上げて、噴き出した。唾《つば》がフロントガラスに飛ぶくらいだった。「嘘だろ?」

「TTAGGGというのは細胞の寿命を表すテロメアのことなんだろう? それが延び続ければ死なない。それならTTAGGGの文字を書きつづければ、父さんも助かるような気がしたんだよ」

「冗談ではなくて?」

「本気でやらないと、笑えないよ」

「何で有名人の名前なんだよ」

「偉人はご利益《りやく》がありそうじゃないか」自分で説明をしながらも、恥ずかしがっていた。「有名人の名前を必死に思い出しては、それを書いたんだ。ノートに繰り返し、書いたよ」

「意味がない」

「お百度参りというのがあるだろう？　ああいうのと一緒だよ。意味はある。思いは通じるはずなんだ」

「もう一度言ってやるよ。おまえのやったことは、意味がない」と言いつつ、彼のことを羨《うらや》ましく思ったのも事実だった。「おまえは馬鹿だ。もしかして、ゴダールもそうか？」

春はどうしてそれを知っているのだ、と意外そうな表情を見せたが、すぐに、「ああ、あれもそうだよ」と歯を見せた。

「頭文字か？」

「ただし国際規格だ」と言った。

「国際規格？」

「ローマ字にもいろいろ種類があるだろう？　ヘボン式だと、『チュ』は『ＣＨＵ』なんだ。国際規格は『ＴＹＵ』だ。国際規格に則《のっと》らないと意味がない」

繰り返し鑑賞したというゴダールの映画を、思い返した。

春が先に答えを口にした。「『小さな兵隊』『中国女』『アルファヴィル』『ゴダールのリア王』『ゴダールの探偵』『ゴダールの決別』だよ。頭文字を取れば、ＴＴＡＧＧ

Gだ」

「おまえは立派だ。立派な馬鹿だよ」春を指差す。「で、あんな退屈な映画を何度も観《み》たわけか?」

「TTAGGGが繰り返されれば、寿命は延びるんだよ、兄貴」

「よりによってゴダールか」

「そこがいいんじゃないか」

私は、「素晴らしいよ」と言って、助手席から外の風景を眺めた。

「やっぱり」ようやく動き出した車の列に、ハンドブレーキを下ろしながら、春が言った。「気休めは役に立たないかな、兄貴」

「そうでもないさ」と私は答えた。「母さんは気休めが好きだった。人を救うのは、気休めの美味《うま》い料理だと信じていた」

「何だ、そうか」春は目尻《めじり》に皺《しわ》をつくり、微笑《ほほえ》んだ。私も顔をほころばす。この瞬間に重力が消えて、私たちの乗った白い四輪駆動車が宙に浮かんでも、ちっとも不思議ではないな、と思った。

駅の東口に出れば、私が目指した目的地はすぐだった。「ジーン・コーポレーション」を通り過ぎ、その先へ行ったところに停車してもらう。

「兄貴、ここは警察じゃない」運転席から降りた春が、口を尖《とが》らせた。

助手席から出た私は、春の肩を叩《たた》いた。「警察に行く必要はない。かわりにあそこに行ってこいよ」

「どこ？」

「あのビジネスホテルだよ。おまえが落書きをしただろ？『century』って描いた」

煉瓦《れんが》色《いろ》の建物を指した。「仙台東ビジネスホテル」だ。首を伸ばしてみると、自動ドアの向こう側が覗《のぞ》けた。例の、赤いベストを着た白髪の男性が見えた。

「あそこの親爺《おやじ》が落書きの犯人を探していたんだ。あそこに自首してこいよ。そうすれば、もういいよ」

「いいって何が？」

「全部だよ。おまえが自首すべきは、あの殺し屋みたいな親爺だけだ」実際、あの鋭い目つきの管理人にみっちり絞られれば、充分に罪滅ぼしになるような気がした。

すると春は、そういう意味では、火傷《やけど》を負った老人にも謝罪をしなければいけない、と言った。「でも、謝るくらいなら、はじめからやらなければいいんだ」と以前と同じ、きっぱりとした意見を口にした。

「それなら、なおさら、あの親爺に謝って、それでおしまいだ」

「怒ってるかな」

「カウンターを飛び越えて、つかみかかってくるぞ」脅しではない。「体験済みだ」

「まずいな」春は顔を両手で拭くようにした。「行ってくるよ」

「これ、持っていけよ」先ほど立ち寄った駅で購入した、地元名物のカスタード菓子を春に手渡した。

「何、これ？」

「それがおまえを守る」かもしれない。

春がビジネスホテルに入っていく。私は車のドアに寄りかかりながら、春の戻ってくるのを待っていた。ＴＴＡＧＧＧか、と呟《つぶや》いてみた。郷田順子に教えてやるべきだな、と思った。

ライフ

私は今、屋根の上にいる弟を見上げている。

火葬場から数十メートル離れたところにある、農具の置かれた小屋だ。春は器用に屋根に上がっていったが、私はそのまま下に残っている。自動販売機で買った缶ビールを二本持ったまま、春の姿を眺めていた。二階の屋根と言っても、それほど高くはなく、落ちたところで怪我《けが》する心配はないため、春は暢気《のんき》に寝そべってもいた。

親戚は、私たちを探して苛立《いらだ》っているかもしれない。滅多に会う機会のない親戚たちは、父の葬儀よりも私たち兄弟のほうに関心があるように見えた。

父は結局、死んだ。あの手術の時、医師は父の開腹を行なったはいいが、癌《がん》たちが繁栄を謳歌《おうか》しているのを目撃すると、その繁栄に水を差すのを恐れたかのように、作業を取りやめたらしい。癌を切除しても無駄だと判断したのだ。医師の判断は正しいのだろう、と私は信じている。

手術の結果は、父に伝えなかった。精神力の強い父であっても、無駄に腹を切られたと分かれば、いい気はしなかったはずだ。

そこからの約三ヶ月間、私は毎日のように病室に通った。春も同じだった。「暇人だなあ」と父は、私を笑い、時には、「おまえが来るのを楽しみにしている看護婦がいるらしいぞ」と春をからかった。春はそのたびに困った顔をしていた。郷田順子を連れて行ったこともある。

父も、彼女の変貌《へんぼう》振りに戸惑ったが、でも、喜んでいた。彼女が、「夏子です」と挨拶《あいさつ》をすると、「いやあ」と頭を掻いていた。「ずっと追いまわしていれば、春もあなたへ気持ちが向くかもしれない」と無責任にストーカーをけしかけた。

正月が過ぎた頃だった。父はすべてが分かったような清々《すがすが》しい顔でこう言った。

「まあ、癌も、俺が憎いわけではあるまい」

弱った身体《からだ》で、振り絞るように言ったその言葉は、負け惜しみなどでは決してなかった。本心だったのだろう。満足そうにも見えた。私と春は癌を恨んでいたが、父は違った。

タイミングというのはうまくできていないもので、父が死んだ時、私も春も病室にはいなかった。私は出張先の名古屋で、得意先の親爺から嫌味を言われていたところだったし、春は広瀬川の川辺で、石段に描かれたグラフィティアートを消しているところだった。そういうものなのだろう。

春と二人で病室の荷物を片づけていた時、部屋の隅に落ちている紙切れが見つかった。父が死ぬ間際《まぎわ》に書いていたものだ。達筆であるはずの父の字がよれよれとなっていて、終わりのほうは読みづらかった。「Cancer Agony Gravity」となっていて、つづきはない。

「癌、苦痛、重力」私はそれらの単語を訳してから、「重苦しい言葉ばっかりだな」と苦笑した。どうやら、父は例の、「AGCT」というルールが最後の最後まで頭に残っていたのかもしれない。それらの単語は、C、A、Gの頭文字ではじまっていた。「Tのつく言葉を探している間に、父さんは死んだのかもな」そうすべき時ではなかったかもしれないが、私は笑った。

春はその紙切れをじっと見つめると、表情も変えず、ペンを取り出した。そして、無言のまま、私とよく似た字で、「Triumph」と書き足した。

なるほど、と私は思った。ふと、「死が敗北だと誰が決めた?」とも思った。

警察が春を捕まえに来ることは、今のところ、なかった。あくまでも、今のところ。葛城の事件については、新聞にもほとんど載っていない。警察の捜査は継続しているのだろうが、世間の人たちの興味は薄れてきているのだろう。そう言えば先日、春が、「罪にはさ、その理由や意味なんて関係ないんだ。『何をやったか』という結果だけで判断すべきなんだ」と言うのを聞いた。私は、「でも、例外はあるだろ。堅いこと言うなって」と返事をした。

すると彼は、「例外なんてないよ」と肩をすくめた。「バットで人を殴り殺した人間は、バットで殴り殺されればいいんだ」と例の持論を口にした。私は相手にしなかった。春がいつまで無事なのか、私には分からない。

十分ほど前、父の入った棺桶《かんおけ》が火葬炉に入っていくのを確認すると、私と春は、控え室で待つのではなく、そのまま、ふらふらと外に出てきてしまった。二人で田圃《たんぼ》道を歩いているうちに、この農具小屋に辿《たど》りついた。

火葬場が真正面に見えた。煙突から煙が上がっている。最近はガス式設備などが広まって無煙のところも多いらしいが、そこは違っていた。火葬される父の煙が、空に向かっていくのが見える。ゆらゆらと気まぐれを見せながら、確実に煙は伸びている。

「行け」上から春の声が聞こえてきた。

何事だ、と二階を見上げる。春が小屋の二階屋根から大声で叫んでいた。

「行け。行け」拳《こぶし》を高く突き上げて、声を上げている。まるで競馬の応援だった。

空には雲はまったく見当たらず、太陽が寂しげに浮かんでいるだけだ。あの太陽の位置まで煙が届くように、応援しているのだろう。私は、母と行った競馬場を思い出した。春の言葉に励まされるかのように、火葬場の煙は縦に昇っていく。

私も心の中で叫んでいた。行け、行け。

空の向こう側では、母が父のやってくるのを待っていて、きっと彼らは楽しくいちゃいちゃと暮らすはずだ、などという楽観的な想像が私にはできなかった。人は、脳の中の神経伝達物質の流れで思考をしたり、様々なホルモンの分泌《ぶんぴつ》で生活をしているので、死んで骨になってしまったら、人の本質など消えてしまう。どちらかといえば、そう考えてしまうほうだった。何も考えたくなかった。父の行方や、母の居場所について、知りたくなどなかった。春も同じ気分だったのかもしれない。

だから、煙を応援している。魂や死後の世界がないとしても、煙は確かにそこにある。それは事実だ。誰にも文句は言わせない。私たちが今、見つめ、縋《すが》るべきは、あの実体を持った煙だ、と確信する。のんびりと、しかし着実に昇っていく煙は、父に似合っていた。慎みがあって、好感が持てる。

「行け!」春がまた叫んだ。

私は手に持った缶ビールを見た。そのうちの一本を右手で持つと、思い切り振った。しゃかしゃかしゃかと上下に揺する。二階を見上げ、「春、乾杯をしようじゃないか」と声をかけた。

親戚が聞いたら、呆《あき》れ顔で怒り出すだろう。父親の葬儀の最中に、「乾杯」とは不謹慎な、と野蛮人を見るような視線を向けてくるかもしれない。私は不謹慎だとか礼儀についていては、あまり興味がなかったから、気にかけない。

何度も振ったほうの缶ビールを、屋根の上にいる春に向かって投げた。春がそれを受けとめる。

蓋《ふた》を開けたらビールが吹き出すのを、私は期待し、笑いを堪《こら》えながら、「さあ、乾杯だ」と高らかに言った。

すると、春は缶をじっと見つめたままで、なかなか蓋に手をかけない。どうやら私の悪戯《いたずら》に気がついたようだ。

「兄貴、これ振っただろ」

「いや」空とぼけた。

「なら、缶を交換してくれよ」と春は笑った。そして、屋根から身を乗り出すようにすると、下を眺めて飛び降りた。

春が二階から落ちてきた。

【参考・引用文献】

「ポンペイ・グラフィティ　落書きに刻むローマ人の素顔」本村凌二著　中央公論新社
「先端研究者7人が明かす　遺伝子・ゲノム最前線」和田昭允監修・石田雅彦著　扶桑社
「エロスの涙」ジョルジュ・バタイユ著　森本和夫訳　筑摩書房
「なぜオスとメスがあるのか」リチャード・ミコッド著　池田清彦訳　新潮社
「さよならダーウィニズム　構造主義進化論講義」池田清彦著　講談社
「イヴの七人の娘たち」ブライアン・サイクス著　大野晶子訳　ソニー・マガジンズ
「デザイナー・ベビー　生殖技術はどこまで行くのか」ロジャー・ゴスデン著　堤理華訳　原書房
「天才と分裂病の進化論」デイヴィッド・ホロビン著　金沢泰子訳　新潮社
「生命の意味論」多田富雄著　新潮社
「男の凶暴性はどこからきたか」リチャード・ランガム&デイル・ピーターソン著　山下篤子訳　三田出版会
「絵とは何か」坂崎乙郎著　河出書房新社
「ヒトはなぜ絵を描くのか」中原佑介編著　フィルムアート社

「新しい生物学の教科書」池田清彦著　新潮社
「ネアンデルタールと現代人　ヒトの500万年史」河合信和著　文藝春秋
「フェルマーの最終定理　ピュタゴラスに始まり、ワイルズが証明するまで」サイモン・シン著　青木薫訳　新潮社
「エロティシズム　ジョルジュ・バタイユ著作集」ジョルジュ・バタイユ著　澁澤龍彥訳　二見書房
「［図解］ヒトゲノム・ワールド　生命の神秘からゲノム・ビジネスまで」清水信義著　PHP研究所
「エロティシズムの歴史」ジョルジュ・バタイユ著　湯浅博雄・中地義和訳　哲学書房
「都市型放火犯罪　放火犯罪心理分析入門」上野厚著　立花書房
「ロートレアモンとサド」モーリス・ブランショ著　小浜俊郎訳　国文社
「アショカ、ガンジー、ネルー展カタログ」東京富士美術館
「ネアンデルタールの謎」ジェイムズ・シュリーヴ著　名谷一郎訳　角川書店
「クロイツェル・ソナタ　悪魔」トルストイ著　原卓也訳　新潮社
「ガンジー自伝」マハトマ・ガンジー著　蠟山芳郎訳　中央公論新社
「ガンジーの実像」ロベール・ドリエージュ著　今枝由郎訳　白水社
「芸術新潮」二〇〇二年一一月号　新潮社

その他、文献ではありませんが、映像作品としてDVD「ガンジー　コレクターズ・エディション」についても参考にし、引用させていただいた部分があります。

また、この物語はフィクションであるため、様々な嘘《うそ》や誇張が混じっていますが、特に、主人公の勤務する会社に関しては、作者のまったくの想像により作られたものです。その事業内容・経営理念・仕事の手順などについては、現実には存在しないものだと考えていただけると、幸いです。

解説

北上次郎

冒頭に、しびれた。

「春が二階から落ちてきた」

いきなり、こう始まるのである。もちろん、春というのが語り手である「私」の弟の名前であり、頭上から落ちてきたのが「川面に桜の花弁が浮かぶあの季節」ではないとすぐに語られるのだが、思わずどきっとする。

しかしそれが読者を驚かせるテクニックの一つにすぎないと思っていると、もっとびっくりする。その弟が二階から落ちてきたのは彼が高校生のときだった、とそこに回想が挿入され、体育倉庫の二階からバットを持って飛び下りる春の姿が描かれるのだが、その猫のようにしなやかな着地が鮮やかに残り続けるのである。このイメージは鮮やかだ。

語り手である「私」にとって、弟の春は突然二階から落ちてきたような存在なのだ。

誤解をおそれずに書くならば、それは喜びではなく迷惑という感情でもなく、突風のようなものだ。それを、猫のようにしなやかな着地と見る「私」の感情が、ここに見事に集約されている。本書の後半の一行に留意したい。それもまた、「春が二階から落ちてきた」というものだ。作中で春は、「本当に深刻なことは、陽気に伝えるべきなんだよ」と言うが、それに則して書くならば、伊坂幸太郎の小説において、重要なことは必ず繰り返される。たとえば「赤の他人が父親面《づら》するんじゃねえよ」という台詞《せりふ》が繰り返されることを想起すればいい。冒頭の一文が後半に繰り返されるのはけっして偶然ではない。本書は、二階から落ちてきた春の物語である。その波紋と収束を描く小説である。そうも言えるかもしれない。

細かなことをもう少し続ける。細部にこそ真実は宿る、と主張したいわけではなく、伊坂幸太郎の小説を読んでいて、普段感じていることを、本書に則して語りたいだけなのだが、まあしばらくお付き合いいただきたい。

たとえば冒頭の回想の中で、「じゃあ、行こう」と言う弟に、「私」が「え」っと途方に暮れた声を出す場面を思い浮かべたい。構わずに進む春のあとを「私」が慌《あわ》てて追う次のくだりも重要だ。「途方に暮れて」「慌てて追う」のである。こういうふうに感情を露《あらわ》にする人物は、本書においてきわめて少ない。ではなぜ、「私」はこういう人物として描かれているのか。

少しだけ遠回りするために、母親の挿話をここでは繙《ひもと》いてみる。二十歳を過ぎたばかりのころ、雑誌グラビアの仕事で仙台を訪れた母は役所にいた父に一目惚《ひとめぼ》れする。一度東京に戻るとモデルの仕事をあっさり辞めて荷物をまとめ、仙台の父のところに押しかける。「私」と春の母親はそういう人間である。その父について、「私」は次のように述懐している。

「父が無能だったとは思わない。むしろ、逆ではないか、と推測してもいる。ただ、他人に能力をひけらかす種類の人間ではなかった。そして、他人に能力があることをひけらかさない限りは、穏やかさだけが取り柄の、無能な人間に見えてしまう種類の人間だった」

それなのに、若き日の母は、会って話をした瞬間、父の凄《すご》さがわかってしまうのである。息子二人を連れて競馬場に行く挿話や、審査員の尻《しり》を絵で叩《たた》く挿話をここに並べてもいいが、きわめて特異な人物といっていい。

この母同様に、春も異色の人物だろう。父の書棚に並ぶ本を、著者名の五十音順に並んでいないのがけしからんと言って数日がかりで整理をしたり、年賀状の番号は小さい数のものから重ねないと、とふて腐れたりして、こだわり始めると耳を貸さない男である。子供の頃は、横断歩道の白い部分と黒い部分を踏んだ回数が等しくならないと気分が悪いなどと言いはじめて歩幅をちょこまかと調整するものだから、母が連れ歩くのに苦労したというエピソードもある。長じて大学生のときに、町中で未来人のふりをする挿話も出てくるが、母親同様に常識人の枠をはみ出しているとも言えそうだ。もともと伊坂幸太郎の小説にはこういう人物、常識人の枠をはみ出した奇人変人が多く登場するのだが、本書も例外ではない。

母が審査員の尻を絵で叩いたり、春がバットで殴りかかったり、と彼らの行動は描かれても、そのときの彼らの感情表現を作者が巧みに回避していることにここでは留意したい。なぜ回避するのか、ということについては、伊坂作品の構造に繫《つな》がっている。たとえば本書は、「放火と落書きと遺伝子の物語」だ。そこに、ネアンデルタール人とクロマニョン人の違い、桃太郎の解釈、マラリア療法、ガンジー語録まで出てきて、いつもの伊坂ワールドが展開する。『ラッシュライフ』文庫版の解説（池上冬樹）によれば、その伊坂ワールドとは「一風変わったキャラクター像、軽快このうえない語り口、きらめく機知、洗練されたユーモア感覚、そして的確で洒落《しやれ》た引用と比喩《ひゆ》が効いていて、読むのが愉《たの》しくて仕方がない」ものだ。この手の小説に、ストレートな感情表現は似合わない。感情の噴出は物語の水面下に隠して、出来れば知らん顔していたい。そういう道を選ぶのも当然だろう。すなわち、母親や春の感情表現を巧みに回避しているのは、スタイリッシュな小説であるための必然的な道筋なのである。

ここから先は、私の偏見であることをお断りしておく。『オーデュボンの祈り』文庫版の解説（吉野仁）や、前記『ラッシュライフ』の解説を読むと、「シュールな物語」「エレガントな前衛」という用語が使われていて、たしかに伊坂作品が多くの現代読者の心を摑《つか》んだのはそういうこともあるのだろう。百歩譲って、それを認めてもいい。しかし実は私、「シュールな物語」や、「エレガントな前衛」といったものを好きではない。常識人の枠をはみ出したキャラクターが次々に登場し、「軽快このうえない語り口、きらめく機知、洗練されたユーモア感覚、そして的確で洒落た引用と比喩」が効いている小説は、たしかにうまいとは思うけれど、それだけでは、なんだかなあと思うのである。スタイリッシュであればあるほど、他人事《ひとごと》のような気がしてくるのだ。そういうタチなんだから仕方がない。

本書を伊坂作品の中でもっとも愛している理由もそこにある。ここでようやく、「私」が「途方に暮れて」「慌てて追う」くだりに戻ることが出来る。この「私」も、新聞のクロスワードパズルの幾つかの答えを父が記入すると癇癪《かんしゃく》を起こして暴れる子供の頃の挿話があるので、けっして「常識人」の枠内にいる人物ではない。父と春の言葉を引く。
「泉水はとにかく、自分でやらないと気が済まないんだ。本も先にあらすじを読むのを嫌うし、試合の途中から放送される野球中継も見なかった」「ようするに途中参加が嫌いなんだ」

母や弟の春同様に、この男もやっぱり奇人変人に分類されるべき人物といっていい。にもかかわらず、この語り手だけ、「途方に暮れて」「慌てて追う」ように、感情表現を許されている意図は何か。この「私」は嫌いな人物に会うとむかつくし、暗号を解くと有頂天になる。彼の感情はいたるところで噴出する。我々と同様に、普通の人間としての顔を持つ、と言い換えてもいい。「シュールな物語」「エレガントな前衛」といった観点に立つと、綻《ほころ》びといってもいい箇所がさりげなく頻出するのである。もちろん、綻びではない。この「私」を現実との接点として機能させていると解釈しなければ、この意味は解けない。つまり「私」は、シュールな物語と読者をつなぐ確信犯的物語装置なのだ。

その例証をもう一つ並べよう。伊坂幸太郎は文庫化に際して手を入れることでも知られているが、今回の文庫化のときに挿入されている部分に留意したい。全体の3分の1のところ、「JLG」と「二万八千年前」の間に、「燃えるごみ」という項が挿入されている。

「私」が大学生だったときの回想だ。深夜二時過ぎに帰宅すると、ごみ集積所に高校生の弟がジャージ姿で立っている。何をしてるんだろうと声をかけずに見ていると、弟はごみ袋を蹴《け》り始める。そのくだりを念のために引いておく。

「それからはめちゃくちゃだった。春は乱暴に足を上げ、右、左と振り回し、ごみ袋を蹴った。自分の脚が左右の二本しかないことがもどかしく、悶《もだ》えるかのような、蹴り方だった」

元版にはなかった挿話だ。その春の鬱屈《うっくつ》とでもいうべき挿話を文庫化に際して書き加えたのも、「私」の感情表現と同じ意味と解したい。伊坂幸太郎はけっしてスタイリッシュであることを最優先させているわけではない。現実の読者と物語を共有すべく、リアルな基盤を模索して、かくて格闘しているのである。

「僕たちは兄弟だよね」と小学校五年生の春が尋ねてくるシーンがある。春の絵が県のコンクールで大賞に選ばれ、審査員の尻を母子で叩いたためにその受賞が取り消された帰り道だ。「どうだろうな。俺はおまえみたいに絵が上手《うま》くないからな」と兄に言われると、「絵なんか」と泣きべそをかいた春。兄弟が幼いころ、町内会のオリエンテーリングでびりけつだったとき、「僕とお兄ちゃんは最強なんだ」と方位磁石を踏んづけた春。そういう挿話が鮮やかだ。あるいは「春は俺の子だよ。俺の次男で、おまえの弟だ。俺たちは最強の家族だ」と穏やかに告げた父の言葉をここに並べてもいい。つまり、本書は、スタイリッシュな小説であると同時に、そういう切なく哀《かな》しく、しかし力がむくむくと湧《わ》いてくるような兄弟小説、家族小説なのである。そのきわめて稀《まれ》な融合なのだ。奇跡的な融合といってもいい。

古い酒でも新しい皮袋に盛れば、これだけ新鮮な物語に変貌《へんぼう》するという見本のような作品でもあるが、それをこう言い換える。これは、現代に生きる私たちの小説だ。

（平成十八年四月、文芸評論家）

この作品は平成十五年四月新潮社より刊行され、文庫化に際し改稿を行った。

大江健三郎著

「雨の木《レイン・ツリー》」を聴く女たち

荒涼たる世界と人間の魂に水滴をそそぐ「雨の木」のイメージに重ねて、危機にある男女の生き死にを描いた著者会心の連作小説集。

大江健三郎著

小説のたくらみ、知の楽しみ

同時代の代表的作家が、日々の読書から、創作の現場から、かつてなく自己の生活と精神の内情をさらけだした注目の長編エッセイ。

大江健三郎著

人生の親戚

伊藤整文学賞受賞

悲しみ、それは人生の親戚。人はいかにその悲しみから脱け出すか。大きな悲哀を背負った女性の生涯に、魂の救いを探る長編小説。

大江健三郎著

燃えあがる緑の木

（第一部〜第三部）

森に伝承される奇跡の力を受け継いだ「新しいギー兄さん」。だが人々は彼を偽物と糾弾する。魂救済の根本問題を描き尽くす長編。

河野多恵子著

みいら採り猟奇譚

野間文芸賞受賞

自分の死んだ姿を見るのはマゾヒストの願望。グロテスクな現実と人間本来の躍動と日常生活の濃密な時空間に「快楽死」を描く純文学。

河野多恵子著

秘事・半所有者

川端康成文学賞受賞

一流商社の重役である夫と聡明な妻。二人の「幸福な結婚」に介在したある秘密とは。川端康成文学賞を受賞した『半所有者』を併録。

井伏鱒二著

山《さん》椒《しょう》魚《うお》

大きくなりすぎて岩屋の棲家から永久に外へ出られなくなった山椒魚の狼狽をユーモア漂う筆で描く処女作「山椒魚」など初期作品12編。

古井由吉著

杳《よう》子《こ》・妻《つま》隠《ごみ》

芥川賞受賞

神経を病む女子大生との山中での異様な出会いに始まる斬新な愛の物語「杳子」。若い夫婦の日常を通し生の深い感覚に分け入る「妻隠」。

三島由紀夫著

春の雪

（豊饒の海・第一巻）

大正の貴族社会を舞台に、侯爵家の若き嫡子と美貌の伯爵家令嬢のついに結ばれることのない悲劇的な恋を、優雅絢爛たる筆に描く。

三島由紀夫著

奔馬

（豊饒の海・第二巻）

昭和の神風連を志した飯沼勲の蹶起計画は密告によって空しく潰える。彼が目指したものは幻に過ぎなかったのか？　英雄的行動小説。

三島由紀夫著

暁の寺

（豊饒の海・第三巻）

〈悲恋〉と〈自刃〉に立ち会った本多繁邦は、タイで日本人の生れ変りだと訴える幼い姫に出会う。壮麗な猥雑の世界に生の源泉を探る。

三島由紀夫著

天人五衰

（豊饒の海・第四巻）

老残の本多繁邦が出会った少年安永透。彼の脇腹には三つの黒子がはっきりと象嵌されていた。〈輪廻転生〉の本質を劇的に描いた遺作。

沢木耕太郎著

血の味

なぜ、あの人を殺したのか——二十年前の事件を「私」は振り返る。「殺意」に潜む少年期特有の苛立ちと哀しみを描いた初の長編小説。

沢木耕太郎著

檀

愛人との暮しを綴って逝った「火宅の人」檀一雄。その夫人への一年余に及ぶ取材が紡ぎ出す「作家の妻」30年の愛の痛みと真実。

沢木耕太郎著

彼らの流儀

男が砂漠に見たものは。大晦日の夜、女が迷ったのは……。彼と彼女たちの「生」全体を映し出す、一瞬の輝きを感知した33の物語。

車谷長吉著

鹽《しお》壺《つぼ》の匙《さじ》

三島由紀夫賞受賞

闇の高利貸しだった祖母、発狂した父、自殺した叔父。私小説という悪事を生きる私……。反時代的毒虫、二十余年にわたる生前の遺稿。

車谷長吉著

漂流物

平林たい子文学賞受賞

書くことのむごさを痛感しつつも、なお克明に、容赦なく、書かずにはいられぬことの業、そして救い。悪の手が紡いだ私小説、全七篇。

車谷長吉著

武蔵丸

ともに初婚の中年夫婦が、一匹の兜虫の生と性のむごさを見ながらその死を看取る「武蔵丸」など、業曝しの精神史としての私小説6編。

重力《じゅうりょく》ピエロ

新潮文庫　い-69-3

平成十八年七月一日発行
平成二十一年五月三十日三十五刷

著者　伊《い》坂《さか》幸《こう》太《た》郎《ろう》

発行者　佐藤隆信

発行所　株式会社新潮社

郵便番号　一六二―八七一一
東京都新宿区矢来町七一
電話　編集部(〇三)三二六六―五四四〇
読者係(〇三)三二六六―五一一一
http://www.shinchosha.co.jp

価格はカバーに表示してあります。

乱丁・落丁本は、ご面倒ですが小社読者係宛ご送付ください。送料小社負担にてお取替えいたします。

印刷・二光印刷株式会社　製本・憲専堂製本株式会社

ISBN978-4-10-125023-6 C0193